Terapia

David Lodge

Terapia

Tradução de PETRUCIA FINKLER

Texto de acordo com a nova ortografia.

Título original: *Therapy*

Tradução: Petrucia Finkler
Capa: Ivan Pinheiro Machado. *Ilustração*: iStock
Preparação: Simone Diefenbach
Revisão: Marianne Scholze

CIP-Brasil. Catalogação na publicação
Sindicato Nacional dos Editores de Livros, RJ.

L796t

Lodge, David 1935-
  Terapia / David Lodge; tradução Petrucia Finkler. – 1. ed. – Porto Alegre, RS: L&PM, 2016.
  368 p. ; 21 cm.

  Tradução de: *Therapy*
  ISBN 978-85-254-3407-4

  1. Ficção inglesa. I. Finkler, Petrucia. II. Título.

16-31209
CDD: 823
CDU: 821.111-3

Copyright © David Lodge, 1995

Todos os direitos desta edição reservados a L&PM Editores
Rua Comendador Coruja, 314, loja 9 – Floresta – 90.220-180
Porto Alegre – RS – Brasil / Fone: 51.3225.5777 – Fax: 51.3221.5380

PEDIDOS & DEPTO. COMERCIAL: vendas@lpm.com.br
FALE CONOSCO: info@lpm.com.br
www.lpm.com.br

Impresso no Brasil
Inverno de 2016

Para meu pai, com amor

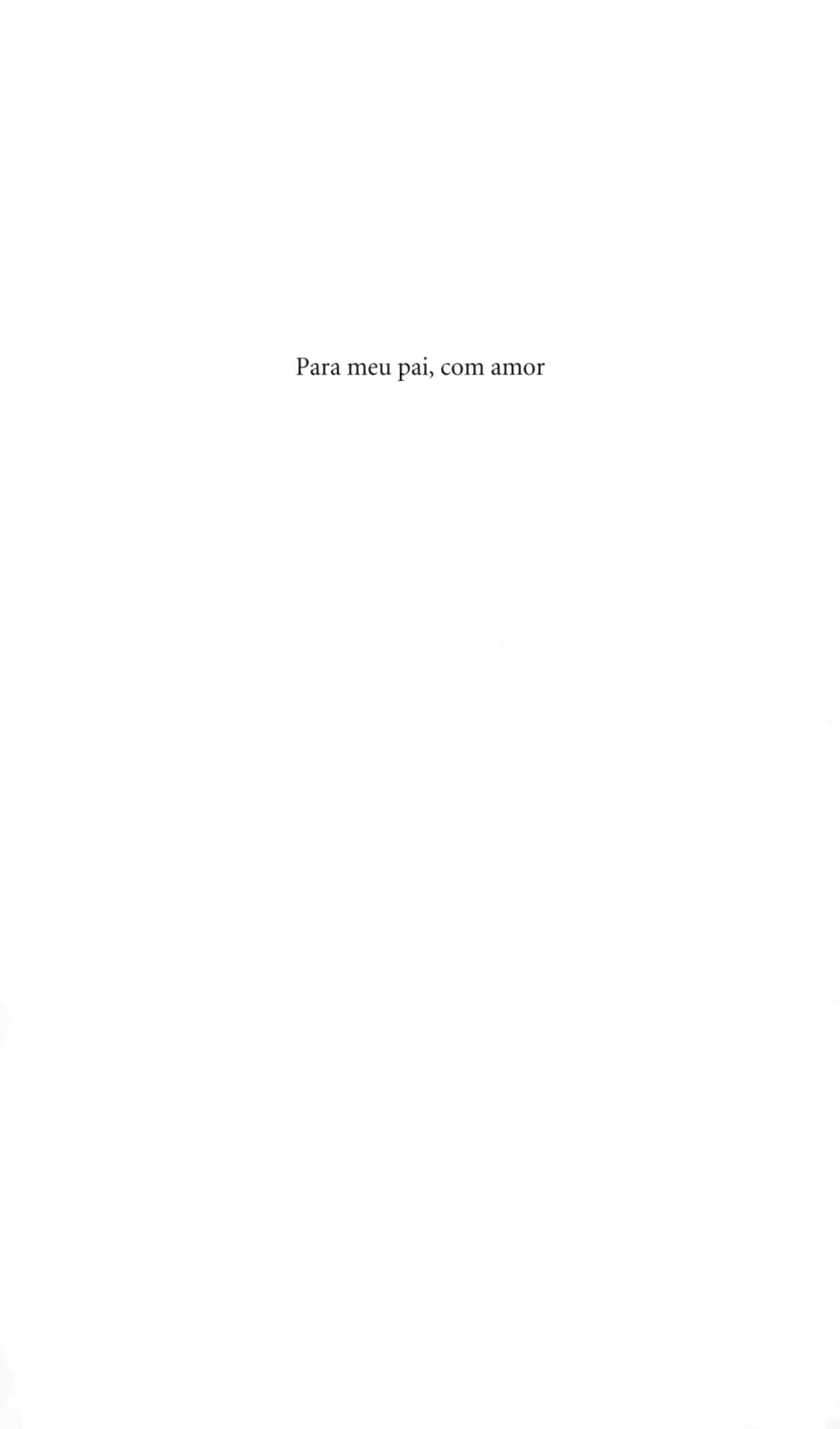

Muitas pessoas me ajudaram gentilmente com a pesquisa para a composição deste livro, respondendo minhas perguntas e/ou lendo e comentando o texto. Tenho uma dívida especial para com Marie Andrews, Bernard e Anne Bergonzi, Isak Winkel Holm, Michael Paul e Martin Shardlow.

O cenário para localização dos eventos deste romance usa a combinação usual entre o real e o imaginário, mas os personagens e suas ações são inteiramente fictícios, com a possível exceção do autor e apresentador de documentários para televisão mencionado rapidamente na Parte Quatro.

D.L.

Terapia. O tratamento de desordens mentais ou sociais ou de uma doença.
Collins English Dictionary

"Sabe do que mais, Søren? Não há nada de errado com você, exceto seu hábito bobo de ficar parado com os ombros caídos. Apenas arrume sua postura, fique ereto, e sua doença vai passar."
Christian Lund,
tio de Søren Kierkegaard.

"Escrever é uma forma de terapia."
Graham Greene

UM

Certo, aqui vamos nós.

Segunda-feira de manhã, 15 de fevereiro, 1993. Um dia de temperatura amena em fevereiro tirou os esquilos de sua hibernação. As árvores sem folhas do jardim se transformaram em um playground cheio de aventuras para eles. Observei dois brincando de pegar nas castanheiras do lado de fora da janela de meu quarto de estudos: subindo em espiral por um tronco, se esquivando e se escondendo por entre os galhos, então disparando por cima de um ramo e saltando para a árvore seguinte, depois mergulhando rápido, de cabeça, pela lateral do tronco, congelando no meio do caminho, com as garras grudadas feito velcro na casca corrugada, em seguida deslizando pela grama, um tentando despistar o outro com volteios, desviando com guinadas repentinas até alcançarem o tronco de um álamo canadense, quando então os dois subiram pela lateral feito foguetes até os ramos mais finos e flexíveis e ficaram se equilibrando lá, balançando suavemente e piscando contentes um para o outro. Pura brincadeira – sem dúvida. Estavam apenas se entretendo, exercitando sua agilidade por pura diversão. Se existir reencarnação, eu não me incomodaria de retornar como um esquilo. As juntas dos joelhos deles devem ser feitas de aço temperado.

A primeira vez que senti a dor faz mais ou menos um ano. Estava saindo do apartamento de Londres, me apressando para pegar o trem que saía de Euston às 18h10, saltitando de um lado a outro pelas quatro peças, enfiando roteiros e meias sujas na maleta, fechando janelas, apagando luzes, redefinindo o temporizador do aquecimento central, esvaziando caixas de leite no ralo da pia, jogando desinfetante no sanitário do banheiro – em resumo, obedecendo à lista dos afazeres para Antes de Sair do Apartamento que Sally escrevera e grudara na porta da geladeira com ímãs daquelas carinhas amarelas sorrindo, quando senti: uma dor aguda, lancinante, como se uma agulha em brasa estivesse sendo enfiada lá no fundo do meu joelho direito e então retirada, deixando uma sensação de queimadura que foi logo se dissipando. Emiti um grito agudo e assustado e tombei na direção da cama (estava no quarto naquele momento). "Jesus!", falei em voz alta, embora estivesse sozinho. "Que merda foi essa?"

Cauteloso, fiquei de pé. (Será que deveria ter usado "cautelosamente"? Não, acabo de verificar que serve tanto o adjetivo quanto o advérbio aqui.) Cauteloso, fiquei de pé e experimentei apoiar o peso no joelho, dei alguns passos (engraçada essa palavra, cauteloso, em inglês, é *gingerly* e não tem nada a ver com *ginger*, que é gengibre; sempre achei que fosse para descrever o jeito que a gente prova gengibre em pó, com todo o cuidado, tocando as minúsculas partículas com o dedo molhado e então provando na pontinha da língua, mas, não, acredita-se que venha do francês antigo, *genson*, que quer dizer frágil, ou *gent*, nobre por nascimento, nenhum dos quais se aplica ao meu caso). Dei alguns passos à frente sem nada de ruim acontecer, dei de ombros e decidi que não passara de uma contração bizarra de algum nervo, como um daqueles torcicolos súbitos e excruciantes que às vezes dão no pescoço quando a gente se contorce para alcançar alguma coisa no banco de trás do carro. Saí do apartamento, apanhei o trem e não pensei mais no assunto.

Cerca de uma semana depois, quando estava trabalhando no meu quarto de estudos, cruzei as pernas embaixo da escrivaninha e senti de novo, a pontada súbita de dor na parte interna do joelho direito, que me fez arquejar, sugando ar para encher o pulmão inteiro e então expelindo com um retumbante "*Putameeeerrda!*". Dali em diante, comecei a sentir a dor com cada vez mais frequência, embora não houvesse nada previsível a respeito. Ela raramente atacava quando eu esperava que fosse acontecer, como quando estava jogando golfe ou tênis, mas podia acontecer logo *depois* da partida, no bar do clube, ou enquanto dirigia para casa, ou quando estava sentado, completamente imóvel, à minha mesa de trabalho ou deitado na cama. Aquilo me fazia gritar no meio da noite, a ponto de Sally pensar que eu estivesse tendo um pesadelo. Na verdade, pesadelos são meio que a única coisa que eu não tenho. Tenho depressão, ansiedade, ataques de pânico, suores noturnos e insônia, mas pesadelos, não. Nunca cheguei a sonhar muito. O que simplesmente significa, pelo que entendo, que não me lembro dos meus sonhos, pois sonhamos o tempo todo enquanto dormimos, segundo dizem. É como se houvesse uma televisão sem ninguém assistindo, cintilando a noite inteira dentro da minha cabeça. O Dream Channel. Queria poder gravar isso em vídeo. Quem sabe assim conseguiria uma pista sobre o que há de errado comigo. Não estou falando do joelho. Estou falando da minha cabeça. Da minha mente. Da minha alma.

Achei que era muita dureza sentir essa dor misteriosa no joelho além de todos os meus outros problemas. Admito, há coisas piores que podem acontecer com você fisicamente. Por exemplo: câncer, esclerose múltipla, doença do neurônio motor, enfisema, Alzheimer e AIDS. Sem falar nas doenças congênitas, como distrofia muscular, paralisia cerebral, hemofilia e epilepsia. Sem falar na guerra, na peste e na fome. É engraçado como ter consciência disso não torna a dor no joelho nem um pouco mais fácil de suportar.

Talvez seja o que chamam de "fadiga da compaixão", a ideia de que, por termos tanto sofrimento humano esfregado na nossa cara todos os dias na mídia, ficamos meio que anestesiados; já usamos todas as nossas reservas de pena, raiva e ultraje e somos capazes apenas de pensar na dor do nosso próprio joelho. Ainda não cheguei a esse estágio, não tanto, mas sei do que estão falando. Recebo um bocado de pedidos de doação para instituições de caridade pelo correio. Acho que elas repassam os nomes e endereços entre si: basta fazer uma única doação para uma organização e, antes que você se dê conta, os envelopes começam a despencar da caixa de correio mais rápido do que é possível juntá-los. OXFAM, CAFOD, UNICEF, Save the Children, Instituto Real para os Cegos, Cruz Vermelha, Câncer Imperial, Distrofia Muscular, Abrigo etc. etc., todos contendo formulários e panfletos impressos em papel reciclado com fotos borradas, em p&b, de bebês negros esfomeados com braços que parecem gravetos e cabeça de velho, crianças pequenas em cadeiras de rodas, refugiados com cara de aturdidos ou amputados de muletas. Como é que alguém supostamente vai estancar essa maré de miséria humana? Bem, vou contar o que eu faço. Destino mil libras por ano para uma organização que fornece um talão de cheques especial para distribuir as doações entre as caridades de sua escolha. Eles também recuperam o imposto pago sobre esse valor, o que eleva para 1.400 libras no meu caso. Então, todos os anos distribuo 1.400 contos em pequenas parcelas: 50 libras para os bebês esfomeados da Somália, 30 libras para as vítimas de estupro na Bósnia, 45 libras vão para uma bomba d'água em Bangladesh, 25 libras para um centro de reabilitação de usuários de drogas em Basildon, 30 libras para a pesquisa da AIDS e assim por diante, até a conta esvaziar. É como tentar enxugar os oceanos do mundo com uma caixa de lenços de papel, mas mantém a fadiga da compaixão sob controle.

 Claro que eu teria condições de doar muito mais. Eu poderia doar *dez* mil por ano com minha renda atual, sem doer muito no bolso. Poderia doar tudo, aliás, e ainda assim não seria mais do que uma caixa de lenços de papel. Então guardo a maior parte e gasto, entre outras coisas, com um tratamento médico particular para o meu joelho.

 Primeiro fui me consultar com meu clínico geral. Recomendou fisioterapia. Depois de um tempo, o fisioterapeuta recomendou que eu fosse a um especialista. O especialista recomendou uma artroscopia. É um novo tipo de microcirurgia hi-tech, toda feita por vídeo e fibra óptica. O cirurgião bombeia água para dentro da sua perna para criar uma espécie de estúdio lá e então enfia três instrumentos finos como uma agulha. Um tem uma câmera na ponta, outro é uma ferramenta cortante, e o terceiro é uma bomba para sugar todos os detritos. São tão finos que a olho nu mal dá para ver a diferença entre eles, e depois o médico nem sequer precisa dar um ponto nas incisões. Ele examina o que há de errado com a articulação do seu joelho sacudindo-o um pouco e observando-o em um monitor, e então extrai a cartilagem ou tecido rompido, uma ponta áspera de osso ou o que quer que seja que esteja causando o problema. Ouvi dizer que alguns pacientes recebem apenas uma anestesia local e assistem à operação inteira no monitor durante o procedimento, mas não gostei da ideia e falei. Nizar sorriu, me tranquilizando. (Esse é o nome do meu ortopedista, sr. Nizar. Eu o chamo de Knees 'R Us. Não na frente dele, claro. Ele é do Oriente Médio, Líbano ou Síria, ou um desses lugares, e é melhor para ele estar bem longe, pelo que ouço dizer.) Afirmou que eu faria uma anestesia geral, mas me entregaria uma fita de vídeo da cirurgia para eu levar para casa. Ele não estava brincando. Eu sabia que as pessoas hoje em dia filmavam seus casamentos, batizados e férias em vez de fotografar, mas não sabia que havia chegado até as cirurgias. Suponho que daria para montar uma pequena compilação e chamar os amigos para assistir, com acompanhamento de queijos e vinhos. "*Essa é a minha apendicectomia, fiz em 1984, ou será que foi em 85... legal, né? ...E essa foi minha cirurgia cardíaca aberta, opa, a câmera tremeu um pouco ali... A curetagem da Dorothy vem na sequência...*" [Lembrete: uma ideia para O *pessoal da casa ao lado*?] Falei para Nizar: "Você poderia também abrir uma locadora de vídeos para a turma que não passou por nenhuma operação própria". Ele riu. Estava muito confiante quanto à artroscopia. Alegava que a taxa de sucesso era de 95 por cento. Acho que alguém tem que cair na parcela dos cinco por cento de azarados.

Fiz a operação no Hospital Geral de Rummidge. Sendo um paciente particular, normalmente teria ido para o Abbey, o hospital da BUPA, a associação de previdência da British United, perto do campo de críquete, mas estavam com certo gargalo lá na época – estavam reequipando uma das salas de cirurgia ou algo assim – e Nizar disse que poderia me atender mais rápido se eu fosse para o Hospital Geral, onde ele trabalha um dia por semana para o NHS, o Serviço Nacional de Saúde. Prometeu que eu teria um quarto só para mim, e, como a cirurgia exigia que passasse apenas uma noite lá, concordei. Queria resolver tudo o mais rápido possível.

Assim que cheguei ao Hospital Geral de táxi, às nove horas de uma manhã de inverno, comecei a desejar que houvesse esperado pelo leito no Abbey. O Geral é um imbróglio vitoriano enorme, tenebroso, com tijolos vermelhos enegrecidos do lado de fora e por dentro pintado nas cores creme e verde pegajoso. A área da recepção principal já estava cheia de fileiras de pessoas afundadas em cadeiras de plástico injetado, com aquele ar de desesperança que sempre associei aos hospitais públicos. Um homem tinha sangue vazando pela gaze enrolada na testa. Um bebê estourava os pulmões de tanto chorar.

Nizar me dera um pedaço de papel milimetrado rabiscado com seu nome, a data e a hora da minha cirurgia – um documento absurdamente inadequado para a admissão em um hospital, pensei. Mas a recepcionista pareceu reconhecer o papel e me dirigiu para uma enfermaria no terceiro andar. Tomei o elevador e fui repreendido por uma enfermeira de perfil afilado que embarcou no primeiro andar e assinalou que era para uso restrito dos funcionários do hospital. "Para onde está indo?", exigiu. "Enfermaria 3J", respondi. "Estou fazendo uma pequena cirurgia. Sr. Nizar." "Oh", exclamou com leve escárnio, "você é um dos pacientes particulares dele, não é?" Fiquei com a impressão de que ela desaprovava os pacientes particulares sendo tratados nos hospitais do NHS. "Vou passar apenas uma noite", falei, para atenuar. Ela latiu uma risada curta que me desconcertou. Resultou que ela era responsável pela Enfermaria 3J. Às vezes me pergunto se não engendrou de propósito a angustiante provação da hora e meia que se seguiu.

Havia uma fileira de cadeiras pretas de plástico contra a parede do lado de fora da enfermaria, onde me sentei por uns vinte minutos até que uma mulher jovem, magra, asiática, com ar abatido e jaleco de residente viesse anotar meus dados. Perguntou se eu tinha alguma alergia e prendeu uma pulseira com meu nome no meu pulso. Então me conduziu para um quarto pequeno com duas camas. Havia um homem de pijama listrado deitado em uma das camas, com o rosto voltado para a parede. Eu estava prestes a reclamar que haviam me prometido um quarto individual quando ele se virou para olhar para nós e vi que era negro, provavelmente caribenho. Sem querer parecer racista, engoli meu protesto. A residente me mandou tirar todas as minhas roupas e vestir um dos camisolões do hospital, do tipo aberto na parte de trás, que estava dobrado sobre a cama desocupada. Ela me disse para remover todos os dentes falsos, olhos de vidro, membros artificiais ou outros acessórios do gênero que eu pudesse estar escondendo na minha pessoa e então me deixou. Eu me despi e vesti o camisolão, vigiado com ar invejoso pelo caribenho. Ele contou que fora admitido três dias antes para uma cirurgia de hérnia e ninguém chegara perto dele desde então. Parecia ter caído em algum tipo de buraco negro do sistema.

Sentei-me na beira da cama com meu camisolão, sentindo o ar encanado subindo pelas minhas pernas. O caribenho virou o rosto para a parede de novo e pareceu ter adormecido, gemendo e resmungando para si mesmo ocasionalmente. A jovem doutora residente voltou ao quarto e comparou o nome da minha etiqueta com o que constava nas anotações, como se nunca houvesse me visto antes. Mais uma vez perguntou se eu tinha alguma alergia. Eu estava perdendo rapidamente a fé naquele hospital. "Esse homem diz que está aqui há três dias e ninguém reparou nele", falei. "Bem, pelo menos ele conseguiu dormir um pouquinho", disse a residente, "o que é mais do que eu consegui nas últimas 36 horas." Ela saiu do quarto de novo. O tempo passava muito devagar. Um sol baixo de inverno brilhou pela janela empoeirada. Observei a sombra da moldura da janela percorrer os quadrados de linóleo do piso. Então uma enfermeira e um carregador empurrando uma maca sobre rodas vieram me buscar para levar à sala de cirurgia. O carregador era um jovem com a expressão pálida e impassível de um jogador de pôquer, e a enfermeira era uma irlandesa roliça cujo uniforme engomado parecia pequeno para ela, lhe dando uma aparência um pouco de periguete. O carregador me lançou a saudação de costume: "E aí?" – e me disse para pular na maca. Eu falei: "Eu posso caminhar, sabe, com o camisolão. Não estou com nenhuma dor de verdade". Na realidade, eu não sentira nem uma mísera fisgada no joelho havia mais de uma semana, o que é bastante típico de todas as doenças desse tipo; assim que se decide fazer algum tratamento, os sintomas desaparecem. "Não, você precisa ser levado", ele afirmou. "Regras do hospital." Com cuidado, unindo as abas do camisolão como uma dama eduardiana ajustaria as anáguas, subi na maca e me deitei. A enfermeira perguntou se eu estava nervoso. "Deveria estar?", perguntei. Ela riu, mas não comentou nada. O carregador conferiu o nome na minha etiqueta. "Passmore, sim. Amputação da perna direita, não é?" "Não!", exclamei, me sentando alarmado. "Apenas uma pequena operação no joelho." "Ele só está brincando com o senhor", disse a enfermeira. "Pare, Tom." "É só brincadeira", falou Tom sem expressão alguma. Eles me cobriram com um cobertor e prenderam as pontas, apertando meus braços contra meu corpo. "Evita que o senhor se bata quando a gente passa pelas portas pivotantes", Tom explicou. O caribenho acordou e se apoiou em um dos cotovelos para me assistir sendo levado embora. "Até mais ver", falei. E nunca mais o vi.

 Você se sente curiosamente desamparado deitado de costas em uma maca sem um travesseiro embaixo da cabeça. Não sabe dizer onde está ou para onde vai. Tudo que pode ver são os tetos, e os tetos do Hospital Geral não eram uma visão bonita: gesso rachado, pintura descascando, teias de aranha nos cantos e moscas mortas nas luminárias. Parecíamos estar viajando por quilômetros e mais quilômetros de corredores. "Vamos precisar pegar a rota cênica hoje", Tom observou de trás da minha cabeça. "O elevador do setor está quebrado, não é? Temos que levar você lá embaixo no porão pelo elevador de serviço e então cruzar para a outra ala, daí subir pelo outro elevador e voltar de novo." O elevador de serviço era de tamanho industrial: cavernoso, mal iluminado e o cheiro lembrava uma mistura de repolho fervido e lavanderia. No que fui empurrado para fora, as rodas prenderam em algo e me peguei olhando fixo para dentro do vão entre o elevador e o fosso, para os cabos graxentos e pretos e as roldanas do maquinário aparentemente muito antigo. Era como estar num daqueles filmes metidos a artísticos, em que tudo é filmado a partir de ângulos estranhos.

Tom fechou a porta pantográfica com força, a enfermeira apertou um botão, e o elevador começou a descer bem devagar, com muitos rangidos e murmúrios. O teto era ainda mais deprimente que os tetos dos corredores. Meus companheiros travaram uma conversa desconexa fora do meu campo de visão. "Tem um cigarro aí?", perguntou a enfermeira. "Não", respondeu Tom, "larguei. Larguei na terça passada." "Por quê?" "Saúde." "E fez o que no lugar?" "Montes e montes de sexo", respondeu Tom com toda a calma. A enfermeira deu uma risadinha. "Mas vou te contar um segredo", instigou Tom. "Escondi cigarros pelo hospital inteiro quando larguei, para caso eu ficasse desesperado. Tem um no subsolo." "Qual marca?" "Benson. Pode pegar se quiser." "Certo", disse a enfermeira, "obrigada." O elevador parou com um solavanco.

O ar no subsolo era quente e seco por causa das caldeiras do aquecimento central, e comecei a perspirar embaixo do cobertor enquanto Tom me empurrava por entre paredes de embalagens, caixas e recipientes de material hospitalar. Grossas teias de aranha pendiam do teto abobadado como excrementos de morcego. As rodas sacolejavam por cima do piso de lajotas, chacoalhando minha espinha. Tom parou por um instante para escarafunchar atrás de um de seus cigarros escondidos. Ele e a enfermeira desapareceram atrás de um fardo montanhoso de roupa de cama para lavar, e escutei um gritinho e certo farfalhar sugerindo que ele cobrara um favor em troca do Benson and Hedges. Eu não conseguia acreditar no que estava acontecendo comigo. Como é que um paciente particular poderia ser submetido a tais indignidades? Era como se eu tivesse pagado pelo bilhete da classe executiva e fosse parar em um assento quebrado, no fundo do avião, ao lado do banheiro e com os fumantes tossindo na minha cara (em termos metafóricos – a enfermeira na realidade não teve coragem de acender o cigarro). O que piorava as coisas era saber que Sally não sentiria a menor pena de mim quando eu lhe contasse a história: ela é contra medicina particular por uma questão de princípios e recusou afiliar-se à BUPA quando eu o fiz.

Voltamos a nos movimentar, andando em zigue-zague pelo labirinto de provisões até chegarmos a outro elevador similar na ponta oposta do imenso porão, e subimos devagar de volta à luz do dia. Mais um longo percurso por mais corredores – e então, de repente, tudo mudou. Ao passar por portas oscilantes, fui do século XIX para o XX, do gótico vitoriano para o moderno hi-tech. Era como entrar em um estúdio elegante, bonito e bem iluminado depois de ter cambaleado pela escuridão do espaço cheio de cabos nos bastidores de um cenário. Tudo era branco e prata, inoxidável e reluzente na iluminação difusa, e a equipe médica me recebeu com sorrisos bondosos e vozes suaves e educadas. Fui retirado com destreza da maca e transferido para outra cama móvel, desta vez mais sofisticada, na qual fui empurrado para uma antessala onde o anestesista estava aguardando. Ele pediu que eu fechasse minha mão esquerda e avisou, em um tom tranquilizador, para me preparar para uma leve pontada, e inseriu uma espécie de válvula plástica em uma veia no meu braço. Nizar entrou tranquilo na sala, coberto por um macacão de cirurgia azul-pálido e usando uma rede sobre os cabelos, parecia uma rechonchuda dona de casa de pijama que acabou de levantar da cama e ainda não teve tempo de retirar os rolos.

– Bom dia, meu velho – me saudou. – Tudo nos trinques?

Nizar fala um inglês impecável, mas acho que deve ter lido muito P.G. Wodehouse em algum momento. Eu estava prestes a dizer não, que até ali não estava tudo nos trinques, mas não me pareceu o melhor momento para reclamar de como eu tinha sido recebido. Além disso, uma sensação quentinha e lânguida de bem-estar começava a tomar conta de mim. Nizar examinava os raios X do meu joelho, segurando-os contra uma tela iluminada. "Ah, sim", murmurou para si mesmo, como se reconhecesse vagamente uma foto de algum efêmero conhecido do passado. Aproximou-se e ficou de frente para o anestesista, do lado oposto da cama. Os dois sorriram para mim. "Ele é do tipo que junta as mãos", o anestesista comentou. O que estaria sugerindo, foi o que me perguntei. Meu cobertor fora removido, e, sem saber o que fazer com as mãos, enlacei-as sobre a barriga. O anestesista deu umas palmadinhas nas minhas mãos. "Isso é bom, muito bom", disse, me tranquilizando. "Algumas pessoas cerram os punhos, roem unhas." Nizar ergueu a barra do camisolão e apertou meu joelho. Dei uma risadinha abafada e estava quase fazendo uma piada sobre abuso sexual quando apaguei.

Quando voltei a mim, estava de novo no quarto com as duas camas, mas o caribenho desaparecera, ninguém sabia me dizer para onde. Minha perna direita, enfaixada com bandagens, estava do tamanho da de um elefante. Sally, que foi me visitar na saída do trabalho, a caminho de casa, achou muito engraçado. Conforme eu previra, não obtive qualquer compaixão quando descrevi minha manhã. "É o que merece por pular a fila", ela disse. "Minha tia Emily está esperando há dois anos por uma cirurgia de quadril." Nizar deu uma passada mais tarde e me pediu para levantar a perna, delicadamente, alguns centímetros. Eu o fiz com muita delicadeza – cautelosamente, pode-se dizer – sem qualquer efeito adverso, e ele pareceu satisfeito. "Bom demais", exclamou, "deslumbrante."

Depois de alguns dias de muletas, esperando o inchaço diminuir, e várias semanas de fisioterapia e exercícios controlados para recuperar a força do quadríceps, comecei a sentir a mesma dor intermitente de antes. *Putameeeerrda*! Não dava para acreditar. Nizar também não conseguia acreditar. Ele pensava ter identificado o problema – um pedacinho de tecido chamado de plica que estava sendo comprimido na articulação do joelho – e o cortado fora. Assistimos ao vídeo da minha cirurgia na tevê do seu consultório. Eu não tivera coragem de assistir antes. Era uma imagem bem iluminada, colorida, circular, como se estivesse olhando pelo periscópio de um submarino com um holofote poderoso. "Lá está, está vendo!", exclamou Nizar. Tudo que eu conseguia ver era algo que parecia uma delgada enguia prateada tirando nacos da parte inferior e macia de um molusco. As pequenas mandíbulas mordiam ferozmente, e fragmentos do meu joelho saíam flutuando e eram sugados pelo aspirador. Não consegui assistir por muito tempo. Sempre fiquei enjoado com cenas de violência na televisão.

– E então? – perguntei, quando Nizar desligou o vídeo.

– Bem, francamente, meu velho, estou pasmo – disse. – Você mesmo viu a plica que estava causando o problema e me viu cortando o tecido fora. Não há evidências de um menisco rompido ou de degeneração artrítica da junta. Não há um pingo de motivo para seu joelho continuar doendo.

– Mas dói – falei.

– Pois é. É muito irritante.

– Especialmente para mim – falei.

– Deve ser condromalacia patelar idiopática – disse Nizar. Quando pedi para explicar, ele disse: – Condromalacia patelar significa uma dor no joelho, e idiopática quer dizer que é peculiar a você, meu velho.

Sorriu como se estivesse me condecorando com um prêmio.

Perguntei o que poderia ser feito, e ele disse, com bem menos confiança do que antes, que podia fazer outra artroscopia, para ver se por acaso havia deixado escapar alguma coisa na primeira, ou eu podia tentar aspirinas e fisioterapia. Falei que tentaria aspirinas e fisioterapia.

– Claro que faríamos no hospital da BUPA da próxima vez – afirmou. Percebera que eu não estava nada encantado com o padrão do atendimento do Geral.

– Mesmo assim – falei. – Não vou me apressar para fazer outra cirurgia.

Quando contei a Roland – esse é o nome do meu fisioterapeuta –, quando contei a Roland a essência daquela consulta, ele deu um sorrisinho irônico e disse:

– Você está com Transtorno Interno da Articulação. É assim que os cirurgiões ortopédicos chamam esse problema entre eles. Transtorno Interno da Articulação. T.I.A., uma abreviação para Tô Inventando Algo.

Roland, a propósito, é cego. Essa é outra coisa que pode acontecer que é pior do que dor no joelho. Cegueira.

....

Terça-feira à tarde, 16 de fevereiro. Logo depois de escrever aquele último trecho ontem, pensei que poderia tentar fechar meus olhos um pouco para ter uma noção de como seria se eu fosse cego e me lembrar de como sou sortudo comparado ao pobre Roland. Na verdade, cheguei até a me vendar com uma máscara para dormir que a British Airways me deu uma vez em um voo vindo de Los Angeles. Pensei em testar como seria fazer algo bem simples e ordinário, como preparar uma xícara de chá, sem ser capaz de enxergar. O experimento não durou muito. Tentando sair do escritório e entrar na cozinha, bati o joelho, nem preciso dizer que foi o direito, contra a gaveta de um arquivo que estava aberta. Arranquei a venda e saltitei pelo espaço, praguejando e blasfemando tão terrivelmente que cheguei a ficar mudo de tão chocado. Estava certo de ter acabado para sempre com meu joelho. Mas, depois de um tempinho, a dor passou, e hoje de manhã a articulação não parece nada pior do que já esteve. Tampouco está melhor, é claro.

Há uma vantagem em se ter Transtorno Interno da Articulação: quando as pessoas telefonam e perguntam como você está, e você não quer dizer que está "morrendo de depressão", mas também não está a fim de fingir que está transbordando de felicidade, pode sempre reclamar do joelho. Meu agente, Jake Endicott, acaba de ligar para confirmar nosso almoço de amanhã, e, de cara, lhe enchi os ouvidos sobre o joelho. Ele está se reunindo com o pessoal da Heartland hoje à tarde para discutir se vão querer encomendar outra temporada de *O pessoal da casa ao lado*. Entreguei há poucas semanas o roteiro do último episódio da temporada atual, mas essas coisas precisam ser decididas com muita antecedência, porque os contratos dos atores precisarão ser renovados logo. Jake está confiante de que Heartland vai encomendar pelo menos uma nova temporada e provavelmente duas.

"Com os índices de audiência que você está conseguindo, seriam loucos de não encomendar." Ele vai me contar o resultado dessa reunião no almoço de amanhã. Marcou comigo no Groucho. Sempre me convida para ir lá.

Faz um ano desde minha artroscopia, e continuo sentindo dor. Será que deveria arriscar outra cirurgia? Não sei. Não consigo decidir. Não consigo decidir nada ultimamente. Não conseguia decidir que gravata usar hoje de manhã. Se não consigo tomar uma decisão tão pequena sobre uma gravata, como posso resolver se vou passar por uma cirurgia? Hesitei por tanto tempo olhando minhas gravatas que corri o risco de me atrasar para meu horário com Alexandra. Não conseguia optar entre uma gravata escura, conservadora, ou uma colorida, espalhafatosa. Eventualmente restringi as opções a uma lisa, azul-marinho, tricotada da Marks and Sparks e uma de seda italiana, pintada à mão em laranja, marrom e vermelho. Mas aí nenhuma delas parecia combinar com a camisa que eu estava vestindo, então precisei trocar de camisa. O tempo estava passando: pus a gravata de seda no pescoço e enfiei a de lã no bolso do paletó, só para o caso de ficar em dúvida no caminho do consultório de Alexandra. E fiquei mesmo – troquei para a tricotada no semáforo. Alexandra é minha psiquiatra, minha atual psiquiatra. Dra. Alexandra Miolos. Não, o nome dela de verdade é Millos. Eu a chamo de Miolos de brincadeira. Se ela um dia se mudar ou se aposentar, vou poder dizer que fiquei sem Miolos. Ela não sabe que a chamo assim, mas não se importaria se soubesse. Porém, ficaria incomodada se soubesse que a chamo de *psiquiatra*. Ela não se descreve como psiquiatra, veja bem, mas como terapeuta cognitivo-comportamental.

Faço muita terapia. Nas segundas vou ao Roland para fazer fisioterapia, nas terças, tenho a Alexandra para terapia cognitivo-comportamental e, nas sextas, tenho ou aromaterapia ou acupuntura. Quartas e quintas, em geral, vou para Londres, mas aí me encontro com Amy, o que também é uma espécie de terapia, acho.

Qual a diferença entre um psiquiatra e um terapeuta cognitivo-comportamental? Bem, pelo que entendo, um psiquiatra tenta descobrir a causa obscura de uma neurose, enquanto o terapeuta cognitivo-comportamental trata os sintomas que estão deixando você infeliz. Por exemplo, você pode sofrer de claustrofobia em ônibus e trens, e um psiquiatra tentaria descobrir alguma experiência traumática em sua vida pregressa que cause isso. Digamos que tenha sofrido algum abuso sexual quando criança, dentro de um trem, quando passava por um túnel ou algo assim, por um homem sentado ao seu lado – digamos que ele mexeu em você enquanto estava escuro no compartimento por causa do túnel, e você ficou aterrorizado e envergonhado e não ousou acusar o homem quando o trem saiu do túnel e nunca nem mesmo contou aos seus pais ou a qualquer pessoa, mas suprimiu a memória por completo. Então se o psiquiatra conseguir fazer você se lembrar da experiência e entender que não foi culpa sua, você não sofrerá mais da claustrofobia. Essa é a teoria, enfim. O problema, segundo apontam os terapeutas cognitivo-comportamentais, é que pode levar uma eternidade para se descobrir a experiência traumática que foi reprimida, isso supondo que haja alguma. Veja Amy, por exemplo. Ela faz análise há três anos e vai ao psiquiatra *todos os dias*, de segunda a sexta, das nove às 9h50 todas as manhãs no caminho do trabalho. Imagine o quanto isso custa para ela. Perguntei uma vez como ela saberia quando estivesse curada. Ela disse: "Quando eu não sentir mais necessidade de falar com Karl". Karl é o psiquiatra, dr. Karl Kiss. Se quer saber minha opinião, Karl é bem esperto.

Já um terapeuta cognitivo-comportamental provavelmente lhe daria um programa para condicionar você a usar transporte público, como dar a volta no Inner Circle no metrô, percorrendo a distância de apenas uma parada da primeira vez, depois duas, três e assim por diante, fora do horário de pico, para começar, depois na hora do rush, sempre se recompensando a cada vez que aumentasse a duração da sua viagem com algum tipo de guloseima, uma bebida ou comida, ou uma gravata nova, qualquer coisa que seja do seu gosto – e você fica tão contente com suas conquistas e esses pequenos presentes para si mesmo que se esquece de ficar amedrontado e por fim acorda para o fato de que não há nada que *temer*. Enfim, essa é a teoria. Amy não se impressionou quando tentei explicá-la a ela. Disse: "Mas e se um dia você for estuprado no Inner Circle?". Ela tem uma mente bastante literal, a Amy.

Entenda, há pessoas que são de fato estupradas hoje em dia no Inner Circle. Até mesmo homens.

Foi meu clínico geral quem recomendou Alexandra para mim. "Ela é muito boa", ele me garantiu. "É muito prática. Não perde tempo fuçando no seu subconsciente lhe perguntando sobre como aprendeu a usar o banheiro ou se viu seus pais transando, esse tipo de coisa." Fiquei aliviado ao escutar isso. E Alexandra tem de fato ajudado. Digo, os exercícios de respiração são bastante eficazes, mas o efeito dura cinco minutos mais ou menos depois de eu concluí-los. E sempre me sinto mais calmo depois da consulta, pelo menos por umas duas horas. Ela é especializada em algo chamado terapia racional-emotiva. TRE, para abreviar. A ideia é conseguir que o paciente entenda que seus medos ou fobias são baseados em uma interpretação incorreta ou injustificável dos fatos. De certa forma, já sei disso, mas ajuda quando a Alexandra o fala com todas as letras. Há momentos, no entanto, em que anseio por um pouco daquela análise vienense à moda antiga, quando quase invejo Amy e o Kiss seu de todo dia. (O nome do cara na verdade se pronuncia "Kish", ele é húngaro, mas prefiro chamá-lo de "Kiss".) A questão é: não fui sempre infeliz. Lembro de uma época em que fui feliz. Razoavelmente contente, pelo menos. Ou, no mínimo, uma época em que eu não pensava que era *in*feliz, que talvez seja a mesma coisa que ser feliz. Ou razoavelmente contente. Mas em algum ponto, em algum momento, perdi aquele jeito de apenas viver, sem estar ansioso e deprimido. Como? Não sei.

"Então, como está hoje?", Alexandra perguntou, como sempre faz no começo de nossas sessões. Sentamo-nos de frente, a três metros de carpete alto cinza-claro um do outro, em duas poltronas confortáveis no elegante consultório de pé-direito alto que, a não ser pela escrivaninha antiga junto da janela e um fichário grande e funcional no canto, é mobiliado de forma a parecer mais uma sala de estar. As poltronas são posicionadas cada uma de um lado da lareira, onde uma chama a gás movida a carvões de mentira arde alegre durante os meses de inverno e um vaso de flores recém-cortadas fica posicionado no verão. Alexandra é alta e magra e usa roupas graciosas, leves e soltas: camisas de seda e saias plissadas de lã fina, compridas o suficiente para recatadamente lhe cobrir os joelhos quando ela se senta. Tem um rosto estreito e de ossatura delicada acima de um pescoço muito longo e esbelto, e o cabelo está preso atrás em um coque firme, ou seria um chinó? Imagine uma girafa muito linda, de cílios longos, desenhada por Walt Disney.

Comecei contando sobre minha indecisão patológica com as gravatas.

– Patológica? – perguntou. – Por que está usando essa palavra? – ela sempre me chama a atenção para as palavras negativas que uso a meu respeito.

– Bem, digo, uma *gravata*, pelo amor de Deus! Perdi meia hora da minha vida angustiado com... digo, existe coisa mais trivial?

Alexandra me perguntou por que eu achara tão difícil decidir entre as duas gravatas.

– Achei que, se escolhesse a lisa azul-marinho, você tomaria como um sinal de que eu estava deprimido, ou então como sinal de que estava me *rendendo* à minha depressão em vez de lutar contra ela. Mas, quando vesti a colorida, pensei que tomaria como sinal de que eu tinha superado minha depressão, quando não superei. Parecia que qualquer uma que eu escolhesse seria uma mentira.

Alexandra sorriu, e experimentei a animação enganosa que com frequência surge na terapia quando você dá uma resposta legal, como uma criança inteligente no colégio.

– Você poderia ter dispensado a gravata por completo.

– Considerei isso. Mas sempre uso gravata para essas sessões. É um hábito antigo. Fui criado assim: vista-se sempre de forma apropriada para ir ao médico. Se eu, de repente, parasse de usar uma gravata, você poderia pensar que isso significava alguma coisa, desrespeito, insatisfação, e não estou insatisfeito. Bom, apenas comigo.

Poucas semanas atrás, Alexandra conseguiu que eu redigisse uma breve descrição de mim mesmo. Achei o exercício bem interessante. Suponho que foi o que me deu a ideia de escrever isso aqui... o que quer que isso seja. Um diário. Uma confissão. Até agora sempre escrevi exclusivamente em formato dramático – esquetes, scripts teatrais, roteiros. Claro, há um pouco de descrição em todos os scripts para tevê – direções de palco, comentários sobre os personagens para o diretor de elenco (*"JUDY é uma falsa loira bonita na casa dos vinte anos"*), mas nada detalhado, nada analítico, fora as falas. A tevê é isso – linhas. As linhas dos diálogos das pessoas e as linhas do tubo de raios catódicos que formam a imagem. Tudo precisa estar presente na imagem, que informa onde você está, ou no diálogo, que informa o que os personagens estão pensando e sentindo, e muitas vezes você não precisa de palavras nem para *isso* – um encolher de ombros, um arregalar de olhos já resolvem. Ao passo que, se estiver escrevendo um livro, não tem nada para usar a não ser palavras para tudo: comportamento, aparência, pensamentos, sentimentos, o frigir todo. Tiro o chapéu para os autores de livros, honestamente.

Laurence Passmore
Uma autodescrição

Tenho 58 anos de idade, 1,77 de altura e peso 86,18 quilos – o que está doze quilos acima do recomendável segundo a tabela na nossa cópia bem gasta de *O livro da saúde da família*. Só ganhei o apelido de "Tubby" depois de me tornar membro das Forças Armadas Nacionais no Exército, mas pegou. Mas sempre fui um pouco pesado para minha altura, até quando jogava futebol quando garoto, com um torso em forma de barril que se curvava suavemente para além do peito no ponto onde a camisa encontrava o calção. Minha barriga era puro músculo naqueles dias, útil para espanar os jogadores adversários para longe da bola, mas quando fui ficando mais velho, apesar dos exercícios regulares, o músculo virou flacidez e espalhou-se para meus quadris e nádegas, então agora tenho um formato mais de pera do que de barril. Dizem que dentro de cada gordo existe um magro se esforçando para sair, e escuto seus gemidos abafados todas as vezes que me olho no espelho do banheiro. Também nem é só o formato do meu torso que me incomoda, e nem é só o torso, pensando bem. Meu peito é coberto por algo que se assemelha a um Bombril em tamanho de capacho, que cresce até encostar no meu pomo de adão: se visto uma camisa aberta no pescoço, tentáculos aramados brotam da gola como uma espécie de fungo espacial de rápido crescimento saído de algum antigo seriado de Nigel Kneale. E, por um cruel golpe do destino genético, praticamente não tenho cabelos *acima* do pomo de adão. Minha cachola é lisa tal uma lâmpada elétrica, como a do meu pai, a não ser por uma franjinha em torno das orelhas e na nuca, que eu uso bem comprida, caindo por cima do colarinho. Lembra um pouco um mendigo, mas não consigo suportar que a cortem, com cada fio sendo tão precioso. Odeio ver os cabelos caindo no piso da barbearia – sinto como se devessem colocá-los em uma sacola de papel para eu levá-los para casa. Tentei deixar crescer um bigode uma vez, mas ficou muito estranho, cinza de um lado e marrom avermelhado do outro, então raspei logo. Pensei em deixar a barba, mas fiquei com medo que parecesse uma continuação do meu peito. Então não há nada que disfarce a vulgaridade do meu rosto: um oval rosado e inchado, marcado e amassado como um balão que vai desinflando aos poucos, com as bochechas formando bolsinhas, um nariz carnudo e um pouco bulboso e um par de olhos azuis aguados bastante entristecidos. Meus dentes também não merecem nenhum destaque, mas são meus mesmo, ao menos os que você consegue ver (tenho uma ponte na arcada direita embaixo onde alguns molares estão faltando). Meu pescoço é tão roliço quanto um tronco de árvore, mas meus braços são bem curtos, o que torna difícil encontrar camisas que me sirvam. Durante a maior parte da minha vida precisei aguentar camisas com punhos que deslizavam sobre as minhas mãos até os nós dos dedos a menos que fossem contidas por um suéter de manga longa ou borrachinhas em torno dos cotovelos. Então fui aos Estados Unidos, onde descobriram que alguns homens têm braços mais curtos do que a média (na Grã-Bretanha, por algum motivo, só se tem permissão de ter braços mais longos que a média) e comprei uma dúzia de camisas na Brooks Brothers com mangas de 81 centímetros. Completo meu guarda-roupa com uma empresa americana que envia encomendas e começou a fazer negócios com a Inglaterra poucos anos atrás. Claro, hoje em dia teria condições de mandar fazer minhas camisas sob medida, mas a aparência metida das lojas no entorno de Picadilly onde fazem isso não me anima, e as popelinas listradas das vitrines são empertigadas demais para meu gosto. De qualquer forma, não suporto fazer compras. Sou um sujeito impaciente. Pelo menos agora sou. Não costumava ser. Fazer fila, por exemplo. Quando era jovem, formar filas era um estilo de vida, eu não achava nada de mais. Fazia fila para entrar no ônibus, fila para o cinema, fila para as lojas. Hoje quase nunca ando de ônibus, assisto à maioria dos filmes em casa no vídeo e, se vou até uma loja e há mais de duas pessoas esperando para serem atendidas, é mais provável que eu dê meia-volta e saia direto dali. Prefiro ficar sem aquilo que fui buscar. Em especial, odeio bancos e correios, onde eles têm aquelas filas isoladas com cordas, como a imigração nos aeroportos, onde você tem de andar arrastando os pés devagar na fila e, quando chega a ser o primeiro da ponta, precisa ficar girando o pescoço para ver qual balcão é o primeiro a desocupar, e é grande a probabilidade de não percebê-lo, e algum babaca espertinho atrás de você então lhe dá um cutucão nos rins dizendo: "Sua vez, amigo". Resolvo tudo que posso de bancos pelo sistema computadorizado por telefone hoje em dia e envio a maioria das minhas cartas por fax, ou, se tenho um roteiro para enviar, peço que a Datapost mande alguém até minha casa, mas de vez em quando preciso de selos e sou obrigado a me submeter às longas filas dos correios, com uma porção de velhas xeretas e pais solteiros com crianças fungando em carrinhos esperando para receber suas pensões e a aposentadoria, e mal consigo me conter para não gritar: "Será que não é hora de termos um balcão só para pessoas que querem comprar selos? Alguém quer *enviar* algo pelo correio? Afinal, isso é uma agência dos *correios*, não é?". É apenas uma figura de linguagem, claro, consigo me conter com relativa facilidade, não sonharia em gritar em um lugar público, mas é assim que me sinto. Jamais demonstro muito meus sentimentos. A maior parte das pessoas que me conhece ficaria surpresa se contasse que sou impaciente. Tenho fama no universo da tevê de ser bastante plácido, imperturbável, capaz de manter a calma quando todo mundo ao meu redor está perdendo a sua. Ficariam surpresos em saber que sou infeliz em relação ao meu físico também. Acham que gosto de ser chamado de Tubby. Tentei dar uma dica uma ou duas vezes de que preferiria ser chamado de Laz, mas não funcionou. As únicas partes do meu corpo com que estou razoavelmente satisfeito são as extremidades: as mãos e os pés. Meus pés são bem pequenos, tamanho 38, e estreitos, com um arco profundo. Ficam bem nos sapatos italianos que compro com mais frequência do que o estritamente necessário. Sempre tive uma pisada leve, considerando a massa que eles têm de suportar, era um driblador astucioso no futebol e não fazia feio na dança de salão. Eu me movo pela casa sem fazer ruído, às vezes fazendo minha mulher dar um pulo quando se vira e dá de cara comigo logo atrás dela. Minhas mãos são bastante pequenas também, mas com dedos longos e bem desenhados, como os de um pianista, não que eu saiba tocar qualquer teclado, exceto o da IBM.

....

Entreguei essa autodescrição para Alexandra, que deu uma olhada e disse: "Só isso?". Falei que fazia anos que não escrevia um trecho tão longo em prosa contínua. Ela perguntou: "Não tem nenhum parágrafo, por quê?", e expliquei que perdera a prática de escrever parágrafos, estava acostumado a escrever falas e discursos, então minha autodescrição saíra como uma espécie de monólogo. Falei: "Só consigo escrever como se estivesse falando com alguém". (É verdade. Veja esse diário, por exemplo – não tenho intenção de deixar ninguém ler, mas só consigo escrever como se estivesse me dirigindo a um "você". Não faço ideia de quem esse "você" seria. Apenas um ouvido imaginário compreensivo.) Alexandra guardou minha autodescrição em uma gaveta para ler mais tarde. Na consulta seguinte, disse que era interessante, mas muito negativa. "Gira, em grande parte, em torno do que está errado com seu corpo, ou do que você acha que está errado, e mesmo os dois pontos positivos que menciona, as mãos e os pés, são depreciados pelos comentários sobre comprar sapatos demais e não ser capaz de tocar piano." Alexandra acha que estou sofrendo de baixa autoestima. Ela provavelmente está certa, embora eu tenha lido no jornal que há bastante disso por aí. Está ocorrendo um tipo de epidemia de falta de autoestima na Grã-Bretanha no momento. Talvez tenha algo a ver com a recessão. Porém, não no meu caso. Não estou em recessão. Estou passando bem. Estou bem de vida. Sou quase rico. *O pessoal da casa ao lado*, que está passando há cinco anos, é assistido por 13 milhões de pessoas todas as semanas, e há uma adaptação americana que faz quase o mesmo sucesso, além de outras versões em línguas estrangeiras por todo o globo.

O dinheiro dessas franquias jorra na minha conta bancária como água saindo por uma torneira aberta. Então, o que há de errado comigo? Por que não estou satisfeito? Não sei.

Alexandra diz que é porque sou perfeccionista. Exijo de mim mesmo padrões impossíveis de tão elevados, então estou fadado a me desapontar. Pode haver alguma verdade nisso. A maioria das pessoas no show business é perfeccionista. Podem estar produzindo porcarias, atuando em porcarias, escrevendo porcarias, mas tentam fazer daquilo uma porcaria *perfeita*. Essa é a diferença essencial entre a gente e as outras pessoas. Se você for ao correio para comprar selos, o atendente não tem como objetivo lhe oferecer o atendimento perfeito. Eficiente, talvez, se tiver sorte, mas perfeito – não. Por que tentaria? Faria sentido? Não há diferença entre um selo de primeira classe e outro, e há um número bem limitado de maneiras de destacá-los da folha e jogá-los sobre o balcão. Ele faz as mesmas transações dia após dia, ano após ano, está aprisionado em uma esteira de repetição. Mas há algo de especial em cada um dos episódios de um seriado de comédia, não importa quão banal ou estereotipado ele seja, e isso acontece por dois motivos. O primeiro é que ninguém *precisa* de um seriado de comédia da mesma forma que mais cedo ou mais tarde vai precisar de selos, então sua única justificativa para existir é que ofereça prazer, e ele não vai cumprir isso se for exatamente igual ao da semana anterior. O segundo motivo é que todos os envolvidos estão cientes do primeiro motivo, e sabem que é bom que o resultado seja o melhor possível, ou vão perder o emprego. Ficaria surpreso com o tamanho do esforço e pensamento conjunto que é colocado em cada fala, cada gesto, cada tomada de decisão. Nos ensaios, até o momento de gravar, todo mundo está pensando: como podemos aprimorar isso, melhorar aquilo, conseguir uma risada a mais ali... Para depois os críticos jogarem tudo por terra com um par de frases maliciosas. Essa é uma das desvantagens da televisão enquanto meio: os críticos de televisão. Entenda, embora eu esteja carente de autoestima, isso não quer dizer que não queira ser estimado pelos outros. Na verdade, fico bastante deprimido quando não me estimam. Mas fico deprimido de qualquer maneira, porque não estimo a mim mesmo. Quero que todos pensem que sou perfeito, ao mesmo tempo em que eu mesmo não acredito nisso. Por quê? Eu não sei. T.I.A.

Logo no início do meu tratamento, Alexandra me disse para pegar uma folha de papel e fazer uma lista de todas as coisas boas da minha vida em uma coluna e todas as ruins em outra. Na coluna de coisas "Boas", escrevi:

1. Sucesso profissional
2. Bem de vida
3. Boa saúde
4. Casamento estável
5. Filhos lançados com sucesso na vida adulta
6. Casa bonita
7. Carro excelente
8. Férias na hora que eu quiser.

Na coluna das "Ruins", escrevi apenas uma coisa:

1. Sensação de infelicidade a maior parte do tempo.

Poucas semanas mais tarde, acrescentei outro item:

2. Dor no joelho.

Não é tanto a dor em si que me derruba, mas a forma como limita minhas possibilidades de exercício físico. O esporte costumava ser minha principal forma de terapia, embora eu não chamasse assim. Simplesmente curtia acertar, chutar e correr atrás de uma bola – sempre fui assim, desde que era criança brincando numa rua secundária em Londres. Acho que eu me energizava ao mostrar que me saía melhor do que as pessoas esperavam – que meu corpo volumoso e desajeitado era capaz de uma agilidade surpreendente e até de certa graça quando tinha uma bola com que brincar. (É necessário que haja uma bola: sem ela, sou tão gracioso quanto um hipopótamo.) Lógico, é de conhecimento comum que o esporte é uma maneira inofensiva de descarregar tensão, inundando o sistema de adrenalina. Mas o melhor de tudo é que ajuda a dormir. Não conheço nada melhor do que aquele cansaço corado, dolorido, que se sente depois de um jogo intenso de squash, dezoito buracos de golfe ou cinco sets de tênis, o luxo de esticar o corpo entre os lençóis ao deitar, sabendo que se está prestes a escorregar, sem qualquer esforço, para um estado de sono longo e profundo. O sexo não chega nem perto em termos de eficácia. Vai embarcar você por um par de horas, e só. Sally e eu fizemos amor na noite passada (foi sugestão dela, como de costume ultimamente), e caí no sono logo em seguida, como se houvesse levado uma bordoada com uma saca de areia, com ela nua entre os meus braços. Mas acordei às duas e meia me sentindo gelado e bem desperto, com Sally respirando baixinho do meu lado em uma das camisetas imensas que ela usa como camisola, e, embora eu tenha me levantado para urinar e vestir o pijama, não conseguia voltar a pegar no sono. Fiquei lá deitado com a cabeça girando – espiralando, melhor dizendo, indo cada vez mais fundo na escuridão. Pensamentos ruins. Pensamentos tenebrosos. Meu joelho latejava – suponho que o sexo tenha causado aquilo – e comecei a imaginar se não seria o primeiro sinal de câncer ósseo e como eu lidaria com a amputação da minha perna se era assim que eu lidava com um mero Transtorno Interno da Articulação.

  Esse é o tipo de pensamento que vem para a gente no meio da noite. Odeio essas vigílias involuntárias, acordado no escuro, com Sally dormindo calmamente ao meu lado, me perguntando se deveria acender o abajur e ler durante um tempo ou descer e preparar uma bebida quente, ou tomar uma pílula para dormir, comprando o apagão de algumas horas ao preço de sentir como se minha medula houvesse sido esvaziada por um sifão durante a noite e substituída por chumbo no dia seguinte. Alexandra diz que eu deveria ler até o sono voltar, mas não gosto de acender o abajur, pode perturbar Sally, e, de todo jeito, Alexandra diz que é melhor levantar e ler em outro quarto, mas não consigo encarar descer as escadas no espaço silencioso e vazio, como um intruso em minha própria casa. Assim, em geral fico lá deitado, como fiz na noite passada, esperando cair no sono, virando e fritando no esforço de encontrar uma posição confortável. Eu me aconcheguei com Sally por um tempo, mas ela começou a passar calor e me empurrou para longe enquanto dormia. Então tentei abraçar a mim mesmo, com os braços cruzados apertados contra o peito, cada mão agarrando o ombro oposto, como um homem em uma camisa de força. Era isso que eu deveria usar em lugar do pijama, se quer saber minha opinião.

....

Quarta-feira, 17 de fevereiro, 2h05. Hoje não transamos e acordei ainda mais cedo: 1h40. Mirei, estarrecido, os números vermelhos no display de cristal líquido do meu despertador, que lançava um brilho infernal sobre a superfície polida do criado-mudo. Decidi tentar levantar desta vez e levei os pés até o chão, tateando à procura dos chinelos antes que mudasse de ideia. No andar de baixo, joguei um agasalho de caminhada por cima do pijama e preparei um bule de chá, que levei para a biblioteca. E cá estou, sentado diante do computador, digitando isto. Onde foi que parei ontem? Ah, sim. Esportes.

    Roland diz que eu não deveria praticar nenhum esporte até os sintomas desaparecerem com ou sem uma segunda cirurgia. Tenho permissão de treinar em alguns aparelhos da superacademia do clube, aqueles que não forçam o joelho, e posso nadar, contanto que não nade peito – a pernada de sapo é ruim para a articulação do joelho, aparentemente. Mas nunca gostei de malhar – a academia está para o esporte assim como a masturbação está para o sexo de verdade, se quer saber minha opinião; e, quanto a nadar, o nado peito, por acaso, é o único estilo que sei nadar direito. Squash está fora, por motivos óbvios. O golfe também, infelizmente: o giro lateral no joelho direito na finalização do swing é fatal. Mas jogo ainda um pouco de tênis, usando um tipo de esteio no joelho, que o mantém mais ou menos firme. Preciso meio que arrastar a perna direita, como um pirata da perna de pau, quando dou pulos pela quadra, mas é melhor do que nada.

 Eles têm quadras cobertas no clube, e, de todo modo, dá para jogar ao ar livre quase o ano inteiro com esses invernos amenos que andamos tendo – parece ser um dos poucos efeitos benéficos do aquecimento global.

 Jogo com três outros aleijados de meia-idade no clube. Tem o Joe, ele tem um problema sério de coluna, usa colete o tempo todo e mal consegue sacar por cima; Rupert, que sofreu um acidente de carro bem grave faz alguns anos e manca com ambas as pernas, se é que isso é possível; e Humphrey, que tem artrite no pé e uma articulação de plástico no quadril. Exploramos as deficiências uns dos outros sem piedade. Por exemplo, se Joe está jogando contra mim na rede, vou devolver alto porque sei que não consegue erguer a raquete acima da cabeça, e, se estou defendendo a linha de base, ele fica trocando a direção da devolução de um lado para o outro da quadra porque sabe que não consigo me movimentar muito rápido com minha tala. É de ficar com lágrimas nos olhos de nos ver jogar, seja de risada ou de dó.

 Naturalmente não posso mais me emparceirar com Sally nas duplas mistas, o que é uma pena, pois costumávamos nos dar muito bem nos torneios de veteranos. Às vezes ela pratica comigo, mas não topa jogar um game porque sabe que eu estragaria o joelho tentando ganhar, e é provável que ela tenha razão. Eu costumava ganhar dela quando estava em forma, mas agora ela está melhorando seu jogo enquanto definho. Eu estava no clube dia desses com minha turma portadora de necessidades especiais quando ela apareceu, chegando direto do trabalho para uma aula. Foi uma surpresa e tanto para mim, na verdade, quando ela entrou pelos fundos da quadra coberta com Brett Sutton, o professor do clube, porque eu não esperava encontrá-la lá. Não sabia que ela marcara a aula, ou, o que é mais provável, ela deve ter me avisado, mas não assimilei. Esse vem se tornando um hábito preocupante ultimamente: as pessoas falam comigo e faço todos os movimentos de quem escuta e responde, mas, quando terminam, percebo que não absorvi uma única palavra porque estava seguindo alguma linha de pensamento particular. Esse é outro tipo de Transtorno Interno. Sally fica furiosa quando me pega fazendo isso – o que é compreensível –, então, quando acenou com ar casual para mim do outro lado da rede, acenei de volta, com casualidade, caso eu devesse saber que ela marcara um treino naquela tarde. De fato demorei alguns segundos até que a reconheci – apenas registrara a chegada de uma loira alta e atraente. Ela vestia um uniforme branco e rosa-choque que eu nunca vira antes, e ainda não me acostumei com seu cabelo novo. Um dia, logo antes do Natal, ela saiu com um cinza matinal e retornou com o dourado do entardecer. Quando perguntei por que não me alertara da mudança, disse que queria ver minha reação não ensaiada. Falei que estava lindo. Se não manifestei mais entusiasmo, foi de pura inveja. (Tentei vários tratamentos para calvície sem sucesso. O último consistia em ficar pendurado por longos minutos para fazer o sangue correr para a cabeça. Era chamado de Terapia de Inversão.) Quando saquei que era ela no tênis clube, senti um leve resplandecer de orgulho de proprietário, por sua silhueta ágil e seus cachos dourados saltitantes. Os outros caras também repararam nela.

– Melhor ficar de olho na patroa, Tubby – avisou Joe, quando trocamos de lado entre os games. – Quando você estiver em forma outra vez, ela vai lhe dar um baile.

– Você acha? – perguntei.

– Acho, ele é um bom treinador. Bom em outras coisas também, ouvi dizer. – Joe piscou para os outros dois, e, claro, Humphrey entrou na onda.

– Com certeza tem o equipamento. Eu o vi nos chuveiros outro dia. Deve ter uns 25 centímetros.

– Onde você fica na comparação, Tubby?

– Vai precisar melhorar seu jogo.

– Vai acabar preso um dia desses, Humphrey – falei. – Espiando as pessoas tomando banho.

Os outros morreram de dar risada.

Esse tipo de brincadeira era padrão entre nós quatro. Não havia maldade. Humphrey é solteirão, mora com a mãe e não tem namorada, mas ninguém imagina, nem por um momento, que ele seja gay. Se suspeitássemos, não o provocaríamos com esse assunto. O mesmo vale para a insinuação sobre Brett Sutton e Sally. É uma piada corrente que todas as mulheres do clube molham as calcinhas ao olhar para ele – é alto, moreno e bonitão o suficiente para usar um rabo de cavalo sem parecer um dândi –, mas ninguém acredita que haja qualquer sacanagem rolando de verdade.

Por algum motivo, lembrei-me dessa conversa quando estávamos indo deitar hoje e relatei a Sally. Ela fungou e disse: "Não é um pouco tarde para você se preocupar com o tamanho dos seus documentos?".

Falei que para um verdadeiro preocupado profissional nunca era tarde demais.

Uma coisa com que nunca me preocupei, no entanto, é a fidelidade de Sally. Tivemos nossos altos e baixos, claro, em quase trinta anos de casamento, mas sempre fomos leais um ao outro. Não por falta de oportunidade, permita-me dizer, pelo menos de minha parte, considerando o mundo do entretenimento do jeito que é, e arriscaria dizer que da parte dela também, embora não acredite que esteja exposta às mesmas tentações ocupacionais. Seus colegas na Poli, ou melhor, na Universidade, como agora devo aprender a chamar, não me parecem muito do tipo que inspira erotismo. Mas essa não é a questão. Sempre fomos fiéis um ao outro. Como posso ter certeza? Simplesmente tenho. Sally era virgem quando a conheci. As boas moças em geral eram naqueles tempos, e eu mesmo não era tão experiente assim. Minha história sexual rendia um volume muito magro, consistindo de parcerias isoladas e oportunistas com mancebas da guarnição quando estava no Exército, garotas bêbadas nas festas da escola de artes dramáticas e senhoras solitárias em decadentes ambientes teatrais. Não acho que tenha feito sexo com nenhuma delas mais do que duas vezes, e era sempre bastante rápido e na posição papai e mamãe. Para aproveitar o sexo, é preciso conforto – lençóis limpos, um colchão firme, quartos aquecidos – e continuidade. Sally e eu aprendemos juntos a fazer amor, mais ou menos do nada. Se ela fosse sair com qualquer outro, algo novo no comportamento dela, algum ajuste não familiar nos braços e pernas, alguma variação nas carícias, me revelaria o deslize, tenho certeza. Sempre tive problema com histórias de adultério, especialmente aquelas em que um dos parceiros está traindo o outro há anos. Como é que não desconfiam? Claro, Sally não sabe sobre Amy. Mas, até aí, não estou tendo um caso com Amy. O que estou tendo com ela? Não sei.

    Conheci Amy há seis anos, quando foi contratada para ajudar a escolher o elenco da primeira temporada de *O pessoal da casa ao lado*. Nem preciso dizer que ela fez um trabalho brilhante. Algumas pessoas do ramo acham que noventa por cento do sucesso de uma sitcom está na escolha do elenco. Como escritor, eu questionaria isso, é natural, mas é verdade que o melhor script do mundo não vai funcionar se os atores estiverem todos errados. E os certos nem sempre são a primeira escolha óbvia de todo mundo. Foi ideia de Amy, por exemplo, chamar Deborah Radcliffe para fazer Priscilla, a mãe de classe média – uma atriz clássica que acabara de ser dispensada da Royal Shakespeare Company e jamais fizera um seriado cômico na vida. Ninguém exceto Amy teria pensado nela para viver Priscilla, mas ela se acertou com o papel como um pato na lagoa. Agora se tornou um nome conhecido e pode ganhar 5 mil por um comercial de trinta segundos.

    É um negócio estranho, escolha de elenco. É um dom, como ler a sorte ou enxergar o futuro na água, mas também é preciso uma memória treinada. O cérebro de Amy é como um Rolodex: quando você pede um conselho sobre um ator para um papel, ela entra numa espécie de transe, seus olhos viram para o teto, e você quase escuta o *tic tic tic* dentro da cabeça dela enquanto examina o fichário mental em que a essência de cada ator e atriz que ela um dia viu está inscrita. Quando Amy assiste a uma peça, não está apenas assistindo aos atores desempenhando seus papéis, ela os imagina o tempo todo em outros papéis, assim, ao final da noite, assimilou não só a performance do dia mas também o potencial de cada artista para outras performances. Você pode ir com Amy assistir a *Macbeth* na RSC e perguntar no caminho de casa: "Deborah Radcliffe não foi uma excelente Lady Macbeth?", e ela diria: "Hummm, adoraria vê-la como Judith Bliss em *Hay Fever*". Às vezes me pergunto se esse hábito mental não a impede de apreciar o que está acontecendo na frente dela. Talvez seja isso que temos em comum – nenhum de nós é capaz de viver no presente, sempre ansiando por algum fantasma de perfeição em algum outro lugar.

Um dia propus isso para ela. "O caralho, querido", ela disse. "Com imenso respeito, completos *cojones*. Está esquecendo que de vez em quando eu consigo. Encontro o encaixe perfeito entre ator e papel. *Daí* aprecio o espetáculo e nada além do espetáculo. Vivo para esses momentos. E você também, a propósito. Digo, quando tudo em um episódio sai exatamente certo. Você senta diante da tevê prendendo a respiração, pensando que não é possível que vão conseguir segurar aquilo, que vão deixar a peteca cair em algum momento, mas eles seguram, e ela não cai – e é isso que conta, *n'est-ce pas?*"

– Não consigo me lembrar de quando achei um episódio tão bom assim – comentei.

– E aquele da fumigação?

– Sim, o da fumigação foi bom.

– Foi demais de brilhante.

É disso que gosto em Amy – está sempre levantando minha autoestima. O estilo de Sally é mais contido: pare de choramingar e toque sua vida. Na verdade, elas são a antítese uma da outra em todos os sentidos. Sally é loira, uma rosa inglesa de olhos azuis, alta, ágil, atlética. Amy é do tipo mediterrâneo (seu pai era um cipriota grego): morena, baixa e robusta, com uma cabeleira de cachos negros bem fechados e olhos de uva-passa. Ela fuma, usa muita maquiagem e nunca caminha a lugar nenhum, muito menos corre, se puder evitar. Precisamos correr para pegar um trem uma vez em Euston: eu disparei na frente e segurei a porta aberta, enquanto ela vinha bamboleando pela rampa, com seus saltos altos, parecendo um pato em pânico, com todos os colares e brincos e lenços e sacolas e outras parafernálias femininas tremulando, e estourei de rir. Não consegui me segurar. Amy perguntou o que eu estava achando tão engraçado ao entrar desajeitada a bordo e, quando contei, recusou-se a falar comigo pelo resto do trajeto. (Incidentalmente, acabo de procurar "parafernália" no dicionário porque não tinha certeza se havia escrito do jeito certo, e descobri que vem do latim *parapherna*, que quer dizer "o enxoval que a noiva leva além do dote". Que interessante.)

Foi um de nossos únicos arrufos. A gente se dá muito bem, via de regra, fofocando sobre coisas do ramo, trocando lamúrias e garantias pessoais, comparando terapias. Amy é divorciada e tem a tutela da filha de catorze anos, Zelda, que está descobrindo os meninos e dificultando a vida de Amy por causa de roupas, voltando tarde para casa, saindo para discotecas duvidosas etc. etc. Amy morre de medo de que Zelda comece a experimentar sexo e drogas a qualquer momento e não confia no ex-marido, Saul, um administrador teatral que fica com a menina um fim de semana por mês e que, segundo Amy, não tem moral, ou, para citá-la com exatidão: "Não reconheceria a moral se ela o mordesse no nariz". Contudo, ela se despedaça de culpa pelo fim do casamento, temendo que Zelda saia dos trilhos por falta de uma figura paterna em casa. Amy começou a análise primariamente para descobrir o que deu errado entre ela e Saul. De certa forma, já sabia a resposta: era o sexo. Saul queria fazer coisas que ela não queria fazer, então, eventualmente, ele achou outra pessoa com quem fazê-las. Mas ela ainda está tentando descobrir se foi falha dele ou dela e não parece estar nem um pouco mais perto de chegar a uma conclusão. A análise tem um jeito único de desfiar a pessoa: quanto mais tempo você puxa o fio, mais defeitos acha.

Eu me encontro com Amy quase todas as semanas quando vou a Londres. Às vezes vamos assistir a algum espetáculo, mas é mais comum passarmos a noite quietos, juntos no apartamento e/ou sairmos para comer algo em algum restaurante próximo.

A questão sexual nunca existiu no nosso relacionamento porque Amy na verdade não quer, e eu, na verdade, não preciso. Tenho sexo suficiente em casa. Sally parece cheia de apetites eróticos ultimamente – acho que deve ser a terapia de reposição hormonal que ela está fazendo para a menopausa. Às vezes, para estimular a minha libido preguiçosa, sugiro alguma das coisas que Saul queria fazer com Amy, e Sally ainda não recusou nenhuma. Quando ela pergunta de onde tiro essas ideias, digo que de revistas e livros, e ela fica bastante satisfeita. Se algum dia Sally ficasse sabendo que fui visto em Londres na companhia de Amy, não se incomodaria, porque não escondo o fato de que nos encontramos ocasionalmente. Sally acha que é por motivos profissionais, o que em parte é mesmo.

Então, na real você diria que eu estou com a faca e o queijo na mão, não é? Resolvi o problema da monogamia, ou seja, o problema da monotonia, sem a culpa da infidelidade. Tenho uma esposa sexy em casa, e uma amante platônica em Londres. Estou reclamando do quê? Não sei.

São três e meia. Acho que vou voltar para a cama e ver se consigo pregar o olho por algumas horas antes de o galo cantar.

....

Quarta-feira, 11 horas. Dormi por algumas horas, mas não foi um sono revigorante. Acordei me sentindo esgotado, como eu costumava ficar depois do meu dever de guarda no serviço militar: duas horas de pé, quatro descansando, durante a noite inteira e o dia inteiro também se fosse fim de semana. Jesus, só escrever isso já me faz voltar no tempo: ferrando no sono, deitado em um beliche, completamente vestido, com botas que contundiam os tornozelos e um uniforme de combate que causava irritação no pescoço, sob o brilho intenso de uma lâmpada elétrica, e então ser acordado de repente para engolir um chá adocicado e morno e quem sabe uns ovos solidificados e frios com feijões assados antes de sair cambaleando e tremendo de frio na noite para ficar parado por duas horas nos portões da caserna, ou andando em círculos em torno das barracas e armazéns fechados e silenciosos, ouvindo os próprios passos, acompanhando a própria sombra se alongar e encolher embaixo das lâmpadas de arco. Permita-me concentrar por um instante naquela memória, fechar meus olhos e tentar extrair a miséria daquilo tudo, para que eu aprecie meu conforto do presente.

Tentei. Não deu. Não funciona.

Estou escrevendo isso no meu laptop no trem para Londres. Primeira classe, naturalmente. A definição de um homem bem de vida: alguém que paga pelo bilhete de primeira classe do próprio bolso. É descontado do imposto de renda, mas ainda assim... A maior parte dos meus colegas passageiros neste vagão registra como despesas da empresa. Executivos com maletas de fecho com segredo e celulares, executivas com blazers de ombros largos e fichários gordos. O ocasional aposentado rural vestindo tweed. Eu mesmo estou vestindo um terno hoje, em honra ao Groucho, mas às vezes, quando estou de jeans e jaqueta de couro, com meu corte de cabelo estilo pedinte se derramando por cima do colarinho, as pessoas me olham desconfiadas, como se achassem que estou no setor errado do trem. Não os condutores – eles me conhecem. Viajo muito para lá e para cá nessa linha.

Não vá achando que sou um entusiasta do serviço intermunicipal para Londres da British Rail. *Au contraire*, como diria Amy (ela gosta de polvilhar expressões estrangeiras na conversa). Há um monte de coisas de que não gosto. Por exemplo: não gosto do cheiro dos rolinhos de bacon com tomate que polui o ar do vagão cada vez que alguém busca um no vagão-restaurante e abre a caixinha de poliestireno na qual eles esquentam o lanche no micro-ondas. Não gosto do revestimento de freio nas rodas das locomotivas Pullman, que, quando esquentam, emitem uma fumaça com cheiro sulfuroso, supostamente inofensiva para a saúde, que penetra nos vagões e se mistura ao cheiro dos rolinhos de bacon com tomate. Não aprecio o gosto dos rolinhos de bacon com tomate quando faço a besteira de comprar um para mim, de alguma forma suprimindo a memória do quanto foi horrível da última vez. Não gosto do fato de que, se pedir uma xícara de café do carrinho, vão entregar um copo de plástico gigante do negócio, a menos que peça um de tamanho pequeno (ou seja, normal). Não gosto do jeito que o trem balança de um lado para o outro quando consegue acelerar um pouco, fazendo com que o café derrame dos lados do copo de plástico quando o levamos aos lábios, queimando os dedos e pingando no colo. Não gosto do fato de que, se o ar-condicionado estraga, o que não é incomum, não se pode ventilar o vagão porque as janelas são lacradas. Não gosto de como, o que não é atípico, mas recorrente, quando o ar-condicionado estraga, as portas automáticas de correr em cada ponta do vagão emperram na posição aberta e não podem ser fechadas manualmente, ou, se podem, voltam a abrir sozinhas devagar, ou são abertas por passageiros que estão passando e assim as deixam, pensando que vão se fechar automaticamente, obrigando a gente a levantar a cada poucos minutos para fechar as portas ou ficar sentado em uma corrente de ar permanente. Não gosto das presilhas nos compartimentos de WC projetadas para segurar os assentos na posição levantada, que são providas de mola, mas que em geral estão soltas ou quebradas, de maneira que, quando você está a meio-xixi, agarrando-se com uma das mãos na barra de apoio e mirando seu pinto com a outra, o assento, desalojado de sua posição vertical pelo movimento violento do trem, vai de repente cair para a frente, interrompendo a corrente de urina e fazendo o líquido borrifar nas suas calças. Não gosto do jeito que o trem sempre corre na velocidade máxima ao longo do trecho dos trilhos que é paralelo à autoestrada M1, ultrapassando todos os carros e caminhões para anunciar a superioridade do deslocamento ferroviário, mas, poucos minutos depois, fica parado em um campo aberto perto de Rugby por causa de uma falha nos sinais.

Au! Aiii! Uiiii! Súbita punhalada de dor no joelho sem motivo discernível.

Sally disse outro dia que era o meu espinho na carne. Fiquei me perguntando de onde vinha a expressão e fui pesquisar. (Faço muita pesquisa – é minha forma de compensar por uma formação torpe. Minha biblioteca é cheia de livros de referência, eu os compro compulsivamente.) Descobri que vem da segunda epístola de São Paulo aos Coríntios: "*E, para que não me exaltasse pela excelência das revelações, foi-me dado um espinho na carne, a saber, um mensageiro de Satanás para me esbofetear...*". Voltei para a cozinha com a Bíblia, bastante satisfeito comigo mesmo e li o versículo para Sally. Ela me fitou e disse: "Mas foi o que eu acabei de dizer", e percebi que eu tivera outro dos meus ataques de distração; enquanto indagava de onde a frase saíra, ela justamente estava me dizendo.

– Ah, sim, sei que você disse que era de São Paulo – menti. – Mas qual a relação com o meu joelho? O texto parece um pouco obscuro.

– Essa é a questão – ela afirmou. – Ninguém sabe o que era o espinho na carne de Paulo. É um mistério. Igual a seu joelho.

Ela entende um bocado de religião, a Sally, muito mais do que eu. O pai dela era pároco.

Conforme era esperado, o trem parou, sem motivo aparente, em meio a um descampado. No silêncio súbito, os comentários de um homem só de camisa do outro lado do corredor discutindo ao celular sobre um contrato para prateleiras de armazenagem são de uma intrusão irritante. Eu realmente preferiria ir de carro para Londres, mas o trânsito é impossível uma vez que se sai da M1, sem falar na *própria* M1, e estacionar no West End é tão incômodo que não vale o esforço. Então vou de carro até a estação Rummidge Expo, que fica a quinze minutos apenas de casa, e deixo o carro no estacionamento de lá. Sempre fico um pouco apreensivo na viagem de volta, caso venha a descobrir que alguém o arranhou ou até mesmo roubou, embora tenha todos os últimos alarmes e sistemas de segurança. É um veículo maravilhoso, com um motor V6 de 24 válvulas e três litros, transmissão automática, direção hidráulica, piloto automático, ar-condicionado, freios ABS, sistema de áudio com seis alto-falantes, teto solar elétrico e todos os outros dispositivos que se possa imaginar. Voa como o vento, suave e com um silêncio inacreditável. É esse poder silencioso e sem esforço que me inebria. Nunca gostei de carros esportes barulhentos vrruumm vrrruuum, e nunca entendi a obsessão britânica com o câmbio manual. Seria um substituto para o sexo, me pergunto, aquela bolinação sem fim da bolota na ponta da alavanca de câmbio, o perpétuo bombeamento do pedal da embreagem? Dizem que não se consegue a mesma aceleração na faixa intermediária com um automático, mas se tem o suficiente se seu motor for tão poderoso quanto o do meu carro. Ele também é inacreditavelmente lindo, de parar o coração.

Eu me apaixonei por ele à primeira vista, estacionado do lado de fora do showroom, baixo e aerodinâmico, esculpido pelo que parecia ser uma névoa com o sol reluzindo através dela, um prata muito, muito pálido, com um brilho perolado. Ficava arranjando desculpas para passar pelo showroom para poder olhar de novo para ele e, toda vez, sentia uma pontada de desejo. Diria que muitas outras pessoas que passavam por ali sentiam o mesmo, mas, diferente delas, eu sabia que podia entrar na concessionária e comprar o carro sem nem me preocupar com o valor. Porém, hesitei e me contive. Por quê? Porque, na época em que não podia comprar um carro desses, desaprovava carros assim: velozes, chamativos, esbanjadores de combustível – e japoneses. Eu sempre dizia que nunca compraria um carro japonês, não tanto pelo patriotismo econômico (costumava dirigir Fords que em geral acabavam sendo fabricados na Bélgica ou na Alemanha) quanto por motivos emocionais. Tenho idade suficiente para me lembrar da Segunda Guerra Mundial e tive um tio que morreu prisioneiro trabalhando na Ferrovia da Birmânia. Achava que algo de ruim me aconteceria se comprasse o carro, ou que, no mínimo, me sentiria culpado e miserável dirigindo o veículo. Mas, mesmo assim, eu o cobiçava. Tornou-se uma das minhas "coisas" – coisas que não consigo decidir, nem esquecer, nem deixar para lá. Coisas com as quais me preocupo quando acordo no meio da noite.

Comprei todas as revistas de automóveis esperando que fosse encontrar alguma crítica condenatória sobre o carro que me capacitaria a tomar a decisão em contrário. Sem chance.

Alguns dos relatórios de testes eram um pouco condescendentes – "brando", "dócil", e até "incompreensível", eram alguns dos epítetos usados –, mas dava para dizer que ninguém conseguia encontrar nada de errado com ele. Quase não dormi uma semana inteira ruminando o assunto. Dá para acreditar? Enquanto a guerra assolava a Iugoslávia, milhares morriam diariamente de AIDS na África, bombas explodiam na Irlanda do Norte e os índices de desemprego subiam inexoráveis na Grã-Bretanha, eu não conseguia pensar em mais nada a não ser se comprava ou não esse automóvel.

Comecei a dar nos nervos de Sally: "Pelo amor de Deus, vá fazer um test-drive e, se gostar do carro, compre", ela disse. (Ela dirige um Escort, troca a cada três anos depois de uma conversa de dois minutos por telefone com o revendedor e não volta a pensar no assunto.) Então fiz o test-drive. E, claro, gostei do carro. Amei o carro. Fiquei seduzido e encantado até não poder mais pelo carro. Mas disse ao vendedor que precisava pensar. "Precisava pensar no quê?", Sally exigiu quando cheguei em casa. "Você gostou do carro, pode pagar pelo carro, por que não comprar?" Falei que decidiria essa noite. O que significava, claro, que ficaria acordado a noite inteira me preocupando. De manhã, no café, anunciei que chegara a uma decisão. "Ah, é?", disse Sally, sem tirar os olhos do jornal. "E qual foi?" "Decidi não comprar", falei. "Não importa o quanto sejam irracionais os meus escrúpulos, nunca vou me livrar deles, então é melhor não comprar." "Ok", disse ela. "Vai comprar o que, então?" "Não preciso na verdade comprar nada", falei. "Meu carro atual vai continuar bom por mais um ou dois anos." "Ótimo", disse Sally. Mas soou desapontada. Comecei a me preocupar de novo sobre se tinha tomado a decisão certa.

Uns dois dias depois, passei de carro pela concessionária e o carro desaparecera. Entrei e agarrei o vendedor pelo colarinho. Praticamente o arrastei da cadeira pela lapela, como as pessoas fazem nos filmes. Alguém comprara o meu carro! Não podia acreditar. Sentia como se minha noiva houvesse sido abduzida na noite do nosso casamento. Falei que queria o carro. *Precisava do carro.* O vendedor disse que podia me conseguir outro em duas ou três semanas, mas, quando verificou no computador, não havia um modelo exatamente similar na mesma cor no país. Não era daqueles fabricantes japoneses que montaram fábricas na Grã-Bretanha – importavam do Japão, em um sistema de cotas. Ele descobriu que havia um em um navio de contêineres em algum lugar nos oceanos, mas a entrega poderia levar uns dois meses. Para encurtar a história, acabei pagando mil libras acima do preço anunciado para burlar o camarada que acabara de comprar meu carro.

Nunca me arrependi. O carro é uma alegria de dirigir. Só sinto muito que minha mãe e meu pai não estejam mais aqui, porque não posso levar os dois para um passeio. Sinto a necessidade de alguém para repercutir meu orgulho de proprietário. Sally não serve para isso – para ela, um carro é apenas uma máquina funcional. Amy nunca nem chegou a ver o veículo, porque nao vou de carro para Londres. Meus filhos, em suas visitas ocasionais, olham para ele com um misto de deboche e desaprovação – Jane se refere a ele como o "ricomóvel", e Adam diz que é uma compensação pela calvície. O que eu preciso é de um passageiro apreciativo. Como Maureen Kavanagh, por exemplo, minha primeira namorada. Nossas famílias não tinham condições de andar de carro naquela época longínqua. Um passeio em qualquer espécie de automóvel era um prazer raro, intensamente recheado de sensações novas. Lembro de Maureen se desmanchando quando meu tio Bert nos levou a Brighton em um feriado em seu antigo Singer de antes da guerra, cheirando a gasolina e couro e oscilando sobre as molas como um carrinho de bebê. Eu me imagino chegando na casa dela no meu atual supercarro aerodinâmico e espiando sua expressão maravilhada na janela; e então ela irrompe pela porta da frente e desce correndo os degraus, salta dentro do carro e se contorce no banco de tanta emoção, testando todos os dispositivos, rindo e repuxando o nariz daquele jeitinho dela, e olhando para mim embevecida, enquanto eu arranco para ir embora. Era isso que Maureen costumava fazer: olhar para mim embevecida. Ninguém mais fez isso desde então, nem Sally, nem Amy, nem Louise ou alguma das outras mulheres que em alguma ocasião deram em cima de mim. Não vejo Maureen há quase quarenta anos – só Deus sabe por onde ela anda, ou o que está fazendo, ou que cara tem hoje em dia. Sentada do meu lado no carro, ela ainda está na flor de seus dezesseis anos, vestida em seu melhor vestido de verão, branco com rosas cor-de-rosa, embora eu seja igual a como sou hoje, gordo e careca e com 58 anos. Não faz sentido nenhum, mas é para isso que servem as fantasias, imagino.

  O trem está se aproximando de Euston. O condutor se desculpou nos alto-falantes pelo atraso na chegada, "que ocorreu devido a uma falha nas sinalizações próximo a Tring". Eu costumava ser um apoiador enrustido da privatização da British Rail antes de o ministro de Transportes anunciar os planos de separar a companhia que faz a manutenção dos trilhos das empresas que operam os trens. Você pode imaginar o quanto isso vai funcionar bem e que álibis maravilhosos vai proporcionar para os trens atrasados. Estão loucos? É algum Transtorno Interno Governamental?

  Na verdade, li em algum lugar que o primeiro-ministro, John Major, tem um joelho duvidoso. Teve de abandonar o críquete, ao que tudo indica. Isso explica muita coisa.

....

Quarta-feira, 22h15. Amy acaba de sair. Depois do Gabrielli's, voltamos para o apartamento para assistir ao noticiário das dez na minha pequena Sony, para ficarmos a par da escuridão global (atrocidades na Bósnia, enchentes em Bangladesh, seca no Zimbábue, colapso iminente da economia russa, o pior déficit comercial britânico já registrado). E então eu a coloquei no táxi de volta para St. John's Wood. Ela não gosta de ficar fora até tarde se puder evitar, por causa de Zelda, embora sua inquilina, Miriam, uma fonoaudióloga com uma vida social calma e conveniente, fique de olho na menina quando Amy sai à noite.

Agora estou só no apartamento e possivelmente no prédio inteiro. Os outros proprietários, como eu, residem apenas ocasionalmente – há uma comissária de bordo de voos longos, um executivo suíço cujo trabalho exige que ele viaje entre Londres e Zurique acompanhado de sua secretária e/ou amante, e um casal gay americano, acadêmicos de algum tipo, que só vem aqui nas férias da universidade. Dois apartamentos ainda não foram vendidos por causa da recessão. Não vi ninguém no elevador ou corredor hoje, mas nunca me sinto solitário aqui do modo como me sinto às vezes em casa durante o dia, quando Sally está trabalhando. É tudo tão quieto naquelas ruas suburbanas. Enquanto aqui nunca é quieto, mesmo à noite. O rugido e o latejar dos ônibus e táxis se arrastando na Charing Cross Road em baixa velocidade penetram um pouco pelas vidraças duplas, pontuados pela ocasional ululação estridente de um carro da polícia ou ambulância. Se vou até a janela, vejo lá embaixo as calçadas ainda lotadas de pessoas saindo dos teatros, cinemas, restaurantes e bares, ou paradas por ali mastigando a comida comprada em alguma lanchonete de junk food ou bebendo cerveja e coca de uma lata, a respiração deles condensando-se no ar frio da noite. É muito raro alguém olhar para além do piso térreo do edifício, que é ocupado por um restaurante de pizza & pasta, e perceber que há seis apartamentos de luxo logo acima, com um homem parado em uma das janelas, puxando a cortina de lado e olhando para eles abaixo. Não é um lugar onde se esperaria que alguém *morasse*, e, de fato, não seria muito divertido fazer isso 365 dias por ano. É muito barulhento e sujo. O ruído não só do tráfego, mas também o gemido agudo dos ventiladores do restaurante na parte de trás do prédio que parecem nunca ser desligados; e a sujeira não é só a do ar, que deixa um fino sedimento de poeira preta sobre cada superfície, embora eu mantenha as janelas fechadas a maior parte do tempo, mas também no chão, na calçada permanentemente coberta com uma pátina viscosa de lama, cuspe, leite derramado, resíduos de cerveja e vômito, além de caixas de hambúrguer vazias atiradas por cima, latas amassadas de bebida, embalagens plásticas descartadas e sacolas de papel, lenços de papel sujos e bilhetes de ônibus usados. Os esforços dos garis de Westminster Borough são simplesmente afogados pelo mero número de pedestres produtores de lixo nessa região de Londres. E os detritos humanos são tão visíveis quanto: bêbados, vagabundos, lunáticos e tipos com aparência criminosa abundam. Mendigos abordam você o tempo todo, e, pelas dez da noite, cada uma das portas dos estabelecimentos tem seu ocupante dormindo. "*Louche*", foi o veredito de Amy sobre o ambiente (ou, como ela diria, *ambiance*) quando eu a trouxe para cá pela primeira vez, mas não tenho certeza se essa é a palavra certa. (Fui pesquisar, quer dizer desleal e desonroso, com origem em uma palavra em francês antigo que quer dizer olhar de esguelha.) O distrito da pornografia e das cabines de filme pornô fica a oitocentos metros de distância. Aqui, os sebos de livros e teatros famosos disputam espaço com redes de fast-food e cinemas multiplex. Com certeza não é uma área convencional para residência, mas, como uma base metropolitana para alguém de fora da cidade como eu, a localização é difícil de bater. Londres de qualquer maneira é um monturo. Caso precise morar aqui, é melhor estar empoleirado no pináculo reluzente e fumegante da pilha de estrume em vez de ter de abrir caminho subindo e descendo passando por todas as camadas de merda envelhecida compactada todos os dias pela manhã e à noitinha. Eu sei: já tive minha época no vaivém diário da cidade.

Quando nos mudamos de Londres para Rummidge doze anos atrás por causa do trabalho de Sally, todos os meus amigos me olhavam com uma piedade mal disfarçada, como se eu estivesse me exilando na Sibéria. Eu mesmo estava um pouco apreensivo, para ser honesto, nunca tendo morado ao norte de Palmer's Green na vida (a não ser pelo treinamento básico do Exército em Yorkshire e em tours quando eu era um jovem ator, nenhum dos quais conta de fato como "moradia"), mas pensei que era no mínimo justo permitir que Sally tivesse a oportunidade de um avanço na carreira de educação escolar para educação superior. Ela trabalhou muito duro para isso, fazendo mestrado em meio período enquanto trabalhava como diretora adjunta de uma escola em Sotke Newington, e o anúncio da vaga de professor assistente no Departamento de Educação da Rummidge Poli era feito sob medida para o campo de pesquisa dela, psicolinguística e aquisição da linguagem (não me peça para explicar). Então ela se inscreveu e conseguiu o emprego. Agora é professora colaboradora. Quem sabe vai se tornar professora titular um dia, agora que a Poli se tornou uma Universidade. Professora Sally Passmore: tem uma sonoridade boa. Uma pena o nome da universidade. Não podiam chamar de Universidade de Rummidge porque já havia uma, então chamaram de Universidade James Watt, em homenagem a um inventor local. Pode apostar que esse título bastante complicado logo será encurtado para "Universidade Watt", e imagine a confusão conversacional que *isso* vai causar. "Que universidade você cursou?" "A Universidade Watt." "Sim, qual universidade?" "*Watt.*" E assim por diante.

    Enfim, eu estava um pouco apreensivo sobre a mudança na época, todos estávamos, as crianças também, tendo sempre morado na região Sudeste. Mas a primeira coisa que descobrimos foi que o valor que conseguimos por nossa mal-ajambrada casa geminada, construída no período entre guerras em Palmer's Green, compraria uma espaçosa vila de cinco dormitórios em uma região agradável de Rummidge, de maneira que eu poderia ter um escritório só para mim pela primeira vez na minha vida de casado, com vista para um gramado cercado de árvores crescidas, em vez da janela da nossa sala com vista para outra casa geminada idêntica e desalinhada do outro lado da rua; e a segunda coisa que descobrimos era que Sally e as crianças poderiam se deslocar para a faculdade ou a escola com metade da atrapalhação e na metade do tempo a que estavam acostumadas em Londres; e a terceira coisa que descobrimos era que as pessoas ainda eram educadas umas com as outras fora de Londres, os atendentes de loja diziam "adorável" quando se entregava para eles o valor trocadinho, os motoristas de táxi expressavam uma agradável surpresa quando você lhes dava uma gorjeta e os trabalhadores que vinham para consertar a lavadora ou decorar a casa ou arrumar o telhado eram corteses, eficientes e confiáveis. A qualidade de vida superior da Inglaterra fora de Londres ainda era um segredo bem guardado naqueles dias, e Sally e eu mal conseguíamos conter nosso júbilo ao pensar em todos os nossos amigos na capital morrendo de pena de nós enquanto estavam presos nos congestionamentos, se segurando nas barras dos trens lotados ou tentando em vão achar um encanador que atendesse ao telefone no fim de semana. Nossa sorte mudou em muitas coisas com a mudança para Rummidge. Quem sabe se *O pessoal da casa ao lado* chegaria a ver a luz de um estúdio se eu não houvesse conhecido Ollie Silvers em uma recepção para a qual Sally fora convidada, justamente quando a Heartland estava procurando uma ideia nova para uma comédia...

Quando Jane e Adam saíram de casa para começar a universidade, nos mudamos para Hollywell, um povoado semirrural nos arredores ao sul da cidade – o cinturão dos corretores de ações, como imagino que seja conhecido na zona sudeste, só que corretores são uma raridade nas Midlands. Nossos vizinhos são na maioria gerentes sênior da indústria, ou contadores, médicos e advogados. As casas são todas modernas e destacadas, em estilos variados, bem afastadas da rua e repletas de alarmes contra roubos. É verdejante, folhoso e silencioso. Em um dia de semana, o ruído mais alto é o gemido do carrinho de leite entregando o semidesnatado, o iogurte orgânico e os ovos de galinhas de granja de porta em porta. Nos fins de semana, às vezes se escuta a batida oca dos cascos de cavalos ou o arranhar dos pneus das Range-Rovers no asfalto. O Country Club, com seu campo de golfe com dezoito buracos, quadras de tênis, piscina externa ou térmica e spa, fica a apenas dez minutos de casa. Essa foi a principal razão de mudarmos para Hollywell – isso e o fato de que fica convenientemente perto da estação Rummidge Expo.

A estação foi construída bem recentemente para servir ao Centro de Exposições Internacional e ao aeroporto. É toda moderna e hi-tech, exceto pelo principal recinto exclusivo dos Cavalheiros. Por algum motivo parecem ter reconstituído, com todo o carinho, um sanitário antigo da British Rail no cerne de todo aquele mármore, vidro e laminado cromado, com direito a mictórios de zinco presos à parede, azulejos brancos lascados e até a forte fedentina de canos entupidos. Fora isso, é uma melhora e tanto com relação à estação City Centre e fica doze minutos mais perto de Londres para mim. Porque, claro, se você estiver em qualquer ramo do show business, não pode se manter completamente afastado de Londres. A Heartland grava nos estúdios em Rummidge como uma condição da franquia deles – levando empregos para a região e tudo o mais –, mas tem seus escritórios em Londres e ensaiam a maior parte dos programas lá porque é onde a maioria dos atores e diretores mora. Então estou sempre subindo e descendo para Euston por meio da boa e velha BR. Comprei o apartamento três anos atrás, em parte como investimento (embora o preço dos imóveis venha caindo desde então), mas principalmente para evitar o cansaço da viagem de volta no mesmo dia, ou a correria alternativa de me hospedar em hotéis. Suponho que lá no fundo também pensei que seria um lugar discreto para me encontrar com Amy.

Nos últimos tempos, passei a valorizar até mais a privacidade e o anonimato do lugar. Ninguém na calçada sabe que estou aqui em cima no meu ninho aconchegante, com aquecimento central e vidraças duplas. E se desço até a rua para comprar um jornal ou apanhar um litro de leite no mercado asiático 24 horas da esquina, e me misturo com os turistas, os vagabundos, os jovens em fuga, a garotada das cidades vizinhas que vem para sair à noite, os funcionários dos escritórios que param para tomar um drinque no caminho de casa e decidem fazer uma noitada, os atores, e o pessoal que trabalha no abastecimento, os músicos de rua, policiais, mendigos e vendedores de jornais – o olhar deles vai passar reto por mim sem entrar em foco, ninguém vai me reconhecer, ninguém vai me cumprimentar ou perguntar como estou indo, e não vou precisar fingir para ninguém que estou feliz.

Amy veio até o apartamento direto do trabalho, e tomamos um par de gins-tônicas antes de irmos ao Gabrielli's na esquina para comer alguma coisa. Às vezes, se ela vem de casa para cá, traz um dos pratos das profundezas de seu freezer, *moussaka*, ou carne com azeitonas, ou *coq au vin*, e aquece no meu micro-ondas, mas em geral a gente sai para comer. Muito raramente ela me convida para jantar na casa dela e serve uma refeição completa, mas é sempre um jantar para convidados, uma *festinha*, com outras pessoas presentes. Amy não quer que Zelda fique imaginando que há qualquer coisa de especial na relação dela comigo, embora eu não creia que a garota não suspeite de algo, vendo a mãe dela de vez em quando saindo à noite vestida para matar e levando um pote de comida caseira congelada nas mãos protegidas por luvas elegantes. "Porque escondo na bolsa, *stupido*", Amy disse quando perguntei uma vez. E é verdade que ela carrega uma bolsa de tamanho excepcionalmente grande, uma daquelas sacas de couro macio italiano, cheias de parafernália feminina (ou bastaria dizer apenas parafernália?) – batom, delineador, pó, perfume, cigarros, isqueiros, canetas e lápis, blocos de anotações e diários, aspirina e band-aid, tampax e protetor de calcinhas, um verdadeiro sistema de apoio à vida, no qual um pote plástico de *moussaka* congelada poderia se disfarçar sem muita dificuldade.

    Estava trocando uma lâmpada queimada quando Amy tocou o interfone, então demorei em apertar o botão que trouxe sua face comicamente distorcida, pura boca, nariz e olhos, entrando em foco na tela de vídeo do meu hall de entrada microscópico. "Rápido, Lorenzo", ela foi dizendo, "estou morrendo de vontade de fazer xixi e beber alguma coisa, nessa ordem." Uma das coisas de que gosto em Amy é que ela nunca me chama de Tubby. Ela me chama por uma série de outros apelidos, mas nunca esse. Apertei o botão para abrir a porta da frente e, momentos depois, a recebia no apartamento. Sua bochecha estava fria contra a minha quando nos abraçamos, e dei uma boa cafungada em seu perfume favorito, Givenchy, contornando seu pescoço e orelhas. Pendurei seu casaco e preparei os drinques enquanto ela foi ao banheiro. Ela emergiu poucos minutos depois, os lábios brilhantes com batom recém-aplicado, afundou-se na poltrona, cruzou suas perninhas gordas, acendeu um cigarro, pegou a bebida e disse: "Saúde, querido. Como está seu joelho?".

    Contei que ele me dera uma pontada feia hoje no trem.

– E como vai a *Angst*?
– O que é isso?
– Ah, vamos, docinho! Não finja que não sabe o que é *Angst*. É ansiedade em alemão. Ou seria angústia?
– Não pergunte para mim – falei. – Sabe que sou inútil em línguas.
– Bem, enfim, como tem passado? Fora o joelho.
– Bastante mal – descrevi meu estado mental dos últimos dias com certo detalhamento.
– É porque não está escrevendo – ela se referiu aos roteiros.
– Mas estou escrevendo – contei. – Estou fazendo um diário.

Os olhos negros de Amy piscaram surpresos.
– Mas para que diabos?
Dei de ombros.
– Não sei. Começou com algo que fiz para Alexandra.
– Deveria escrever algo que o tirasse de si mesmo, não mergulhasse ainda mais. Vai sair outra temporada?
– Conto depois – disse. – Almocei com Jake para falar sobre isso. Como foi seu dia?
– Oh, terrível, terrível – ela disse, fazendo careta. Os dias de Amy são invariavelmente terríveis, não acho que ela ficaria feliz de verdade se não fossem. – Tive uma discussão com Zelda no café da manhã sobre o estado de chiqueiro em que se encontra o quarto dela. Bem *c'est normal*. Mas então a secretária de Karl ligou para dizer que ele não podia me atender hoje por causa de uma dor de garganta, embora por que ele cancelaria só por conta de uma dor de garganta eu não sei, porque às vezes ele não fala nada de propósito, mas a secretária disse que ele estava com febre também. Então, claro, passei o dia no limite, como uma viciada precisando de uma dose. E Michael Hinchcliffe, cujo agente me disse que estava "tecnicamente disponível" para aquele seriado de espionagem da BBC, e teria sido maravilhoso no papel, aceitou uma oferta de um filme em vez da tevê, o pulha. Sem falar na última mancada de Harriet.

Harriet é sócia de Amy na agência de elenco. Seu relacionamento duradouro com um homem chamado Norman terminou há pouco tempo, e ela, por consequência, não tem conseguido pensar direito e anda com tendência a chorar incontrolavelmente quando fala com clientes ao telefone. Amy disse que me contaria sobre a última mancada de Harriet depois que eu contasse do almoço com Jake, então saímos e primeiro nos acomodamos na nossa mesa de costume no Gabrielli's.

Jake Endicott é o único agente que tive. Ele me escreveu quando ouviu um esquete meu no rádio, éons atrás, e se ofereceu para me representar. Durante anos nada aconteceu, mas então descobri uma mina de ouro com *O pessoal da casa ao lado*, e não ficaria surpreso se hoje eu fosse seu cliente número um. Ele reservara uma mesa no salão dos fundos do Groucho, com telhado de vidro. O lugar é bem ao estilo dele. Todo mundo vai para ver e ser visto sem deixar transparecer que é para isso que está lá. Há um tipo especial de olhar que os habitués desenvolveram que chamo de Panorâmica Rápida do Groucho, que consiste em varrer o salão com os olhos muito rapidamente, com as pálpebras quase fechadas, verificando a presença de celebridades, enquanto ri bem alto de algo que seu acompanhante acaba de dizer, seja engraçado ou não. Eu imaginava que seria apenas um almoço social, um pouco de fofoca, um pouco de rasgação de seda mútua, mas acabou que Jake tinha algo significativo a relatar.

Quando fizemos o pedido (escolhi o peito de pato defumado sobre salada quente de rúcula e alface-roxa, seguido de linguiça e purê a um preço que teria causado um ataque cardíaco na minha mãe e no meu pai), Jake anunciou:

– Bem, a boa notícia é que Heartland quer encomendar mais duas temporadas.

– E a má notícia? – perguntei.

– A má notícia é que Debbie quer sair – Jake olhou ansioso para mim, esperando minha reação.

Não era exatamente uma novidade bombástica. Sabia que a temporada atual era a última no contrato de Debbie Radcliffe, e podia bem acreditar que estivesse ficando cansada de passar mais da metade do ano fazendo *O pessoal da casa ao lado*. Fazer um seriado de comédia é trabalho duro para os atores. É a versão para tevê da jornada semanal. Os horários para *O pessoal da casa ao lado* são os seguintes: leitura na terça-feira e ensaio de quarta a sexta em Londres, viagem para Rummidge no sábado, ensaio geral e gravação no local no domingo, o dia de folga é segunda, e começa tudo de novo com o novo script na terça. Acaba com os finais de semana dos atores, e, quando é necessário filmar fora do estúdio, isso pode às vezes engolir o dia de folga deles. São bem pagos, mas é uma rotina massacrante e eles não podem adoecer. Indo direto ao ponto: para uma atriz como Deborah Radcliffe, a personagem de Priscilla Springfield deve ter deixado de ser um desafio há algum tempo. É verdade que está livre para fazer teatro por cerca de quatro meses ao ano, entre as temporadas, mas não chega a ser tempo suficiente para uma produção no West End, e, enfim, a Lei de Murphy garantiria que os papéis que ela quisesse não surgiriam quando estivesse disponível. Então não fiquei surpreso ao saber que ela queria sua liberdade. Jake, nem preciso dizer, não via da mesma forma. "A ingratidão das pessoas nessa profissão...", suspirou, sacudindo a cabeça e torcendo uma lasca de salmão defumado na ponta do garfo em uma poça de molho de endro. "Quem é que conhecia Deborah Radcliffe antes de *O pessoal da casa ao lado*, fora os poucos na lista do mailing da Royal Shakespeare Company? Fizemos dela uma estrela, e agora está nos dando as costas. Que fim levou a lealdade?"

— Deixa para lá, Jake — falei. — Temos sorte de ter podido contar com ela por todo esse tempo.

— Agradeça a mim, meu garoto – disse Jake. (Ele na verdade tem dez anos a menos do que eu, mas gosta de fazer o papel de pai na nossa relação.) – Fui *eu* que pressionei a Heartland para incluir uma cláusula de quatro anos na renovação do contrato dela depois da primeira temporada. Eles teriam ficado contentes com três.

— Eu sei, Jake, você fez bem – falei. – Suponho que não seja só uma estratégia do agente dela para subir o cachê?

– Foi a primeira coisa que pensei, naturalmente, mas ela diz que não faria nem pelo dobro.
– Como podemos ter uma nova temporada sem Debbie? – indaguei. – Não podemos chamar outra atriz. O público não aceitaria. Debbie *é* Priscilla, no que diz respeito a eles.
Jake deixou o garçom encher nossas taças de vinho, então se inclinou para frente e baixou a voz.
– Falei com o pessoal sobre o assunto. David Treece, Mel Spacks e Ollie. A propósito, isso é totalmente *confidencial*, Tubby. Vai ao ensaio amanhã? Então não deixe escapar *uma palavra*. O resto do elenco não sabe de nada sobre a saída de Debbie. A Heartland quer que você mexa no último roteiro.
– O que há de errado nele?
– Não há nada de errado. Mas vai precisar escrever algo para tirar Debbie do seriado.
– Está falando em matar Priscilla?
– Meu Deus, não. Isso é um seriado de *comédia*, pelo amor do Cristo, não um drama. Não, Priscilla precisa deixar Edward.
– Deixá-lo? Por quê?
– Bem, esse é o seu departamento, filhão. Quem sabe ela conhece outro camarada.
– Não se faça de louco, Jake. Priscilla jamais abandonaria Edward. Não é da natureza dela.
– Bem, as mulheres fazem coisas engraçadas. Veja o caso de Margaret. Ela me deixou.
– Isso foi porque você estava tendo um caso com Rhoda.
– Bem, talvez Edward pudesse ter um caso com alguém para forçar Priscilla a pedir o divórcio. Aí está sua nova personagem!
– Também não é da natureza de Edward. Ele e Priscilla são o arquetípico casal monogâmico. Tem a mesma chance de se separarem que Sally e eu.
Discutimos por um tempo. Assinalei que os Springfield, apesar das opiniões liberais e moderninhas e da sofisticação cultural, são de fato profundamente convencionais em seu âmago, enquanto os vizinhos Davis, com toda a sua vulgaridade e o seu

espírito de filisteus são muito mais tolerantes e liberados. Jake já sabia disso, claro.

– Tudo bem – falou por fim. – O que sugere?

– Talvez devêssemos liquidar o assunto – eu disse, sem pensar. Jake quase se engasgou com as moelas salteadas e a polenta.

– Está dizendo para liquidar com o programa no final dessa temporada?

– Talvez tenha chegado ao fim de sua existência – não tinha certeza se acreditava nisso, mas descobri, para minha surpresa, que não estava muito incomodado com a perspectiva.

Jake, porém, estava muito incomodado. Alisou a boca com o guardanapo. "Tubby, não faça isso comigo. Diga que está brincando. *O pessoal da casa ao lado* poderia seguir por mais três temporadas. Ainda há um bocado de ovos de ouro para tirar dessa galinha. Estaria cortando seu próprio pescoço."

– Ele tem razão, sabe – Amy disse quando relatei a conversa para ela durante o jantar (tendo em vista o almoço no Groucho, me restringi, virtuosamente, a um prato só, canelone de espinafre, mas roubei um pouco da sobremesa de Amy, um tiramisu voluptuoso). – A menos que você tenha uma ideia para outro seriado.

– Não tenho – confessei. – Mas poderia viver com bastante conforto com o dinheiro que já ganhei com *O pessoal da casa ao lado*.

– Está falando em *se aposentar*? Você enlouqueceria.

– Já estou enlouquecendo de qualquer jeito – falei.

– Não, não está – disse Amy. – Não sabe o que significa a loucura.

Depois de debatermos por completo os meandros e os prós e contras de tentar seguir com *O pessoal da casa ao lado* sem Deborah Radcliffe, foi a vez de Amy me contar em mais detalhes sobre o dia dela. Mas me envergonho em dizer que, agora que cheguei no momento de registrar aquela parte da conversa, não consigo lembrar de muita coisa. Sei que a última mancada de Harriet foi mandar a atriz errada para uma entrevista na BBC, causando uma grande ofensa e um constrangimento generalizado, mas receio que minha atenção tenha se perdido logo no começo dessa história e não consegui gravar o sobrenome da atriz, de modo que, quando voltei a estar de espírito presente, e Amy estava dizendo como Joanna havia ficado furiosa, não sabia de qual Joanna ela estava falando e era tarde demais para perguntar sem revelar que eu não estivera escutando. Então precisei me limitar a acenar com o queixo e a cabeça de maneira atenciosa e fazer barulhos compreensivos e balbuciar vagas generalizações, mas Amy não pareceu notar, ou, se notou, não se importou com isso. Então falou de Zelda, e não me lembro de uma palavra do assunto, embora possa inventar com certa segurança, já que as queixas de Amy com relação a Zelda são sempre as mesmas.

Não contei a Amy minha conversa inteira com Jake. Ao final da refeição, enquanto esperávamos o garçom voltar com o recibo da conta e o cartão de crédito platinum de Jake, ele disse, como quem não quer nada, dando uma rápida olhada panorâmica no salão e acenando discretamente para Stephen Fry, que estava de saída: "Alguma chance de me emprestar seu apartamento na semana que vem, Tubby?". Presumi que ele tivesse algum cliente estrangeiro chegando que gostaria de hospedar, até que acrescentou: "Seria só por uma tarde. Qualquer dia que ficar bem para você". Viu minha expressão e sorriu com malícia. "Vamos levar nossos próprios lençóis."

Fiquei chocado. Faz menos de dois anos que o casamento de Jake com Margaret terminou em um divórcio acrimonioso, e ele se casou com sua então secretária, Rhoda. Margaret se tornara uma espécie de amiga, ou pelo menos um objeto familiar ao longo dos anos, e só recentemente me acostumei com Jake indo aos eventos ou ficando para passar o fim de semana acompanhado de Rhoda. Ele podia ver pela minha cara que eu estava incomodado.

– Claro, se for inconveniente, é só dizer...

– Não é uma questão de conveniência ou inconveniência, Jake – disse. – É só que nunca vou conseguir olhar nos olhos de Rhoda de novo.

– Isso não afeta Rhoda, acredite em mim – falou com sinceridade. – Não é um caso. Ambos temos casamentos felizes. Apenas temos um interesse comum em sexo recreativo.

– Prefiro não me envolver – falei.

– Sem problema – ele disse com uma aceno indiferente com a mão. – Esqueça que cheguei a pedir – e acrescentou com um traço de ansiedade: – Não vai dizer nada a Sally?

– Não, não vou. Mas não está na hora de pendurar as chuteiras, com essas aventuras?

– Isso me mantém jovem – disse com ar complacente.

Parece mesmo jovem, para a idade dele, para não dizer imaturo. Tem um daqueles rostos que às vezes são descritos como "pueril": bochechudo, olhos levemente protuberantes, nariz arrebitado, um sorriso levado. Não dá para dizer que seja bonitão. É difícil entender como consegue atrair as mulheres. Talvez seja a energia animada, meio de filhote abanando o rabo, que ele parece ter em uma reserva infinita.

– Deveria experimentar, Tubby – sugeriu. – Anda com cara de aplastado ultimamente.

Quando sentamos juntos no sofá para assistir ao noticiário das dez, pus meu braço em torno das costas de Amy, e ela encostou a cabeça no meu ombro. É o máximo a que chegamos em termos de intimidade física, exceto por nosso beijo de despedida, que é sempre nos lábios; parece seguro se atrever tanto quando se está partindo. Não nos beijamos quando estamos sentados no sofá, nem nunca tentei nenhum aperto ou carícia abaixo da linha do pescoço. Admito que às vezes me pergunto como Amy seria nua. A imagem que me vem é uma versão um pouco mais obesa daquele famoso nu daquele fulano, o espanhol, um mestre das antigas, ele fez duas pinturas da mesma mulher reclinada sobre um sofá, uma vestida, uma nua, preciso pesquisar. Amy está sempre tão *vestida*, tão bem abotoada, zipada e embainhada em suas camadas de vestuário cuidadosamente combinadas que é difícil imaginá-la algum dia nua em pelo, exceto na banheira, e, mesmo aí, aposto que se cobre de espuma. Despojar Amy de suas roupas seria uma tarefa lenta e excitante, como desembrulhar um pacote que fora embalado de maneira cara e intrincada, farfalhando com camadas de papel de seda perfumado, no escuro. (Teria de ser no escuro – ela contou que um de seus problemas com Saul era sua insistência em fazer amor de luz acesa.) Ao passo que as roupas de Sally são folgadas e informais e tão poucas e funcionais que pode se despir em no máximo dez segundos, o que ela com frequência faz depois de chegar em casa do trabalho, caminhando pelada no andar de cima fazendo tarefas domésticas banais como trocar os lençóis ou separar a roupa para lavar.

Essa linha de pensamento está se provando bastante excitante, mas nada lucrativa, já que Sally não está aqui para mitigar meu desejo, e Amy não o faria mesmo se estivesse. Por que pareço sentir tesão apenas nesses dias em que estou em Londres, onde minha namorada está contente com sua castidade, e quase nunca quando estou em casa em Rummidge, onde tenho uma parceira de incansável apetite sexual? Eu não sei.

"*Deveria experimentar, Tubby.*" Como é que Jake sabe que nunca experimentei? Deve ser aparente na minha linguagem corporal de algum jeito. Ou no rosto, nos olhos. Os olhos de Jake se iluminam como um scanner de segurança infravermelho cada vez que uma garota bonita passa por perto.

Acho que o mais próximo que cheguei de experimentar, na minha memória recente, foi com Louise, em L.A., três ou quatro anos atrás, quando fui passar um mês para prestar consultoria à versão americana de *O pessoal da casa ao lado*. Ela era uma "executiva de criação" da produtora americana, na verdade, uma vice-presidente, título que não é tão impactante quanto parece aos britânicos, mas ainda assim muito bom para uma mulher de trinta e poucos anos. Ela era minha supervisora e intermediária com o time de roteiristas. Havia oito roteiristas trabalhando no piloto. Oito. Sentavam-se em volta de uma mesa longa bebendo café e coca-cola diet, testando piadas ansiosos. Como a companhia havia comprado os direitos, eles podiam fazer o que quisessem com meus roteiros, e fizeram, jogando fora a maior parte das *storylines* originais e os diálogos, mantendo apenas o conceito básico de vizinhos incompatíveis. Pareceu que estavam me pagando milhares de dólares por quase nada, mas quem sou eu para reclamar. No começo, eu acompanhava as reuniões de roteiro e sessões de brainstorming, bem obediente, mas, depois de um tempo, comecei a achar que minha presença era apenas um constrangimento e uma distração para essas pessoas, que pareciam envolvidas em algum concurso de uma competitividade atroz, do qual eu estava felizmente excluído, e minha participação tornou-se cada vez mais uma questão de me esticar em uma cadeira ao lado da piscina do Beverly Wilshire para ler os rascunhos dos scripts que Louise Lightfoot me trazia na mochila elegante, de lona com detalhes em couro, na qual carregava os roteiros. Ela costumava reaparecer no final do dia, em seu pequeno esportivo cupê japonês, para recolher minhas anotações e tomar um coquetel, e, com bastante frequência, jantávamos juntos. Ela havia rompido um relacionamento há pouco tempo e não estava "saindo com ninguém", e eu, ilhado em Beverly Hills, estava muito feliz com sua companhia. Ela me levava aos restaurantes "in" de Hollywood e apontava os produtores e os agentes importantes. Ela me levou para pré-estreias de filmes e premières. Ela me levou a galerias de arte e pequenos teatros e, com a desculpa de que isso me ajudaria a entender a televisão americana, a opções de lazer mais plebeias: drive-ins do Burger King e Donut Delites, pistas de boliche e, em uma ocasião, a um jogo de beisebol.

    Louise era pequena, mas bem formosa. Cabelos castanhos num corte chanel reto, que sempre brilhavam e balançavam como se estivessem recém-lavados, o que sem dúvida era o caso. Dentes perfeitos. Existe alguém em Hollywood que não tenha dentes perfeitos? Mas Louise precisava deles, porque ria de montão. Era uma risada retumbante, encorpada, uma surpresa e tanto, dado sua figura mignon e o aspecto geral de profissional bem contida; e, quando ria, jogava a cabeça para trás e balançava de um lado para o outro, fazendo o cabelo se esparramar. Eu parecia conseguir esse efeito com facilidade. Minhas piadinhas irônicas e inglesas sobre os costumes de Hollywood e o modo de falar californiano divertiam Louise. Naturalmente, para um roteirista, não há nada mais gratificante do que uma mulher jovem, atraente, inteligente e indefesa de tanto rir diante de suas gracinhas.

Em uma noite quente, mais para o final da minha estada, fomos de carro até Venice para comer em um dos restaurantes de frutos do mar que eles têm lá na orla. Comemos ao ar livre no deque do restaurante para contemplar o pôr do sol no Pacífico em um esplendor vulgar de glória Technicolor e nos sentamos ao crepúsculo para tomar café e uma segunda garrafa de um chardonnay de Napa Valley, iluminados apenas por uma pequena lamparina a óleo tremulando entre os dois sobre a mesa. Pela primeira vez eu não estava tentando fazê-la rir, mas conversando seriamente sobre minha carreira de escritor e a emoção de ter conquistado meu lugar ao sol com *O pessoal da casa ao lado*. Fiz uma pausa para perguntar se deveria pedir mais um café, ela sorriu e disse: "Não, o que eu gostaria de fazer agora é levar você para casa e trepar a noite inteira".

– Está falando sério? – fiquei paralisado, agradecido pela semiescuridão enquanto me esforçava para reorganizar meus pensamentos.

– Tô, que tal lhe parece, sr. Passmore? – aquele "sr. Passmore" era uma piada, claro; desde o primeiro dia nos tratávamos pelo primeiro nome. Mas era assim que ela sempre se referia a mim quando falava com outras pessoas na produtora. Já a pegara fazendo isso ao telefone. "*O sr. Passmore acha um erro transformarmos os Davis em uma família latina, mas vai acatar nossa decisão. O sr. Passmore acha excessivamente sentimental a cena que começa na página 32 da versão número doze.*" Louise afirmou que era um sinal de respeito no ramo.

– É muita bondade sua, Louise – eu disse –, e não pense que eu não gostaria de ir para a cama com você, porque eu gostaria. Mas, para cunhar uma frase, eu amo minha mulher.

– Ela jamais saberia – respondeu Louise. – Como poderia magoá-la?

– Eu me sentiria tão culpado que é bem provável que desse na vista – falei. – Ou deixaria escapar um dia – suspirei pesaroso. – Sinto muito.

– Ei, não é nada de mais, Tubby, não estou apaixonada por você ou coisa parecida. Por que não pede a conta?

Durante a carona que ela me deu de volta ao hotel, perguntou de repente: "Sou a única garota com quem você teve esses escrúpulos?", e respondi que sempre os tive, e ela falou: "Bom, isso me faz sentir melhor".

Não dormi muito naquela noite, virando de um lado para o outro em minha vasta cama no Beverly Wilshire, me perguntando se deveria ligar para Louise e perguntar se era possível reconsiderar, mas não o fiz; e, embora tenhamos nos encontrado de novo em várias ocasiões, nunca mais foi a mesma coisa, ela estava gradualmente se afastando, em vez de se aproximar. Ela me levou ao aeroporto ao final de minha estada, me beijou na bochecha e disse: "Tchau, Tubby, foi ótimo". Concordei, com entusiasmo, mas passei a maior parte do voo para casa indagando sobre a oportunidade perdida.

Hora de ir para a cama. O que será que vão mostrar no Dream Channel hoje? Cinema pornô, sem dúvida nenhuma.

....

Quinta-feira de manhã, 18 de fev. O vídeo do interfone do apartamento está conectado a uma câmera na varanda que lhe dá a opção de dois enquadramentos: um close-up do rosto da pessoa tocando a campainha e um take aberto da entrada, com a rua ao fundo. Às vezes, por falta do que fazer, aperto o botão do take aberto para espiar as pessoas passando ou parando na calçada. Aquilo me dá ideias para personagens – dá para ver todo tipo de gente – e suponho que haja certo prazer infantil, voyeurístico, em usar o aparelho. É como um periscópio invertido. De minha aconchegante cabine bem acima do chão, posso esquadrinhar a vida na superfície ensebada: turistas franzindo a testa sobre seus mapas das ruas, moças vaidosas demais para jogarem um casaco por cima dos minúsculos trajes de noite, se apertando para enfrentar o frio, jovens machões de jaqueta de couro brigando e provocando uns aos outros, casais apaixonados parando no meio da caminhada para trocar um beijo e sendo atropelados por homens impacientes com maletas, apressados para pegar um trem em Charing Cross.

Na noite passada, sem nenhum motivo especial, apertei o botão quando estava indo deitar, e caramba se não tinha uma pessoa se ajeitando para pernoitar na entrada. Suponho que seja surpreendente que não tenha acontecido antes, mas é um quadrado muito pequeno, não há espaço suficiente para um homem feito se deitar ali sem ficar com os pés esticados sobre a calçada. Esse tipo estava sentado dentro de um saco de dormir, com as costas apoiadas contra uma parede, os pés encostados na outra e o queixo afundado no peito. Parecia jovem, com um rosto afilado, lembrando uma raposa, e cabelos longos e lisos caindo no rosto.

Primeiro fiquei bastante chocado ao vê-lo ali e depois, irritado. Que petulância! Estava ocupando a entrada inteira. Era impossível sair ou entrar sem passar por cima dele. Não que eu quisesse entrar ou sair mais naquela noite, mas um dos outros residentes poderia aparecer, e, de todo jeito, prejudicava a imagem do prédio tê-lo acampado ali. Pensei em descer e mandar o cara cair fora, mas já estava de pijama e não estava a fim de confrontá-lo de roupão e chinelos ou então passar pelo trabalho de me vestir de novo. Pensei em telefonar para a polícia e pedir para que o tocassem embora, mas há tantos crimes mais sérios nessa parte da cidade que duvidei que fossem se preocupar em responder, e, de todo jeito, iam me perguntar se eu mesmo já havia pedido para o homem sair. Fiquei lá parado, fitando a imagem borrada em preto e branco, desejoso de que o som, assim como a imagem, pudesse ser ativado no interfone de dentro do apartamento para que eu pudesse rosnar "*Ei, você! Cai fora!*" pelo alto-falante e assistir a reação dele na tela de vídeo. A ideia me fez sorrir, e então me senti um canalha por estar sorrindo.

Esses jovens que pedem esmola e dormem nas ruas de Londres, eles me incomodam. Não são como os vagabundos e bêbados que sempre fizeram parte da nossa vida, imundos, fedorentos e vestidos em trapos. Os novos vadios estão em geral muito bem vestidos, com parcas de aspecto novo, jeans e coturnos da Doc Martens, e têm sacos de dormir grossos e acolchoados que não fariam feio em uma aventura radical. E enquanto os pedintes se ocultam feito insetos em lugares escuros e abandonados, como embaixo dos arcos das ferrovias, ou ao lado de latões de lixo, esse jovenzinhos escolhem as entradas das lojas em ruas bem iluminadas do West End, ou as escadarias e passagens do metrô, então não há como evitá-los. A presença deles é como uma acusação – mas do que estão nos acusando? Fomos nós que os empurramos para as ruas? Eles parecem tão normais, tão apresentáveis, pedindo com toda a educação se temos algum trocado, que é difícil de acreditar que não consigam encontrar casa nem trabalho se de fato se esforçarem. Talvez não no West End, mas quem disse que têm direito a uma casa no West End? Eu tenho uma, mas tive que trabalhar para isso.

E assim foi seguindo meu monólogo interno de autojustificativa quando fui deitar e, eventualmente, peguei no sono. Acordei às quatro e fui fazer xixi. No caminho de volta para a cama, apertei o botão do vídeo no interfone, e ele continuava lá, enrolado dentro do saco de dormir no chão de lajotas da entrada, como um cachorro em sua cesta. Um carro da polícia piscou ao passar ao fundo, e escutei o toque estridente da sirene pelas vidraças duplas da sala, mas o rapaz nem se mexeu. Quando olhei de novo às sete e meia da manhã, ele havia partido.

....

Quinta à tarde. Estou escrevendo isto no trem das 17h10 de Euston. Queria ter apanhado o das 16h40, mas meu táxi ficou preso em um imenso engarrafamento causado por um alerta de bomba no Centre Point. A polícia havia isolado a intersecção da Tottenham Court Road com a Oxford Street, e o trânsito estava parado em todas as direções. Perguntei ao motorista: "Quem está tentando explodir o edifício, o IRA ou o príncipe Charles?". Mas ele não entendeu a piada – ou, o que é mais provável, não achou graça. Essas ameaças de bomba afastam os turistas e atrapalham o negócio dele.

Dei uma passada no ensaio hoje pela manhã, como é meu costume nas quintas. Quando *O pessoal da casa ao lado* estava começando e ainda tentando acertar a mão, eu costumava frequentar os ensaios praticamente todos os dias, mas agora o programa deslancha como um trem (ou como um trem *deveria* deslanchar – este aqui de repente desacelerou a ponto de rastejar por algum motivo, e nem chegamos a Watford Junction) e dou apenas uma passada uma vez por semana para conferir se tudo está correndo bem e talvez fazer alguns pequenos ajustes no roteiro. Os ensaios acontecem em um salão de igreja transformado perto da estação de metrô Pimlico, o piso é marcado com as faixas correspondentes ao cenário do estúdio em Rummidge. Entrar lá em um dia de inverno desabusaria você de qualquer noção de que trabalhar com entretenimento televisivo é uma profissão glamorosa. (Acho que essa é a primeira vez que uso a palavra "desabusar". Gostei – tem um toque de classe.) As paredes de tijolo são pintadas em um verde viscoso e creme coalhado institucionais, como o Hospital Geral de Rummidge, e as janelas têm grades, e as vidraças são de vidro fosco encardido. Há aquela confusão usual de mobiliário heterogêneo empurrado contra as paredes ou arrumado como se fosse as diversas "peças": mesas com tampo de fórmica e pernas torneadas, cadeiras de plástico empilhadas, conjuntos de estar de três peças desmontáveis e camas com colchões de aparência repugnante. Fora a mesa de cavalete em um canto com a cafeteira, refrescos, frutas e lanches servidos, o lugar poderia ser um refúgio do Exército da Salvação ou um depósito de móveis de segunda mão. Os atores vestem roupas velhas e confortáveis – todos, exceto Debbie, que sempre parece estar a caminho de uma sessão de fotos para a *Vogue* – e, quando não são chamados para alguma cena, sentam-se curvados nas cadeiras quebradas, lendo jornais e romances baratos, fazendo palavras-cruzadas, tricotando, ou, no caso de Debbie, bordando.

Porém, todos levantam o rosto, sorriem e me saúdam com alegria quando eu entro. "*Oi, Tubby! Como você está? Como vai?*" Os atores são sempre muito meticulosos. A maioria dos produtores e diretores secretamente despreza os roteiristas, enxergando-os como meros burros de carga, cujo trabalho é fornecer a matéria-prima para o exercício de sua própria criatividade, um mal necessário que deve ser mantido em seu lugar com firmeza. Os atores, entretanto, tratam os roteiristas com respeito e até certa reverência. Sabem que o roteirista é a fonte definitiva de suas falas, sem as quais eles próprios são impotentes; e sabem que, no caso de um seriado longo, está nas mãos dele enaltecer ou reduzir a importância de suas participações nos episódios ainda não escritos. Então em geral fazem de tudo para serem simpáticos com ele.

Esta semana estão produzindo o Episódio Sete da temporada atual, previsto para ir ao ar em cinco semanas. Será que eles, me pergunto, têm qualquer palpite de que esta pode vir a ser a última? Não, não detecto nenhum sinal de ansiedade nos olhos ou na linguagem corporal quando nos cumprimentamos. Apenas entre Debbie e mim uma mensagem pisca rapidamente, quando me abaixo para beijar seu rosto na velha poltrona onde ela está sentada, trabalhando em seus eternos bordados, e nossos olhares se encontram: ela sabe que eu sei que ela quer sair. A não ser por isso, o segredo parece seguro no presente momento. Nem mesmo Hal Lipkin, o diretor, sabe ainda. Ele se apressa na minha direção assim que entro, franzindo a testa e mordendo a caneta, mas é uma pergunta sobre o script que ele tem em mente.

Uma sitcom é televisão pura, uma combinação de continuidade com novidade. A continuidade vem do básico da "situação" – no nosso caso, duas famílias com estilos radicalmente diferentes morando uma ao lado da outra: os Davis, com sua atitude despreocupada, vivendo de seguro desemprego e outros benefícios do governo, que inesperadamente herdaram essa casa em um bairro que se aburguesou e decidem se mudar para lá, em vez de vendê-la, para o desalento mal disfarçado dos vizinhos de porta, o casal Springfield, os dois cultos, de classe média e leitores do *Guardian*. Os telespectadores logo se familiarizam com os personagens e esperam vê-los se comportar da exata mesma maneira todas as semanas, igual a seus próprios parentes. A novidade vem da história que cada episódio conta. A arte da sitcom é encontrar novas histórias para contar, semana após semana, dentro daquele molde familiar. Não pode ser uma história muito complicada, porque você tem apenas 25 minutos para contá-la e, por questões técnicas e de custo, a maior parte da ação precisa se dar no mesmo cenário de estúdio.

Estava ansioso para acompanhar o episódio desta semana em produção, porque é um daqueles casos em que flertamos com o território do drama mais sério. Basicamente a sitcom é um entretenimento leve para toda a família, cujo objetivo é divertir e distrair os espectadores, e não perturbá-los ou chateá-los. Mas se nem mesmo em raras ocasiões tocarmos no lado mais profundo e sombrio da vida, mesmo que bem de raspão, então o público não vai mais acreditar nos personagens e perderá o interesse no destino de cada um. O episódio desta semana está centrado na filha adolescente dos Springfield, Alice, que tem por volta de dezesseis anos. Quando a série começou há cinco anos, ela tinha uns quinze. Phoebe Osborne, que faz a personagem, tinha catorze anos no começo e agora tem dezenove, mas felizmente ela não cresceu demais nesse período e é fantástico o que a maquiagem e o estilo de cabelo conseguem disfarçar. Os personagens adultos nas sitcoms de longa duração levam vidas encantadas, jamais envelhecem, mas, com os juvenis, é preciso permitir certo crescimento aos atores e incorporar isso ao script. Quando a voz do jovem Mark Harrington rachou, por exemplo (ele faz o caçula dos Springfield, Robert), aproveitei isso como uma piada recorrente durante a temporada inteira.

Seja como for, o episódio dessa semana centra-se no medo de Edward e Priscilla de que Alice possa estar grávida, porque ela não para de vomitar. Cindy Davis, da casa ao lado, é uma mãe solteira adolescente, sua mãe cuida do bebê enquanto ela vai para a escola, e o ponto dramático do episódio é que, enquanto os Springfield sempre foram tremendamente liberais em relação a Cindy, estão horrorizados com a ideia de que o mesmo possa acontecer com a filha deles, ainda mais quando o provável pai seria o jovem Terry Davis, com quem Alice está saindo com o consentimento nervoso dos pais. Desnecessário dizer, Alice não está grávida, nem sequer corre o risco de ficar, já que não concede nenhuma liberdade a Terry. Ela passa vomitando porque Terry, com seu impulso sexual frustrado, está adulterando o leite de cabra que é entregue para consumo exclusivo de Alice (ela tem alergia a leite de vaca) com um suposto afrodisíaco (na verdade, um leve emético) em conluio com seu parceiro Rodge, o assistente do leiteiro. Isso eventualmente é revelado quando Priscilla, sem querer, se serve do leite especial de Alice e passa muito mal. ("EDWARD (*consternado*): Não vá me dizer que também está grávida?") Mas antes disso um bom volume de comédia é gerado pelos caminhos sinuosos e elaborados pelos quais Edward e Priscilla tentam confirmar a terrível suspeita e pelo contraste entre sua tolerância pública e a desaprovação privada de famílias de mães solteiras.

"Está um pouco comprido demais, Tubby", foi o que Hal disse de maneira indistinta porque segurava uma esferográfica entre os dentes enquanto folheava rápido as páginas da cópia do roteiro. Outra esferográfica projetava-se de sua cabeleira dura logo acima da orelha direita – estacionada ali há algum tempo e esquecida. (Ah, se *eu* tivesse essa sorte.) "Estava pensando se podíamos cortar algumas falas daqui", murmurou. Eu sabia exatamente quais falas ele ia apontar antes que achasse a página:

> EDWARD: Bem, se ela *estiver* grávida, vai precisar fazer um aborto.
> PRISCILLA (*enraivecida*): Suponho que ache que isso resolveria tudo?
> EDWARD: Alto lá! Achei que você fosse a favor do direito de escolha da mulher?
> PRISCILLA: Ela não é uma mulher, é uma criança. De todo modo, suponhamos que ela escolha ter o bebê?
> PAUSA, ENQUANTO EDWARD ENCARA ESSA POSSIBILIDADE.
> EDWARD (*baixinho, mas firme*): Nesse caso, claro, vamos apoiá-la.
> PRISCILLA (*esmorecendo*): Sim, é claro.
> PRISCILLA ESTENDE A MÃO E APERTA A MÃO DE EDWARD.

Essas falas já haviam causado uma refrega com Ollie Silvers, meu produtor, logo depois que entreguei o script. Na verdade, ele é muito mais do que meu produtor hoje em dia, é Coordenador de Séries e Seriados na Heartland, nada menos do que isso, mas, como *O pessoal da casa ao lado* foi, de certa forma, cria sua e ainda consegue melhores índices do que qualquer outra coisa que a Heartland faça, ele não suportou ter de delegar o programa para um produtor de linha ao ser promovido e ainda encontra tempo, não se sabe como, para meter o bedelho nos detalhes de cada episódio. Ele disse que não se pode fazer referências a aborto em uma sitcom, mesmo uma que vai ao ar depois do horário das nove, quando os pequenos telespectadores supostamente deveriam estar enfiados na cama, porque é muito controverso e perturbador. Falei que era inverossímil supor que um casal de classe média com educação superior conversaria sobre a possível gravidez de sua filha em idade escolar sem tocar no assunto. Ollie disse que o público aceitava as convenções da sitcom, de que algumas coisas simplesmente jamais eram mencionadas, e preferia assim. Eu disse que todo tipo de coisa que costumava ser tabu em comédias agora era aceitável. Ollie insistiu que o aborto não. Falei que sempre havia uma primeira vez. Ele questionou: por que deveria ser no nosso show? Insisti, por que não? Ele cedeu, ou foi o que pensei. Deveria saber que ele acharia um jeito de cortar as falas.

Quando perguntei a Hal se o corte era ideia de Ollie, Hal ficou um pouco constrangido. "Ollie esteve aqui ontem", admitiu. "Sugeriu que essas falas não são uma necessidade absoluta para a história."

– Não são uma necessidade absoluta – repeti. – Apenas um momento de verdade.

Hal pareceu contrariado e disse que poderíamos debater a questão mais a fundo com Ollie, que viria depois do almoço, mas falei que já estava tarde demais para termos uma discussão feroz e arrastada sobre uma questão de princípios. O elenco perceberia as más vibrações e ficaria ansioso e nervoso com a cena. Hal pareceu aliviado e saiu apressado para dizer a Suzie, sua assistente de produção, para corrigir o script. Saí dali antes de Ollie chegar. Agora fico me perguntando por que não comprei essa briga.

O condutor principal acaba de anunciar que estamos nos aproximando de Rugby. "Rugby é a próxima estação de parada." A BR agora deu para usar essa frase incômoda, "estação de parada", presume-se que para diferenciar as paradas programadas nas estações daquelas não programadas no meio do nada, talvez preocupados que, do contrário, os passageiros, desorientados pelo cheiro dos rolinhos de tomate com bacon e dos revestimentos superaquecidos dos freios nos vagões com ar-condicionado defeituoso, possam sair cambaleando nos trilhos por engano e acabarem mortos.

....

Quinta à noite. Cheguei em casa pelas 19h30. O trem, no fim, atrasou apenas doze minutos, e encontrei meu carro intocado por ladrões ou vândalos, esperando por mim onde eu o deixara, como um fiel animal de estimação. Eu o despertei com o botão remoto do chaveiro enquanto me aproximava, e ele piscou suas luzes indicadoras para mim e bipou três vezes no abrir das fechaduras. Esses dispositivos de controle remoto me dão um prazer infantil inesgotável. Nossa porta da garagem é operada por um, e me divirto acionando para abri-la quando dobro a esquina no fim da rua, de modo que posso entrar direto sem precisar parar. Quando a porta da garagem se abriu feito um bocejo hoje, vi que o carro de Sally não estava estacionado lá dentro e, quando entrei em casa, encontrei um bilhete na cozinha dizendo que ela fora até o clube para nadar e fazer uma sauna. Fiquei num desapontamento desmedido, porque estava todo preparado para contar sobre a crise por conta de Debbie Radcliffe e a discussão sobre o corte no episódio da semana. Não que ela estivesse morrendo para saber sobre qualquer desses assuntos. *Au contraire.*

De acordo com a minha experiência, há dois tipos de esposas de roteiristas. Um deles é uma combinação de babá, secretária e presidente de fã-clube. Ela lê os trabalhos ainda em andamento e sempre elogia; assiste aos programas quando vão ao ar e ri de cada piada; estremece com cada crítica ruim e se regozija com as boas com a mesma intensidade que ele; fica sempre de olho no humor e ritmo de trabalho dele, leva xícaras de chá e café a intervalos regulares, entrando e saindo do escritório na ponta dos pés para não perturbar sua concentração; atende ao telefone e responde cartas, protegendo-o dos convites, propostas e pedidos cansativos e não lucrativos; anota seus compromissos e o lembra deles a tempo, leva-o até a estação, ao aeroporto e vai buscá-lo quando ele retorna; além disso, oferece coquetéis e jantares para seus amigos profissionais e clientes. O outro tipo é como Sally, que não faz nenhuma dessas coisas e tem uma carreira própria que ela considera tão importante quanto a do marido, se não mais.

Na verdade, Sally é a única esposa de escritor desse tipo que eu conheço, embora suponha que existam outras.

Então não era porque eu estivesse esperando algum conselho compreensivo e sábias recomendações ao chegar em casa, apenas uma oportunidade de desabafar alguns pensamentos opressores. Dirigindo da estação, senti uma crescente convicção de que cometera um erro ao abrir mão com tanta facilidade aceitando o corte da referência ao aborto no script da semana e comecei a me atormentar ao ficar questionando se deveria reabrir a discussão telefonando para Ollie e Hal em suas respectivas casas – sabendo que estaria em uma posição muito enfraquecida, já que concordei com o corte hoje de manhã, e que criaria um sentimento de mal-estar generalizado ao tentar revogar a decisão sem de fato conseguir nada ao final, porque já era provavelmente tarde demais para mudar o roteiro mais uma vez. Provavelmente, mas não *necessariamente*. Os atores ensaiaram a versão cortada hoje à tarde, mas poderiam, a pedido, recolocar as falas que faltaram no ensaio de amanhã.

Perambulei inquieto pela casa vazia, apanhei o telefone algumas vezes e pus no gancho de novo, sem discar. Preparei um sanduíche de presunto para mim, mas a carne da geladeira estava fria demais para ter qualquer sabor e bebi uma lata de cerveja que encheu meu estômago de gás. Liguei a tevê em qualquer coisa e me peguei assistindo a uma sitcom rival na BBC1 que parecia muito mais inteligente e afiada que *O pessoal da casa ao lado* e desliguei depois de dez minutos. Fui até o escritório e me sentei diante do computador.

Sinto minha autoestima escorrendo embora como água em um balde velho. Eu me desprezo tanto pela fraqueza ao aceitar o corte quanto pela hesitação em tomar alguma atitude a respeito. Meu joelho começou a latejar, como uma junta reumática sensível à aproximação do mau tempo. Sinto uma tempestade de depressão tremulando no horizonte e uma maré de desespero se preparando para me inundar.

Graças a Deus. Sally acaba de entrar. Acabo de ouvir a porta batendo e sua voz alegre vindo do hall de entrada.

....

Sexta-feira de manhã, 19 de fev. Havia um apelo da MIND na correspondência esta manhã. É a primeira vez que recebo um dessa organização, acho. Devem ter conseguido meu endereço com uma das outras caridades. Dentro do envelope, havia uma carta e um balão azul. Havia uma instrução no cabeçalho: "*Por favor, encha seu balão antes de proceder à leitura, mas não amarre um nó nele*". Então enchi o balão, e, desenhado em linhas brancas, surgiu o perfil da cabeça de um homem, se parecendo um pouco comigo na verdade, com o pescoço grosso e sem cabelo aparente, mas abarrotadas no crânio, uma em cima da outra, como se fossem pensamentos, estavam as palavras ENLUTADO, DESEMPREGADO, DINHEIRO, SEPARADO, HIPOTECA, DIVORCIADO, SAÚDE. "*Para você*", dizia a carta, "*as palavras no balão podem parecer apenas isso – palavras. Mas os eventos que descrevem estão no cerne do colapso nervoso de alguém.*"

Bem ali, a campainha tocou. Sally saíra para trabalhar, então fui até a porta da frente, ainda segurando o balão pela cauda, apertado entre o polegar e o indicador para impedir que o ar escapasse. Senti uma compulsão supersticiosa para obedecer às instruções da carta, como um personagem de conto de fadas.

Era o leiteiro, pedindo seu pagamento. Olhou para o balão e abriu um sorriso.

– Vão dar uma festa? – perguntou. Eram nove e meia da manhã. – Seu aniversário, é? – indagou. – Muitos anos de vida.

– Acaba de chegar pelo correio – falei, gesticulando desajeitado com o balão. – Quanto lhe devemos? – dedilhei uma nota de dez libras até conseguir tirá-la da carteira com uma única mão.

– Excelente o programa da outra noite – disse o leiteiro ao me dar o troco. – Quando Davis pai escondeu todos os cigarros pela casa antes de parar de fumar... muito engraçado.

– Obrigado, fico feliz que tenha gostado – disse. Todos os vendedores locais sabem que escrevo roteiros para *O pessoal da casa ao lado*. Posso fazer uma pesquisa de audiência instantânea na porta de casa.

Voltei com o balão até o escritório e apanhei a carta da MIND. "*Da mesma forma que as palavras aumentam de tamanho com o balão, também os problemas de alguém podem parecer maiores conforme a pressão sobre eles aumenta*", dizia.

Olhei mais uma vez para as palavras amontoadas dentro da cabeça. Não estou enlutado (ou pelo menos nada recente – minha mãe morreu quatro anos atrás, e meu pai, há sete). Não estou desempregado, tenho dinheiro que chega, não estou separado ou divorciado e poderia pagar minha hipoteca amanhã se quisesse, mas meu contador me recomendou em contrário por causa do desconto nos impostos. O único meio de me qualificar para um colapso nervoso está na parte da Saúde, embora desconfie de que a MIND estivesse pensando em algo que ameaçasse mais a vida do que um Transtorno Interno da Articulação.

Li por cima o resto da carta: "*Suicídio... psicose... casa de recuperação... linha aberta de apoio...*". Depois do último apelo por dinheiro, havia um P.S.: "*Pode deixar sair o ar do balão agora. E ao fazê-lo, por favor, considere o quão rapidamente a pressão dos problemas de alguém pode ser aliviada com o tempo, o cuidado e a atenção especial que sua doação vai proporcionar hoje*". Soltei o balão, e ele saiu fogueteando pela sala como uma mosca varejeira peidando enlouquecida por alguns segundos antes de bater no vidro da janela e tombar ao chão. Puxei meu talão de cheques especial para caridade e enviei 36 libras para a MIND providenciar

uma enfermeira especializada em tratamento de saúde mental para alguém durante uma manhã.
Eu mesmo gostaria de ter uma hoje.

Na noite passada, depois de Sally chegar, conversamos na cozinha enquanto ela preparava uma xícara de chocolate quente e eu tomava um scotch. Melhor dizendo, eu falei, e ela escutou, com ar bastante distraído. Ela estava tomada de uma euforia langorosa causada pela sauna e parecia ter mais dificuldade do que o normal em se concentrar nos meus problemas profissionais. Quando anunciei que as falas sobre aborto haviam sido cortadas do script desta semana, ela disse "Que bom" e, embora tenha visto pela minha cara que era a resposta errada, procedeu a defendê-la como é típico dela, dizendo que *O pessoal da casa ao lado* era um programa despretensioso demais para acomodar um assunto tão pesado – o mesmo exato argumento de Ollie. Então, quando contei que o futuro do programa estava ameaçado pela intenção de Debbie de sair ao final da temporada, Sally disse: "Bem, isso vai ser bom para você, não vai? Pode fazer algo novo com outro produtor mais disposto a assumir riscos do que Ollie". O que era bastante lógico, mas não ajudava muito, já que não tenho ideia alguma para um novo programa, e é improvável que vá conseguir uma em meu atual estado.

Sally passou o dedo por dentro da xícara e lambeu. "Que horas vai se deitar?", perguntou, que é o jeito habitual de sugerir para fazermos sexo, então fizemos, e eu não consegui gozar. Tive uma ereção, mas sem clímax. Talvez tenha sido o scotch em cima da cerveja, não sei, mas foi preocupante, como forçar a alavanca de uma bomba d'água sem conseguir tirar uma gota da bica. Sally gozou – ao menos acho que sim. Vi um programa na televisão uma noite dessas no qual uma porção de mulheres estava sentada conversando sobre sexo e todas elas já fingiram o orgasmo em certas ocasiões, fosse para reassegurar os parceiros, fosse para encerrar uma experiência insatisfatória. Talvez Sally também faça isso. Eu não sei. Foi dormir bem feliz. Escutei sua respiração se acomodar em um ritmo lento e profundo antes de eu mesmo apagar. Acordei de novo às 2h35 com o colarinho da blusa do pijama úmido de suor. Tive uma sensação forte de mau pressentimento, como se houvesse algo desagradável que eu esquecera e precisava me lembrar. Então lembrei: agora eu tinha Transtorno Interno das Gônadas em cima de todos os meus outros problemas. Contemplei uma vida sem sexo, sem tênis, sem um programa de tevê. Senti como se estivesse descendo em espiral para um fundo escuro. Sempre penso no desespero como um movimento em espiral para baixo – como um aeroplano que perde uma asa e despenca no ar como uma folha, torcendo e girando enquanto o piloto luta, impotente, com os controles, a nota do motor subindo para um grito fino e estridente, a agulha do altímetro rodando e rodando no mostrador indo em direção ao zero.

Ao reler esse último registro, lembrei da pergunta esquisita de Amy, "*Como vai sua Angst?*", e fui pesquisar a palavra. Fiquei um pouco surpreso ao encontrá-la no meu dicionário de inglês. "1. *Uma sensação aguda mas não específica de ansiedade ou remorso. 2. (Na filosofia existencialista) o pavor causado pela consciência do homem de que seu futuro não está determinado, mas deve ser livremente escolhido.*" Não compreendi totalmente a segunda definição – a filosofia é um dos maiores pontos falhos na minha educação. Mas senti um pequeno arrepio de reconhecimento com a palavra "pavor". Parece mais com o que estou passando do que "ansiedade". Ansiedade soa trivial, de alguma forma. Você pode se sentir ansioso por tomar um trem, ou por perder o horário do correio. Suponho que esse seja o motivo de tomarmos emprestada a palavra do alemão. *Angst* tem uma ressonância sombria, e você faz uma careta de dor ao pronunciá-la. Mas "pavor" é bom. Pavor é o que sinto quando acordo no meio da noite suando frio. Um pavor agudo, mas não específico. Claro, logo penso em coisas específicas para agregar a isso. Impotência, por exemplo.

Vai acontecer em algum momento, claro, para todos os homens. Cinquenta e oito anos parece ser um pouco prematuro, mas suponho que não seja impossível. Mais cedo ou mais tarde, enfim, vai haver uma última vez. O problema é que você só vai saber quando descobrir que não consegue mais. Não é como aquele último cigarro antes de largar de fumar, ou sua última partida de futebol antes de pendurar as chuteiras. Não pode transformar sua última trepada em uma ocasião especial porque não vai saber que é a última enquanto estiver desfrutando dela; e, quando chegar o momento de descobrir, provavelmente não vai lembrar como foi.

Acabo de pesquisar existencialismo em um dicionário do pensamento moderno. "*Um corpo de doutrina filosófica que enfatiza de maneira dramática o contraste entre a existência humana e o tipo de existência atribuída a objetos naturais. Os homens, dotados de vontade e consciência, se percebem em um mundo alienígena composto de objetos que não possuem nem um nem outro.*" Isso não me pareceu uma grande descoberta. Pensei que já sabia disso. "*O existencialismo foi estabelecido por Kierkegaard como uma reação violenta contra o idealismo absoluto e abrangente de Hegel.*" Ah, foi isso então? Pesquisei Kierkegaard. "*Kierkegaard, Søren.* Filósofo dinamarquês, 1813-1855. Veja em EXISTENCIALISMO."

Procurei Kierkegaard em outro livro, um dicionário biográfico. Era filho de um comerciante de sucesso e herdou uma fortuna considerável do pai. Gastou tudo estudando filosofia e religião. Estava noivo de uma moça chamada Regine, mas rompeu quanto decidiu que não estava destinado ao casamento. Fez formação para ser pastor, mas nunca se ordenou e ao final da vida escreveu alguns ensaios controversos atacando o cristianismo convencional. A não ser por poucas visitas a Berlim, nunca saiu de Copenhague. Sua vida me pareceu tão enfadonha quanto curta. Mas o artigo listava alguns livros no final. Não consigo descrever como me senti ao ler aqueles títulos. Se meus cabelos da nuca fossem mais curtos, teriam ficado em pé. *Temor e tremor, O desespero humano, O conceito de angústia* – eles não soavam como títulos de livros de filosofia, pareciam nomear a minha condição como flechas acertando um alvo. Mesmo aqueles que não consegui entender ou adivinhar o conteúdo, como *Ou-ou* e *A repetição*, pareciam prenhes de significados ocultos, designados especialmente para mim. E, ora vejam, Kierkegaard escreveu um diário. Preciso botar minhas mãos nele e em alguns dos outros livros.

....

Sexta à noite. Acupuntura na Clínica do Bem-Estar esta tarde. A srta. Wu começou, como sempre, medindo minha pulsação, segurando o pulso entre seus dedos frios e úmidos com total delicadeza, como se fosse o caule de uma flor frágil e preciosa, e me perguntou como eu estava. Fiquei tentado a lhe contar sobre meu problema de ejaculação de ontem à noite, mas amarelei. A srta. Wu, que nasceu em Hong Kong, mas foi criada em Rummidge, é muito tímida e acanhada. Sempre sai da sala enquanto tiro a roupa e, de cueca, subo na maca bem estofada e me cubro com um cobertor termocel; e sempre bate para conferir se estou pronto antes de ela voltar a entrar. Pensei que talvez fosse ficar constrangida se eu mencionasse meu não comparecimento seminal, e, para ser sincero, não me agradou a ideia de agulhas sendo inseridas no meu escroto. Não que ela normalmente ponha agulhas onde a gente espera, mas nunca se sabe. Então, mencionei apenas meus sintomas usuais e ela inseriu agulhas nas mãos e nos pés como sempre faz. Elas se parecem um pouco com esses alfinetes de cabeça colorida que são usados nos mapas de parede e quadros de avisos. Você sente uma espécie de sobressalto com formigamento quando ela acerta o ponto exato, por vezes tão forte quanto um choque elétrico em baixa voltagem. É certo que tem alguma coisa aí nesse negócio de acupuntura, embora se proporciona algum benefício duradouro não sei. Fui procurar a srta. Wu originalmente para meu Transtorno Interno da Articulação, mas ela foi franca ao me dizer que não achava que pudesse ajudar muito, exceto auxiliando no processo de cura ao melhorar o estado geral de minha saúde física e mental, então concordei com isso. Sinto-me melhor depois da sessão pelo restante do dia e talvez na manhã seguinte, mas, depois disso, o efeito parece passar. Há um leve aspecto penitente da coisa – as agulhas doem um pouco, sim, e você não pode beber álcool no dia do tratamento, o que é provável que seja o motivo de eu me sentir melhor – mas acho os modos infinitamente delicados da srta. Wu reconfortantes. Sempre pede desculpa se uma reação mais forte e específica à agulha me faz pular; e, quando (muito raro) ela não consegue achar o ponto e precisa fazer várias tentativas, fica bastante aflita. Quando, por acidente, um dia ela me fez sangrar, achei que fosse morrer de vergonha.

Enquanto o tratamento transcorre conversamos, em geral sobre minha família. Ela demonstra um grande interesse pela vida de Adam e Jane. Suas perguntas e minha dificuldade ocasional em respondê-las me fazem tomar uma consciência culpada do quanto penso pouco nos meus filhos hoje em dia, mas eles têm suas próprias vidas agora, são independentes e autossuficientes e sabem que, quando estiverem com sérias necessidades financeiras, é só chamar. Adam trabalha para uma empresa de software de computador em Cambridge, e sua esposa, Rachel, leciona História da Arte meio período na Universidade de Suffolk. Eles têm um bebê novinho, então estão completamente ocupados com a complexa logística de sua vida doméstica e profissional. Jane, que se formou em arqueologia, teve a sorte de conseguir um emprego no museu em Dorchester e mora em Swanage com o namorado, Gus, um pedreiro. Levam uma vida calma, sem ambições e vegetariana naquele pequeno resort e parecem felizes o suficiente de um jeito New Age. Nós todos nos reunimos agora apenas no Natal, quando todo mundo se hospeda em Hollywell. Um rápido lampejo de severidade passou pelo rosto da srta. Wu quando percebeu, por meio de meus comentários, que Jane e Gus não são casados – creio que isso não deva ser aceitável na comunidade dela. Bem, espero que Jane se case um dia, de preferência não com Gus, embora ela possa provavelmente escolher ainda pior. Hoje, tive a audácia de perguntar para a srta. Wu se ela própria esperava se casar, ela sorriu, corou e baixou os olhos, dizendo: "O casamento é uma responsabilidade muito séria". Mediu meu pulso de novo, declarou que estava muito melhor e anotou algo em seu caderno. Então saiu da sala para eu me vestir.

Deixei o cheque em um envelope simples marrom sobre a mesinha onde ela guarda as agulhas e outras coisas. Na primeira vez que ela me atendeu, cometi o erro de puxar minha carteira e a grosseria de enfiar notas de dinheiro na mão dela. Ela ficou muito envergonhada, e eu também quando percebi minha gafe. Pagar os terapeutas é sempre um pouco complicado. Alexandra prefere receber tudo pelo correio. Amy me contou que na última sexta-feira do mês, quando vai ao consultório de Karl Kiss, há um envelope no sofá com a conta dentro. Ela o apanha em silêncio e discretamente enfia na bolsa. Nenhum dos dois jamais menciona nada. Não me surpreende, de fato, essa reticência. A cura não deveria ser uma transação financeira – Jesus não cobrava pelos milagres. Mas os terapeutas precisam viver. A srta. Wu cobra apenas quinze pratas pela sessão de uma hora. Preenchi um cheque para ela no valor de vinte uma vez, mas isso apenas causou mais constrangimento porque ela correu atrás de mim no estacionamento dizendo que eu me equivocara.

Quando estava vestido, ela voltou à sala e marcamos uma hora para dali a duas semanas. Na próxima sexta tenho aromaterapia. A srta. Wu não sabe disso.

Topo quase todo tipo de terapia, exceto quimioterapia. Estou me referindo a tranquilizantes, antidepressivos, esse tipo de química. Tentei uma vez. Faz um bocado de tempo, 1979. Minha primeira sitcom estava sendo desenvolvida com a Estuary – *Role Over*, sobre um dono de casa com uma esposa liberada, carreirista. Estava trabalhando no piloto quando Jake me ligou com uma oferta da BBC Light Entertainment para me juntar ao time de roteiristas para uma nova série de comédia. Era uma reviravolta clássica na vida de um escritor freelance: depois de batalhar por anos para conseguir que meu trabalho fosse produzido, de repente estava sendo disputado por dois canais diferentes ao mesmo tempo; decidi que não poderia dar conta de dois empregos um atrás do outro. (Jake achava que eu podia, mas então todo o trabalho que *ele* tinha era redigir os contratos e estender a mão para receber a comissão dele.) Então recusei a oferta da BBC, já que *Role Over* era, óbvio, o projeto mais importante. Em vez de apenas telefonar para Jake, escrevi uma longa carta explicando meus motivos em detalhes discutidos minuciosamente, mais para mim mesmo do que para ele (duvido que sequer tenha se dado o trabalho de ler tudo até o fim). Mas o piloto foi um desastre, tão ruim que a Estuary não queria nem o expor à luz do tubo catódico, e parecia que a série jamais sairia do papel. Naturalmente, comecei a lamentar a decisão sobre a oferta da BBC. Na verdade, "lamentar" é uma descrição de uma insuficiência ridícula para descrever meu estado mental. Estava convencido de que havia destruído por completo minha carreira, cometido um suicídio profissional, deixado passar a melhor oportunidade da minha vida etc. etc. Suponho que, olhando para trás, fosse meu primeiro ataque grave de Transtorno Interno. Não conseguia pensar em mais nada a não ser na minha decisão fatídica. Não conseguia trabalhar, não conseguia relaxar, não conseguia ler, não conseguia ver tevê, não conseguia conversar com ninguém sobre qualquer coisa por mais de alguns minutos até que meu processo mental, como o braço da agulha de um fonógrafo mal-assombrado, retornava inexoravelmente para a ranhura da consternação fútil sobre a tal decisão. Desenvolvi uma Síndrome do Cólon Irritável, e andava por aí drenado de energia pela comoção peristáltica das minhas vísceras, caía exausto na cama às dez e meia e acordava duas horas depois, encharcado de suor, para passar o resto da noite reescrevendo mentalmente minha carta para Jake, demonstrando com lógica impecável por que eu podia muito bem trabalhar para a BBC e a Estuary ao mesmo tempo e bolando outros cenários em que os ponteiros giravam para trás e me permitiam escapar, por meio da fantasia, das consequências de minha decisão: minha carta para Jake fora perdida ou devolvida sem ter sido aberta porque fora endereçada de maneira errada, ou a BBC voltava, pleiteando para que eu pensasse melhor, e assim por diante. Depois de uma semana disso, Sally me fez consultar com meu clínico, um escocês taciturno chamado Patterson, diferente do que tenho agora. Eu contei sobre meu cólon irrequieto e falta de sono e, com reservas, admiti estar sofrendo de estresse (ainda não estava preparado para abrir a porta do hospício delirante da minha cabeça para outra pessoa). Patterson escutou, grunhiu e prescreveu uma receita de Valium.

Eu era virgem de Valium – suponho que tenha sido por isso que o efeito da droga foi tão poderoso. Não podia acreditar na paz extraordinária e no relaxamento que me envolveram como um cobertor quentinho em questão de minutos. Meus temores e ansiedades encolheram, recuaram e desapareceram, como fantasmas balbuciantes à luz do dia. Naquela noite, dormi feito um bebê, por dez horas. Na manhã seguinte, me senti torpe e um pouco deprimido, de um jeito meio desfocado. Percebia vagamente maus pensamentos se aglomerando abaixo do horizonte da consciência, se preparando para retornar, mas outro comprimidinho esverdeado apagava aquela ameaça e me aconchegava em um casulo de tranquilidade. Eu estava legal – digamos que não estava cintilante, fosse em termos criativos, fosse em termos sociais, mas perfeitamente legal, contanto que estivesse tomando as pílulas. Mas, quando terminei o tratamento, minha obsessão retornou como um Rottweiler enraivecido que se soltou da coleira. Estava num estado infinitamente pior do que antes.

A natureza viciante do Valium não era completamente compreendida naqueles dias, e, claro, eu não estivera tomando por tempo suficiente para me tornar um viciado de todo modo, mas passei por uma crise de abstinência brusca enquanto combatia a tentação de voltar ao Patterson e pedir mais uma receita. Sabia que, se fizesse isso, me tornaria um completo dependente. Não só isso, mas tinha certeza de que nunca seria capaz de escrever enquanto estivesse sob o efeito do Valium. Claro, também não conseguia escrever *sem* estar sob o efeito dele na época, mas tinha uma intuição de que, com o tempo, o pesadelo passaria por si só. E claro que passou, dez segundos depois de Jake me ligar contando que a Estuary trocaria o elenco e faria um novo piloto. Este último teve uma resposta encorajadora, e encomendaram uma temporada inteira que foi um sucesso modesto, meu primeiro, enquanto o programa da BBC mixou. Um ano depois, eu mal me lembrava do motivo de um dia duvidar da sabedoria da minha decisão original. Mas me lembrava dos sintomas de abstinência após o último Valium e jurei nunca mais me expor àquilo.

Dois espasmos no joelho enquanto escrevia isso, um agudo o suficiente para me fazer gritar.

....

Sábado à noite, 20 de fev. Ouvi de Rupert uma história surpreendente e bastante perturbadora no clube hoje. Sally e eu almoçamos cedo e fomos até lá para jogar tênis ao ar livre. Estava um dia adorável de inverno, seco e ensolarado, com o ar tonificante, mas sem vento. Sally jogou tênis de duplas com outras três mulheres; eu, com meus camaradas aleijados. Leva um tempão para nossa turma conseguir trocar de roupa, precisamos colocar tantas bandagens, talas, apoios, cintas e próteses antes de qualquer coisa – parecemos cavaleiros medievais vestindo a armadura antes da batalha. Então Sally e as amigas já estavam bem avançadas no primeiro set quando passamos caminhando, ou melhor, mancando, pela quadra delas a caminho da nossa. A esposa de Rupert, Betty, estava jogando com Sally e, bem naquela hora, acertou um voleio de revés especialmente bom para ganhar um ponto, e aplaudimos. "Betty anda com um treinador também, então, Rupert?", Joe assinalou com um sorriso malicioso. "Sim", respondeu Rupert, de supetão. "Bem, o nosso sr. Sutton com certeza sabe servir às mulheres", disse Joe. "Não sei exatamente o que ele serve, mas..." "Ah, pare com isso, Joe", disse Rupert irritado, disparando na frente. Joe fez uma careta e agitou as sobrancelhas para mim e Humphrey, mas não disse mais nada até chegarmos à quadra e escolhermos os parceiros.

Joguei com Humphrey, e ganhamos dos outros dois em cinco sets, 6-2, 5-7, 6-4, 3-6, 7-5. Foi uma partida bem disputada, mesmo que, para um observador, pela velocidade de nossos movimentos, possa ter parecido como se estivéssemos jogando embaixo d'água. Minha esquerda estava funcionando bem por uma vez, e joguei umas belas devoluções de saques, bem baixas sobre a rede, que tomaram Rupert de surpresa. Não há nada mais satisfatório uma esquerda bem redondinha, parece tão natural. Na verdade, ganhei a partida com um voleio mal calculado que acertei com a armação da raquete, que era mais característico de nossas jogadas normais. No entanto, foi tudo muito divertido. Joe queria trocar de parceiro e jogar o melhor de três sets, mas meu joelho tensionara de uma forma sinistra, e Rupert disse que estava passando o efeito de seus analgésicos (ele sempre toma uns dois comprimidos antes de jogar), então deixamos os outros dois jogando um contra o outro e fomos tomar uma bebida depois do banho. Levamos nossas cervejas para um canto mais quieto do bar do clube. Apesar da fisgada ocasional de dor no joelho, me sentia bem, radiante pelo exercício, quase como nos velhos tempos, e saboreei o amargor gelado enquanto Rupert fez uma cara feia para o copo, como se houvesse algo nojento no fundo. "Queria que Joe não ficasse insistindo sobre Brett Sutton", disse. "É constrangedor. É pior do que constrangedor, é desagradável. É como assistir alguém pinicando a crosta de uma ferida." Perguntei o que ele queria dizer com aquilo. Ele respondeu, baixando a voz: "Não ficou sabendo de Jean?". "Que Jean?", perguntei em total ignorância. "Ah, você não estava lá, estava?", Rupert disse. "A Jean do Joe. Ela teve um enrosco com o jovem Ritchie na função de Ano-Novo."

O jovem Ritchie é Alistair, filho de Sam Ritchie, o profissional de golfe do clube. Ele cuida da loja quando o pai está dando aulas e dá algumas lições para iniciantes também. Não deve ter mais do que 25 anos. "Não está falando sério?", perguntei. "Juro por deus", respondeu Rupert. "Jean ficou brava e estava reclamando porque Joe não queria dançar, então chamou o jovem Ritchie pra dançar com ela e ria, bem agarrada no pescoço dele, então, um tempo depois, os dois desapareceram. Joe foi procurá-la e encontrou os dois juntos na sala de Primeiros Socorros, em uma posição comprometedora. Não era a primeira vez que era usada para esse propósito, acredito. Tinham trancado a porta, mas Joe tinha a chave porque faz parte do comitê." Perguntei a Rupert como ele sabia de tudo isso. "Jean contou para Betty, e Betty me contou." Balancei a cabeça incrédulo. Fiquei me perguntando por que Joe estaria fazendo essas piadas sobre Brett Sutton ser o gigolô do clube quando ele próprio fora chifrado pelo jovem Ritchie. "Tática diversionista, imagino", disse Rupert. "Está tentando tirar a atenção de Ritchie e Jean." "O que deu no jovem Ritchie?", perguntei. "Jean tem idade suficiente para ser mãe dele." "Talvez tenha sido pena", Rupert sugeriu. "Jean contou a ele que não fazia desde que Joe fez a cirurgia na coluna" "Fazia o quê?" "*Aquilo*", respondeu Rupert. "Sexo. Você está devagar no entendimento hoje, Tubby." "Desculpe, estou chocado", falei. Estava me lembrando de nossa conversa nas quadras cobertas na semana anterior: era perturbador perceber que aquilo que entendi como uma provocação inofensiva por parte de Joe tivera esse subtexto doloroso. Lembro agora que Rupert não tomara parte da chacota, embora Humphrey sim. "Humphrey sabe disso?", perguntei. "Não sei. Acho que não. Não tem uma esposa para passar a fofoca adiante, tem? Estou surpreso que Sally não esteja sabendo da história." Talvez ela saiba, pensei, e não me contou.

Mas, quando perguntei mais tarde se ela ficara sabendo de algum escândalo envolvendo Jean Wellington, falou que não. "Mas, de qualquer jeito, eu não ficaria", afirmou. "Funciona como uma troca esse tipo de fofoca. Não se descobre nenhum sujo se a gente não botar algo nosso na roda." Pensei que me pediria mais detalhes, mas não o fez. Sally tem um autocontrole extraordinário. Ou, quem sabe, apenas não tem curiosidade sobre a vida privada dos outros. Está muito envolvida com o trabalho dela no momento – não só com as aulas e a pesquisa, mas com o lado administrativo. Há muita reorganização acontecendo como resultado da mudança de status de Politécnica para Universidade. Podem inventar seus próprios programas de graduação agora, e Sally está coordenando um novo curso de pós-graduação interdocente em Linguística Aplicada, compartilhado entre a Educação e as Humanas, bem como participando de inúmeros comitês internos e externos, com nomes como C-GQD (Comitê de Garantia de Qualidade Docente) e C-IFU (Conselho para Inglês de Faculdade e Universidade), e organizando o treinamento de professores das escolas da região para implantar o novo Currículo Nacional. Acho que está sendo explorada pelo chefe do departamento, que passa todas as tarefas mais complicadas para ela porque sabe que vai cumpri-las melhor que qualquer outra pessoa, mas, quando digo isso, ela só dá de ombros e diz que isso prova que ele é um bom administrador. Ela traz para casa pilhas de listas de afazeres entediantes e relatórios para completar à noite e nos finais de semana. Sentamos em silêncio, cada um de um lado da lareira, ela com seus papéis do comitê, eu conectado com a televisão emudecida pelo cordão umbilical dos meus fones de ouvido.

Senti uma pontada severa no joelho enquanto assistia ao jornal da noite. De repente, gritei: "Porra!". Sally levantou a cabeça dos papéis com olhar indagador. Tirei os fones por um momento e falei: "Joelho". Sally assentiu e voltou à leitura. Eu voltei ao noticiário. A reportagem principal era sobre a repercussão no caso do assassinato de James Bulger, que está dominando a mídia há dias. Na semana passada, o garotinho, com apenas dois anos, foi atraído para fora do açougue em um centro comercial em Bootle por dois meninos mais velhos, enquanto a mãe dele estava distraída. Mais tarde, foi encontrado morto, com ferimentos estarrecedores, ao lado de uma linha ferroviária. A abdução foi gravada pela câmera de segurança, e todos os jornais e noticiários de tevê vêm mostrando a imagem insuportavelmente contundente e borrada do garotinho sendo conduzido para fora pelos meninos mais velhos, confiando, segurando a mão de um deles, como em um anúncio para sapatos tradicionais infantis. Parece que vários adultos viram o trio depois disso e perceberam que o pequeno estava chorando e parecendo aflito, mas ninguém interveio. Hoje foi anunciado que os dois meninos de dez anos foram acusados de assassinato. "A pergunta que nos cabe", disse o repórter da tevê, parado com o centro comercial de Bootle ao fundo, "é que sociedade é esta em que vivemos, na qual coisas assim podem acontecer?" Uma bem doente, essa é a resposta.

....

Domingo 21 de fev., 18h30. Estou escrevendo no meu laptop no intervalo entre o ensaio geral e a gravação de *O pessoal da casa ao lado*, sentado em uma mesa de fórmica na cantina do Heartland Studios, cercado pelos pratos sujos, xícaras e copos do jantar que foi servido cedo para o elenco e a equipe de produção e ainda não foi retirado pelo staff um tanto desatento do serviço de buffet. A gravação começa às 19h30, depois de uma sessão de meia hora de aquecimento para a plateia. Os atores saíram para retocar a maquiagem ou descansam em seus camarins. Hal está dando uma última passada no script da câmera com o assistente de produção e o diretor de imagem, Ollie está tomando um drinque com David Treece, o controlador de comédias da Heartland (adoro o nome desse cargo), e acabo de conseguir despistar a atenção de Samantha, acompanhante de Mark Harrington, que ficou para trás depois que os outros saíram, então tenho uma hora só para mim. Samantha Handy tem um diploma de Artes Dramáticas pela Universidade de Exeter e está fazendo esse trabalho de *faute de mieux,* como diria Amy. Cuidar de um garoto de doze anos, cujo principal tópico de conversa são jogos de computador, e garantir que ele faça seu dever de casa, evidentemente, não é sua vocação natural. Ela quer muito escrever para televisão e parece pensar que posso ajudá-la a conseguir um trabalho. É uma ruiva bonita, com peitos incríveis, e suponho que algum outro homem, Jake Endicott, por exemplo, ficaria tentado a encorajá-la nessa ilusão, mas falei com toda a franqueza que seria melhor ela tentar persuadir Ollie para que ele lhe desse alguns scripts para ler e comentar como um primeiro passo. Ela fez beicinho e disse: "É que tenho uma ideia fabulosa para uma novela inusitada, uma espécie de *Twin Peaks* inglês. Mais cedo ou mais tarde, alguém mais vai pensar nisso, e eu não suportaria a ideia". "Do que se trata?", perguntei, desviando os olhos dos picos gêmeos embaixo da blusa dela; mas então me apressei em acrescentar: "Não, não me conte. Conte para Ollie. Não quero ser acusado de plágio um dia." Ela sorriu e disse que não era meu estilo, era indecoroso demais. "O que é indecoroso?", perguntou Mark, que estava comendo seu segundo prato de torta mousse de chocolate. "Não é da sua conta", respondeu Samantha, dando um peteleco leve na orelha dele com uma unha longa e afilada. Ela me perguntou se achava que deveria conseguir um agente, e falei que achava uma boa ideia, mas não me ofereci para apresentá-la a Jake Endicott.

Foi apenas para o bem dela, mas, naturalmente, ela não apreciou meus motivos cavalheirescos e, um pouco zangada, foi levar sua incumbência juvenil para ser maquiado.

Nunca perco essas sessões dominicais de gravação, se puder vir. Não que eu contribua muito nesse estágio avançado da produção, mas sempre há certa excitação de estreia com a ocasião, por causa da audiência do estúdio. Nunca se sabe quem serão as pessoas, ou como vão reagir. Aqueles que mandam cartas para pedir ingresso em geral são fãs, e é garantido que vão rir nos momentos certos, mas sempre há o risco de que, porque os ingressos são grátis, as pessoas não vão aparecer na noite. Para garantir que os assentos sejam preenchidos, a Heartland depende muito dos grupos organizados, como clubes sociais e associações de funcionários à procura de um programa barato para se divertirem – trazendo todo mundo de ônibus, então não podem escapar. Algumas vezes acabamos com um grupo de idosos de asilo que estão gagás demais para acompanhar a trama, ou surdos demais para ouvir o diálogo, ou míopes demais para enxergar os monitores, e uma vez recebemos um grupo de japoneses que não entendiam uma palavra de inglês e ficaram sentados em um silêncio desorientado durante toda a gravação, sorrindo educadamente. Outras noites, recebemos uma turma que se diverte muito, e o elenco surfa o espetáculo em ondas contínuas de gargalhadas. O fator de imprevisibilidade da plateia do estúdio faz da sitcom a experiência de televisão que mais se aproxima do teatro ao vivo, que é, provavelmente, o motivo de eu ficar inebriado com as sessões de gravação.

Os estúdios de TV da Heartland em Rummidge ocupam uma construção nova e imensa que, vista pelo lado de fora, lembra um pouco um terminal de aeroporto, toda em cantiléver de vidro e suportes aéreos em aço tubular, erigida há três anos em um terreno industrial abandonado a menos de dois quilômetros do centro da cidade, entre um canal e uma ferrovia. A intenção era que fosse o ponto central de um vasto parque midiático, cheio de estúdios, galerias, gráficas e agências de propaganda, que nunca se materializou por causa da recessão. Não há nada no local, exceto o reluzente monólito da Heartland e seu estacionamento gigante com paisagismo. *O pessoal da casa ao lado* é gravado no estúdio C, o maior de todos, grande o suficiente para abrigar uma aeronave, com uma arquibancada de auditório para 360 pessoas ocupando todo o comprimento. No palco, de frente para as poltronas, o cenário permanente fica montado – é especialmente grande e complexo, já que existem dois de tudo: duas salas de estar, duas cozinhas, duas entradas e escadarias, todas separadas por uma parede divisória. *Parede divisória*, na verdade, foi meu título provisório original, e a tela dividida que usamos em algumas cenas, com a ação ocorrendo simultaneamente em ambas as residências, é a marca registrada visual do programa, e, para ser franco, a única inovação. Quase um milhão de luzes brotam do teto em hastes de metal, como um campo invertido de girassóis, e o ar-condicionado, projetado para operar ao mesmo tempo em que todas elas, é desconfortável de tão frio. Sempre visto um suéter grosso para os ensaios gerais, mesmo no verão. Hal Lipkin e a maioria do pessoal de produção exibem agasalhos de *O pessoal da casa ao lado*, em moletom azul-marinho com o nome do programa, em escrita cursiva amarela, atravessado no peito.

É um dia longo e difícil para todo mundo, mas em especial para Hal. Está no comando total, com responsabilidade total. Quando cheguei no final da manhã, ele estava lá embaixo no estúdio falando com Ron Deakin, que estava de pé no topo de uma escada com uma ferramenta elétrica da Black and Decker. É uma cena "divisória" da cozinha. Pop Davis está no processo de instalar algumas prateleiras, acompanhado pelas aguilhoadas sarcásticas de Dolly Davis, enquanto Priscilla e Edward, na casa ao lado, estão preocupados, conversando sobre Alice, distraídos pelo barulho da furadeira. No clímax da cena, Pop Davis atravessa a parede com a broca, empurrando uma panela que quase cai na cabeça de Edward – um negócio difícil, que depende de uma afinação perfeita. Já ensaiaram, claro, mas agora estão tendo de fazer pela primeira vez com os objetos de verdade. O fio da Black and Decker de Ron não é comprido o suficiente para alcançar a tomada, e há um hiato enquanto o eletricista vai buscar a extensão. Os operadores de câmera bocejam e consultam o relógio para ver quanto tempo ainda falta para a próxima pausa para o café. Os atores se alongam e andam pelo cenário. Phoebe Osborne ensaia passos de balé na frente de um espelho. Grande parte da arte de fazer programas de televisão consiste em saber esperar.

A rotina do dia é lenta e metódica. Primeiro Hal dirige a cena posicionado na boca do cenário, parando e recomeçando para ajustar os movimentos de cena quando necessário, até ficar satisfeito. Então se retira para a sala de controle para assistir de lá. Cinco câmeras estão posicionadas em ângulos diferentes, focando em diversos personagens ou grupos de personagens, cada uma enviando suas imagens para um monitor em preto e branco na sala de corte. Um monitor colorido no meio das várias telas mostra o que será gravado hoje à noite na fita máster: uma seleção feita pela assistente de produção, seguindo um script de câmera preparado por Hal, em que cada tomada é numerada e designada para uma câmera específica. Ela canta os números para o diretor de imagem ao lado enquanto a ação acontece, e ele pressiona os botões corretos. Se você estiver sentado na plateia do estúdio, vai saber qual câmera está gravando a qualquer momento porque uma lâmpada vermelha em cima da câmera se acende. Da galeria, Hal fala com a gerente de set, Isabel, nos fones de ouvido dela, e ela repassa as instruções ao elenco. Às vezes ele decide que precisa alterar uma tomada, ou inserir outra, mas é impressionante o quanto é raro ele precisar fazer isso, pois já "assistiu" ao episódio inteiro dentro da cabeça dele, tomada por tomada.

Multicâmera, como essa técnica é conhecida no ramo, é específica da televisão. Nos primeiros tempos dessa mídia, tudo era feito assim, até dramas mais sérios – e feito *ao vivo* (imagine a tensão e o estresse, com atores correndo pelos bastidores para se posicionarem para a cena seguinte). Hoje, a maior parte dos dramas e um bom volume de comédias são captados em filme ou em vídeo por uma câmera só. Em outras palavras, são feitos como no cinema, cada cena sendo filmada várias vezes de vários ângulos e distâncias focais, tomada após tomada, nos locais, em vez de dentro de um estúdio, e depois editadas no tempo do diretor. Os diretores preferem esse método porque os faz sentir como genuínos *auteurs*. Os mais jovens menosprezam as multicâmeras e chamam a técnica de "televisão integrada", mas o fato é que a maioria deles não conseguiria dar conta e teria suas limitações cruelmente expostas se tentasse. Com a edição em pós-produção, sempre é possível acobertar nossos erros, mas a multicâmera exige que tudo esteja mais do que perfeito naquela noite. É uma arte moribunda, e Hal é um dos poucos mestres que seguem por aí.

    Ollie chegou ao estúdio mais tarde e sentou-se do meu lado. Estava usando um de seus ternos Boss – deve ter um guarda-roupa cheio deles. Acho que ele compra por gostar do nome. Quando sentou, os ombros largos do paletó subiram e roçaram nas grandes orelhas vermelhas, formando dois parênteses para o nariz quebrado, lhe dando um aspecto de ex-boxeador; na verdade, comenta-se que ele começou a carreira promovendo lutas no East End de Londres.

    "Precisamos conversar", anunciou. "Sobre Debbie?", perguntei. Ficou alarmado e levou o dedo aos lábios. "Não fale alto, as paredes têm ouvidos", disse, embora estivéssemos sozinhos na arquibancada e a parede mais próxima estivesse a vinte metros de distância. "Almoço? Jantar?", sugeri. "Não, quero participar ao Hal, e o elenco vai achar esquisito se nos fecharmos em um grupinho. Pode ficar para um drinque depois da gravação?" Respondi que podia. Naquele momento, fiquei surpreso ao ouvir Lewis Parker falando lá do set, "*Bem, se ela estiver grávida, vai precisar fazer um aborto*", e Debbie respondendo, "*Suponho que você ache que isso resolve tudo*". Virei para Ollie. "Achei que essas falas haviam sido cortadas." "Decidimos respeitar sua integridade artística, Tubby", Ollie declarou com um sorriso de lobo mau. Quando perguntei a Hal sobre isso durante o intervalo, ele explicou que haviam economizado algum tempo cortando um pouco da ação em uma cena mais adiante, então não havia necessidade de limar as falas, no final das contas. Mas fico indagando se isso não é parte de algum esquema para me amaciar para o assunto mais grave que é o papel de Priscilla.

São cinco para as sete. Hora de tomar meu lugar no estúdio. Fico tentando imaginar que tipo de plateia teremos hoje.

....

Segunda-feira de manhã, 22 de fev. A plateia se revelou um desastre completo. Para começo de conversa, tínhamos um gargalhador imbecil entre eles. Isso é sempre uma má notícia: algum idiota com uma risada muito alta e fútil, que continua uivando, cacarejando ou guinchando por causa de alguma coisa um bom tempo depois de todo mundo já ter parado, ou começa a rir quando ninguém mais está, na calmaria entre duas piadas. Isso distrai a plateia – depois de um tempo, eles começam a rir do imbecil em vez de do programa – e causa uma confusão sem tamanho no timing dos atores. Billy Barlow, nosso cara do aquecimento, identificou logo o perigo e tentou reprimir a mulher (por algum motivo, é invariavelmente uma mulher) com alguns apartes sarcásticos, mas os gargalhadores imbecis são insensíveis à ironia. "Eu disse alguma coisa engraçada?", ele perguntou quando ela cacarejou de repente (era do tipo que cacarejava), no meio de sua explicação simples e direta sobre algum termo técnico. "Acho que deve ser algo na sua cabeça, dona. Este é um programa família – nada de insinuações. A senhora sabe o que é uma *insinuação*, não sabe? É supositório, em italiano." Aquilo causou risadas suficientes para afogar a cacarejadora temporariamente, embora eu saiba que Billy consegue muito mais risos com essa piada em outras ocasiões.

O cara do aquecimento é essencial para uma gravação de sucesso. Não só tem o trabalho de deixar a plateia em um estado de espírito receptivo antes de começar, mas também precisa costurar a ponte entre as cenas, enquanto as câmeras são movimentadas de uma parte a outra do cenário, e preencher as pausas enquanto os técnicos conferem a fita depois de cada tomada; e, se for preciso refilmar, ele precisa acalmar a impaciência da plateia e apelar para sua cooperação, pedindo para rirem das mesmas falas pela segunda vez. Billy é o melhor do ramo, mas há limites até mesmo para o que ele pode fazer. Essa plateia era bem parada. Eles só davam risadinhas contidas onde deveriam gargalhar e ficavam em silêncio quando deveriam ter dado risadinhas. À medida que as falas não davam nenhum resultado, o elenco foi ficando ansioso e começou a cometer erros ou secar, o que exigia que as tomadas fossem refeitas, deixando a plateia ainda mais indiferente. Billy começou a suar, andando de um lado a outro na frente das poltronas com seu microfone sem fio, soltando piadas freneticamente, com os dentes recapados expostos em um sorriso forçado. Eu ria sem parar, embora já conhecesse todas, para encorajar as pessoas ao meu redor. Até forcei uma risada em algumas das falas que escrevi, algo que nunca costumo fazer. Comecei a achar que não podia ser tudo culpa da plateia, deveria haver algo errado com o script. Obviamente fora uma má ideia centrar a trama na suspeita de gravidez de Alice. Ollie e Sally estavam certos. O assunto estava deixando a plateia desconfortável. Então, lógico, quando chegou a vez das falas sobre o aborto, na pausa dramática que se seguiu à pergunta de Priscilla: "*Supondo que ela escolha ter o bebê?*", a gargalhadora imbecil rompeu o silêncio com a mesma sensibilidade e delicadeza de um papagaio. Cobri o rosto com as mãos.

 Encerraram a gravação às nove e cinco, depois do maior número de repetições de tomadas de que tenho lembrança. Billy, hipócrita, agradeceu à plateia o apoio, e todos nos dispersamos. Os atores sumiram em seguida do set, trocando pequenos acenos comigo e sorrisos abatidos de despedida. Estão sempre apressados para sair dali nos domingos à noite, para dirigir ou pegar o último trem para Londres, e não havia a tentação de ficar se demorando ontem à noite. Eu mesmo teria ficado feliz em fugir para casa, se não tivesse a confabulação com Ollie e Hal engatilhada. Fui até a sala de controle, onde Hal estava esfregando ambas as mãos no ninho de cabelos armados. "Jesus Cristo, Tubby, quem eram esses zumbis lá na plateia hoje?" Encolhi os ombros mostrando minha perplexidade. "Talvez seja culpa do roteiro", falei com ar miserável. Ollie entrou bufando na sala a tempo de ouvir isso. "Não teria feito nenhuma diferença se você fosse uma combinação de Shakespeare, Oscar Wilde e Groucho Marx", falou, "aqueles filhos da mãe teriam arrasado com o script de qualquer um. De onde foi que saíram, do necrotério local?" Suzie, a assistente de produção, disse que achava que o maior contingente era parte da associação recreativa de uma fábrica. "Bem, a primeira coisa que vou fazer amanhã é descobrir quem diabos eles eram e quem os convidou para me certificar de que nunca mais voltem a uma gravação. Vamos sair e beber alguma coisa. Estamos precisando."

Ollie é conhecido por sua mão fechada e sempre se escapa de pagar a rodada dele, se possível. É sempre o último a dizer: "Alguém bebe mais uma?" – a uma altura em que os que estão dirigindo já trocaram para suco de frutas ou pararam de beber qualquer coisa. Quando vamos ao bar com ele, Hal e eu em geral nos divertimos um pouco tentando trapacear para que ele pague a primeira rodada – por exemplo, Hal finge lembrar que deixou algo na sala de controle e volta para lá, gritando o pedido por cima do ombro, e eu de repente corro para o toalete, fazendo o mesmo. Mas ontem à noite nenhum de nós teve coragem, e Hal pagou a primeira rodada sem manifestar qualquer contrariedade. "Saúde", brindou entristecido. Bebemos e ficamos sentados em silêncio por um tempo. "Já atualizei Hal sobre a questão Debbie", disse Ollie. Hal assentiu com ar grave. "É uma merda", disse. Mas eu sabia que não podia contar com um apoio real da parte dele. Quando o sapato apertasse, ele ficaria do lado de Ollie. "Jake lhe contou o que estamos pensando, Tubby?", Ollie perguntou.

Naquele momento, Suzie entrou no bar e olhou ao redor até nos ver. "Nenhuma palavra sobre o assunto Debbie", Ollie nos advertiu em voz baixa no que ela se aproximou da mesa. Ofereci uma cadeira, mas ela meneou a cabeça. "Não vou ficar, obrigada", disse. "Fui lá fora e me misturei à plateia quando estavam esperando pelos ônibus. A maioria é de uma fábrica de componentes eletrônicos em West Wallsbury. Ficaram sabendo na sexta-feira que a fábrica vai fechar no final do mês que vem. Todos receberam uma notificação de dispensa junto com a folha de pagamento." Todos nos entreolhamos. "Bom, isso explica muita coisa", falei. "Que azar o nosso", disse Hal. "Essa administração maldita podia ter esperado até amanhã", falou Ollie.

Fiquei com pena dos trabalhadores, mas a explicação não podia ter chegado em momento melhor no tocante a mim. Estava tão desmoralizado pela forma como a gravação do programa fracassara que teria provavelmente concordado com qualquer coisa que Ollie e Hal houvessem proposto. Agora, não me culpava mais. Afinal, era um ótimo roteirista – sempre fui e sempre serei. Estava pronto para lutar pelos meus princípios. "Jake me falou por cima o que vocês estão pensando", falei para Ollie. "Querem que ache um jeito de tirar Priscilla da história, é isso?" "O que estamos pensando", explicou Ollie, "é em uma separação amigável que tire Priscilla de cena ao final da temporada atual e deixe armado um novo interesse feminino na vida de Edward para a próxima." "*Amigável?*", explodi. "Eles ficariam totalmente traumatizados." "Haveria certa dose de dor, claro", disse Ollie, "mas Edward e Priscilla são pessoas maduras e modernas. Sabem que um em cada três casamentos termina em divórcio. Assim como nossos espectadores. Você está sempre repetindo que sitcoms deveriam tratar dos assuntos sérios da vida em certas ocasiões, Tubby." "Contanto que seja consistente com o personagem", falei. "Por que Priscilla deixaria Edward?"

Deram várias sugestões bizarras: por exemplo, Priscilla decide que é lésbica e vai embora com uma namorada; ela passa a entender de religião oriental e se manda para um ashram aprender meditação. Oferecem para ela um trabalho maravilhoso na Califórnia; ou ela simplesmente se apaixona por um estrangeiro bonitão. Perguntei se haviam considerado com alguma seriedade se qualquer desses desenvolvimentos seria (a) verossímil ou (b) administrável em um único episódio. "Pode ser que precise refazer os últimos dois ou três para preparar o terreno", Ollie concedeu, evitando responder à primeira pergunta. "Tenho uma ideia para o episódio final", disse Hal. "Veja o que você acha." "Essa é uma grande ideia, Tubby", Ollie me garantiu. Hal inclinou-se para a frente. "Depois de Priscilla ir embora, Edward faz um anúncio para uma governanta, e um avião de mulher aterrissa na porta para uma entrevista. Edward de repente vê que pode haver um lado bom para todos os seus problemas. É a última cena da temporada. Deixa os fãs se sentindo melhor sobre a separação e interessados em saber o que vai acontecer na temporada seguinte. O que acha?" "Acho uma bosta", falei. "É evidente que vai ser muito bem recompensado pelo trabalho extra", afirmou Ollie. "Para ser franco, você e Jake estão com a faca e o queijo na mão nessa aqui." Ele me espiou de soslaio por debaixo das pálpebras caídas para ver se havia despertado minha ganância com aquela admissão. Falei que não estava preocupado com o dinheiro, mas com a personagem e suas motivações. Hal me perguntou se eu tinha alguma ideia melhor. Declarei: "A única forma plausível de remover Priscilla da série é matando-a". Ollie e Hal trocaram olhares assustados. "Está dizendo, tipo, que ela deve ser assassinada?", Hal gaguejou. Eu disse que claro que não, quem sabe um acidente de carro ou uma doença fatal súbita. Ou uma pequena cirurgia que dá errado. "Tubby, não acredito no que estou ouvindo", disse Ollie. "Estamos falando de um seriado de comédia, não de uma novela. Não pode fazer um dos seus personagens principais *morrer*. É inadmissível." Insisti que sempre havia uma primeira vez. "Foi isso que você disse sobre o episódio de hoje", reclamou Ollie, "e veja o que aconteceu." "Aquilo foi culpa da plateia", protestei, "você mesmo disse." "A melhor plateia do mundo vai ficar frustrada se ligar a tevê esperando um programa de comédia e descobrir que é tudo em torno de uma mãe de família que morre na flor da idade", disse Ollie, e Hal assentiu com ar de sabedoria. Então Ollie disse algo que me deixou muito furioso. "Nós entendemos o quanto isso é difícil para você, Tubby. Talvez devêssemos considerar chamar mais um roteirista para trabalhar nisso." "De jeito nenhum", exclamei. "É a coisa mais comum na América", Ollie insistiu. "Eles têm times inteiros de roteiristas trabalhando em programas como o nosso". "Eu sei", falei, "é por isso que os programas parecem uma sequência de piadas escritas por um comitê. Vou dizer outra coisa sobre a América. Em Nova York, eles têm sinais de rua dizendo: 'Nem pense em estacionar aqui'. É assim que me sinto com relação a *O pessoal da casa ao lado*." Fitei Ollie com um olhar irascível. "Foi um longo dia", disse Hal nervoso. "Estamos todos cansados." "É, vamos voltar a conversar", disse Ollie. "Não sobre outros roteiristas", falei. "Prefiro abandonar o navio a ter que entregar na mão de outra pessoa." Pareceu uma boa frase de despedida, então me levantei e dei boa noite aos dois.

Acabo de abrir o dicionário para conferir a grafia de "irascível" e, assim que o folheei, a expressão "Pó de Dover" no cabeçalho me chamou a atenção. A definição dizia: "*um preparado de ópio e ipecacuanha, antigamente usado para aliviar a dor e controlar espasmos. O nome foi conferido em homenagem a Thomas Dover (1660-1742), físico inglês*". Fico pensando se ainda se pode conseguir isso. Poderia ser bom para meu joelho.

É impressionante o que se pode aprender nos dicionários sem querer. Esse é um dos motivos pelos quais nunca uso o corretor ortográfico do meu computador. O outro motivo é que ele tem um vocabulário ridículo de tão pequeno. Quando não reconhece uma palavra, sugere outra que pensa que você pode ter tido a intenção de escrever. Isso pode ser muito engraçado às vezes. Como a vez em que escrevi "Freud", e o computador apareceu com a sugestão "Fraude?". Contei para Amy, mas ela não achou graça.

Telefonei para Jake esta manhã e relatei minha conversa com Ollie e Hal. Ele foi compreensivo, mas não me apoiou de verdade. "Acho que você deveria ser o mais flexível possível", falou. "A Heartland quer muito que a série continue. É a principal comédia da casa." "De que lado você está, Jake?", perguntei. "Do seu, é claro, Tubby." É claro. Mas no fundo Jake acredita no adágio de Ollie Silvers: "A arte pela arte, mas o dinheiro por Cristo". Combinei de passar no escritório dele na quinta-feira.

Tive uma noite inquieta. Sally já estava na cama dormindo quando cheguei de volta da gravação. Eu me abracei a ela, fazendo conchinha, e apaguei logo, mas fui acordado de repente, às duas e meia, pelo transtorno interno do joelho. Fiquei acordado por horas, repassando os eventos do dia anterior na minha cabeça e esperando pela próxima pontada. Pela manhã, percebi uma pontada de cotovelo de tenista também, quando estava me barbeando. Seria ótimo, não, se eu fizesse outra operação no joelho só para descobrir que precisava abandonar o tênis por causa do cotovelo? Ainda bem que é meu dia de fisioterapia.

Segunda à noite. Perguntei a Roland se já ouvira falar de Pó de Dover, mas me disse que não lhe soava familiar. É um *connoisseur* de géis anti-inflamatórios com nomes como Movelat, Traxam e Ibuleve (que me lembra o trocadilho da música, "*Ibuleve for every drop of rain that falls, a flower grows...*") que ele esfrega no meu joelho depois do tratamento ultrassônico. (E eu penso: "*Ibuleve para cada pontada de dor que aflige, um novo tecido cresce...*") A fisioterapia de hoje é bastante automatizada. Depois que tirei a roupa e estou pronto na maca, Roland chega empurrando uma caixa grande de truques eletrônicos e faz ligações em mim, ou aponta um disco, lâmpada ou laser para a parte afetada. É impressionante a habilidade com que ele manuseia o equipamento. Há apenas um aparelho que eu mesmo preciso operar. Esse dispara choques elétricos que estimulam o quadríceps e preciso aumentar a voltagem até o máximo que consigo suportar. É como uma tortura autoinfligida. É engraçado o quanto a busca pela boa forma tem em comum com a imposição da dor. De minha maca, aguilhoado com fios e eletrodos, contemplo a janela e vejo, do outro lado de um pequeno jardim, a parede de espelhos de uma academia onde homens, fazendo caretas de esforço e reluzindo de suor, se exercitam em máquinas que, tirando o acabamento de alta tecnologia, poderiam ser motores de tortura extraídos de uma masmorra medieval: cremalheiras, polias, pesos e esteiras.

Roland me pergunta se já ouvi falar na truta transexual. Não, respondo, me conte sobre a truta transexual. Ele é uma mina de informação, esse Roland. A mulher dele lê pequenos recortes interessantes do jornal, e ele se lembra de tudo. Ao que parece, as trutas macho estariam sofrendo mudanças sexuais por causa do alto nível de hormônios femininos que vai parar na desembocadura dos esgotos devido às pílulas anticoncepcionais e terapias de reposição hormonal. O temor é que todos os peixes machos nos rios afetados vão se tornar hermafroditas e parar de se reproduzir. "Faz você pensar, não é?", disse Roland. "Afinal, nós bebemos da mesma água, eventualmente. Quando nos dermos conta, os homens estarão criando peitos." Fiquei pensando se Roland estava insinuando algo. Tenho bastante tecido adiposo no peito, embaixo dos pelos. Roland pode ter sentido um dia, quando estava me fazendo uma massagem.

Talvez eu não tenha conseguido gozar na outra noite porque estou me tornando um hermafrodita. Transtorno Interno dos Hormônios.

....

Terça-feira à noite, 23 de fev. Pedi por Pó de Dover na maior drogaria de Rummidge hoje, mas o farmacêutico disse nunca ter ouvido falar e não conseguia achar esse nome no livro de medicamentos patenteados. Comentei: "Imagino que tenha sido banido por causa do ópio", e ele me olhou de um jeito estranho. Saí da loja antes que ele pudesse chamar o Esquadrão Antidrogas.

Fui até o centro primariamente para comprar alguns livros de Kierkegaard, mas não fui muito feliz. A Waterstone's tinha apenas a edição da Penguin de *Temor e Tremor*, então comprei essa e fui até a Dillons. Quando a Dillons demonstrou possuir o mesmo livro e nada mais, comecei a experimentar meus sintomas usuais da síndrome das compras, isto é, uma raiva e impaciência desproporcionadas. Baixa Tolerância a Frustrações, BTF, é o nome, segundo Alexandra. Receio que tenha sido severo demais com uma assistente inofensiva que pensava que "Kierkegaard" eram duas palavras e começou a procurar por "Gaard" no catálogo. Felizmente a Biblioteca Central estava mais bem equipada. Consegui pegar emprestado *O conceito de angústia* e alguns outros títulos que me intrigaram: *Ou-ou* e *A repetição*. Os *Diários* estavam emprestados.

Fazia bastante tempo que eu não frequentava a biblioteca e mal a reconheci pela fachada. É um prédio típico de arquitetura pública dos anos 60, uma arquitetura brutalista de concreto aparente, sobre a qual o príncipe de Gales disse lembrar uma planta incineradora municipal. Foi construída em um quadrado oco em torno de um pátio central no qual houve um dia um lago raso e um chafariz que raramente funcionava, um receptáculo para muito lixo inconveniente. Esse espaço sombrio e frio era uma passagem aberta, embora a maioria das pessoas a evitasse, ainda mais à noite. Recentemente, no entanto, foi convertido em um átrio envidraçado e azulejado, com grinaldas de folhagens suspensas, adornado com estátuas neoclássicas de fibra de vidro e batizado de "Rialto", em letras de neon rosa. O piso térreo é destinado a uma variedade de butiques, bancas e serviços alimentícios com características que tentam lembrar a Itália. Uma música de fundo operática e canções pop napolitanas jorram pelas caixas de som escondidas. Sentei-me a uma mesa "externa" do café-bar Giuseppe (externa ainda sendo interna nesse cenário tipo estúdio) e pedi um *cappuccino*, que me pareceu projetado para ser inalado pelo nariz em vez de bebido, já que consistia quase que todo de espuma.

Grande parte do centro recebera a mesma maquiagem, em uma tentativa corajosa de torná-lo atraente aos turistas e executivos visitantes. Resignados com a erosão da tradicional base industrial da região, os dirigentes da cidade buscaram nas indústrias de serviço uma fonte alternativa de emprego. Um enorme centro de convenções e uma casa de shows de última geração agora ficam de frente para a biblioteca, do outro lado de uma *piazza* com piso xadrez. Hotéis, bares de vinho, casas noturnas e restaurantes brotaram nas redondezas quase do dia para a noite. Os canais circundantes foram limpos, e seus espaços de reboque, pavimentados para exploração de arqueologia industrial. Era um projeto típico dos últimos anos de Thatcher, aquele breve arroubo de prosperidade e otimismo entre a recessão do início dos anos 80 e a do começo dos 90. Agora, as novas construções, com suas escadas rolantes em aço escovado, elevadores de vidro e música ambiente, estão lá, a postos e quase vazias, como um parque temático antes do dia de inauguração, ou como uma capital utópica de um país do terceiro mundo, construída por motivos ideológicos no meio da selva, um objeto de encanto para os nativos, mas raramente visitada pelos estrangeiros. Os principais frequentadores do Rialto durante o dia são jovens desempregados, estudantes cabulando aula e mães com seus bebês, agradecidas por terem um lugar aquecido e alegre onde passar suas tardes de inverno. Além de algum ocasional punheteiro privilegiado como eu.

Não me lembro de ter ouvido a palavra "recessão" até poucos anos atrás. De onde ela veio e o que exatamente quer dizer? Desta vez o dicionário não ajuda muito: *"uma depressão temporária na atividade econômica ou prosperidade"*. Quanto tempo precisa durar uma recessão para que seja chamada de depressão? Até a crise dos anos 30 foi "temporária" em termos de longo prazo. Talvez haja tanta depressão psicológica por aí que alguém decidiu que precisávamos de uma nova palavra para a do tipo econômico. Recessão-depressão, recessão-depressão. As palavras ecoam na minha cabeça, como o ritmo de um motor a vapor. Estão conectadas, evidentemente. As pessoas se deprimem porque não conseguem um emprego, ou seu negócio entra em colapso, ou sua casa lhes é tomada. Perdem a esperança. Uma pesquisa da Gallup publicada hoje informa que quase metade da população do país gostaria de emigrar se pudesse. Ao caminhar pelo centro hoje à tarde, diria que eles já emigraram.

Meu irmão mais novo, Ken, emigrou para a Austrália no começo dos anos 70, quando era mais fácil do que agora, e não poderia ter tomado uma decisão mais acertada. Ele é um eletricista por profissão. Em Londres, trabalhava para uma das grandes lojas no West End e nunca ganhava dinheiro o bastante para comprar um carro decente ou uma casa grande o suficiente para a família, que crescia. Agora tem sua própria empresa de contratação em Adelaide e uma casa térrea nos arredores, com garagem para dois carros e uma piscina. Até *O pessoal da casa ao lado* alçar voo, ele estava se saindo muito melhor do que eu. Mas vale ressaltar que estava sempre mais feliz do que eu, mesmo quando estava duro. Tem um temperamento naturalmente alegre. É engraçado como algumas pessoas têm isso e outras não, mesmo quando os genes delas saíram do mesmo saco de farinha.

Fui do Rialto direto para minha consulta com Alexandra e, enquanto descrevia a cena para ela, deixei escapar a frase "punheteiro privilegiado". "Por que se refere a si mesmo dessa forma?", exigiu. "Punheteiro porque estava lá sentado tomando meu café no meio do dia", respondi, "e privilegiado porque era uma escolha minha, não porque eu não tivesse nada melhor para fazer". "Se me lembro bem", ela foi dizendo, "você me contou que trabalha muitíssimo duro quando está escrevendo uma série para a televisão, com frequência até doze horas por dia." Eu assenti. "Não tem o direito de relaxar em outros períodos?" "Sim, claro", falei, "quis dizer que me dei conta do contraste entre a minha vida e a dos sem-esperança do Rialto." "Como sabe que eles não têm esperança?" Eu não sabia, claro. "Eles pareciam desesperançados?" Precisei admitir que não. Na verdade, eles provavelmente pareciam mais animados do que eu a um observador, compartilhando piadas e cigarros, marcando o compasso da música ambiente com o pé. "Mas com a recessão do jeito que está", arrisquei, "tenho a sensação de que estou enriquecendo enquanto todo mundo ao meu redor empobrece. Isso me faz sentir culpado." "Você sente que tem uma responsabilidade direta pela recessão?" "Não, evidente que não." "Na verdade, acho que você me contou que seus rendimentos do exterior são bastante consideráveis?" "Sim." "Então está na verdade fazendo uma contribuição positiva para a balança comercial da nação?" "É possível analisar por esse ângulo, suponho." "*Quem* é responsável pela recessão, você diria?" Pensei por um instante. "Nenhum indivíduo, claro. É um conjunto de fatores, a maioria fora do controle de qualquer um. Mas acho que o governo poderia fazer mais para aliviar os efeitos." "Você votou nesse governo?" "Não, sempre votei no Trabalhista", afirmei. "Mas...", hesitei. De repente o valor do que estava em jogo ficou muito alto. "Mas o quê?" "Mas, no íntimo, fiquei aliviado quando os Tóris ganharam".

Jamais admitira isso a alguém, nem a mim mesmo. Fui inundado por uma mistura de vergonha e alívio ao finalmente descobrir uma razão genuína para minha falta de autoestima. Eu me senti como imagino que os pacientes de Freud se sentiram quando se entregaram e admitiram que sempre desejaram fazer sexo com suas mamães e seus papais. "Por quê?", Alexandra perguntou com toda a calma. "Porque significava que eu não teria de pagar impostos mais altos", disse. "Da forma como eu vejo", Alexandra foi dizendo, "o partido Trabalhista propunha ao eleitorado um aumento no imposto de renda, o eleitorado rejeitou, e agora o partido abandonou a ideia. É assim que você compreende?" "Sim", concordei. "Então por que está se sentindo culpado?", Alexandra perguntou. "Não sei", respondi.

Acho que os talentos de Alexandra estão sendo desperdiçados comigo. Ela deveria estar trabalhando para a prefeitura de Londres, convencendo as pessoas de que a avareza é uma coisa boa.

Comecei *O conceito de angústia* esta noite – pensei em iniciar a leitura pelo título que parecia o mais obviamente relevante para mim –, mas foi um grande desapontamento. O índice em si já foi suficiente para me desencorajar:

Capítulo I	A angústia como pressuposição do pecado original e uma explicação regressiva retornando às suas origens
Capítulo II	A angústia como o pecado original progressivamente
Capítulo III	A angústia como consequência daquele pecado que é a falta da consciência de pecado
Capítulo IV	A angústia no pecado, ou angústia como a consequência do pecado em um indivíduo em particular
Capítulo V	A angústia como experiência salvadora por meio da fé

Jamais me considerei uma pessoa religiosa. Acredito em Deus, acho. Digo, acredito que haja Alguma Coisa (em vez de

Alguém) além dos horizontes de nossa compreensão que explica, ou explicaria se pudéssemos interrogá-la, por que estamos aqui e para que serve tudo isso. E tenho o tipo de crença de que sobrevivemos após a morte para descobrir a resposta a todas as perguntas, simplesmente porque é intolerável pensar que nunca descobriremos, que nossa consciência se apaga na morte como uma lâmpada elétrica sendo desligada. Não é muito motivo para acreditar, confesso, mas é isso. Respeito Jesus como um pensador ético, em não atirar a primeira pedra e oferecer a outra face e assim por diante, mas não me chamaria de cristão. Minha mãe e meu pai me mandaram para a escola dominical quando eu era um guri – não me pergunte o motivo, porque eles mesmos nunca iam à igreja, exceto em casamentos e funerais. No começo, gostava de ir, porque tinha uma professora muito bonita chamada srta. Willow, com cachos loiros, olhos azuis e um sorriso adorável com covinhas, que nos fazia representar as histórias da Bíblia – acho que foi minha primeira experiência com teatro. Mas então ela saiu, e, em seu lugar, tivemos uma senhora de meia-idade e aparência severa chamada sra. Turner, com pelos crescendo em uma grande mancha no queixo, que nos dizia que nossas almas eram manchadas de preto com o pecado e precisavam ser lavadas com o sangue do Cordeiro. Eu tinha pesadelos nos quais era afundado em uma banheira cheia de sangue pela sra. Turner, e depois disso meus pais não me fizeram mais ir à escola dominical.

Muito mais tarde, quando era adolescente, costumava frequentar um grupo de jovens católicos, porque Maureen Kavanagh era católica e pertencia ao grupo; e de vez em quando eu era arrastado para algum tipo de cerimônia nas noites de domingo, rezar um rosário na entrada da paróquia ou algo que chamavam de Bênção na igreja ao lado, um negócio esquisito com um monte de cantorias de hinos em latim, nuvens de incenso e o padre no altar segurando algo que parecia um troféu dourado de futebol. Sempre me senti estranho e constrangido nessas ocasiões, sem saber o que deveria fazer a seguir, sentar ou ficar de pé, ou me ajoelhar. Nunca fiquei tentado a me tornar um católico, embora Maureen costumasse me lançar insinuações ocasionais. Parecia haver coisas demais sobre o pecado na religião dela também. A maioria das coisas que eu queria fazer com Maureen (e ela comigo) se revelaram pecados.

Então toda essa história sobre pecado nos cabeçalhos dos capítulos de O conceito de angústia era desencorajadora, e o livro em si confirmou minhas desconfianças. Era uma chatice sem fim e muito difícil de acompanhar. Ele define a angústia, por exemplo, como "*a presença da liberdade diante de si mesma como possibilidade*". Que porra ele quer dizer com isso? Para falar a verdade, li o livro por cima, mergulhando aqui e ali e quase sem entender uma única palavra. Havia apenas uma parte interessante bem no fim:

> Diria que aprender a conhecer a angústia é uma aventura que todo homem precisa confrontar se não quiser se entregar à perdição, seja por não haver conhecido a angústia ou por ter sucumbido sob seu peso. Aquele que, portanto, aprendeu corretamente a estar na angústia aprendeu o mais importante.

Mas o que é aprender corretamente a estar na angústia, e como isso seria diferente de sucumbir sob seu peso? É o que gostaria de saber.

Três espasmos no joelho hoje, um enquanto eu dirigia, dois sentado à escrivaninha.

....

Quarta-feira, 24 de fev., 23h30. Bobby Moore morreu hoje de câncer. Ele tinha apenas 51 anos. As pessoas na mídia deviam saber que ele estava doente, porque a BBC tinha uma homenagem prontinha para ir ao ar durante a transmissão de *Sportsnight* à noite. Incluía uma entrevista com Bobby Charlton que deve ter sido ao vivo, ou gravada hoje, porque ele estava chorando. Eu estava quase chorando, para falar a verdade.

O momento em que tomei conhecimento do ocorrido foi quando Amy e eu saíamos do cinema em Leicester Square por volta das oito. Fomos assistir a uma sessão à tardinha de *Cães de aluguel*. Um filme brilhante e horripilante. A cena em que um dos gângsteres tortura um policial indefeso é a coisa mais nojenta que já vi. Todo mundo no filme morre de maneira violenta. Eu honestamente acredito que cada um dos personagens que você vê morre com um tiro – os policiais que atiram no personagem de Harvey Keitel no final são apenas vozes fora de cena. Amy não pareceu ficar perturbada pelas mutilações. Estava mais incomodada com o fato de não conseguir lembrar onde já tinha visto um dos atores antes e ficava murmurando para mim: "Foi em *O jogo de emoções*? Não. Foi em *Taxi Driver*? Não. Onde foi?" – até que precisei implorar para que ela calasse a boca. Ao sairmos do cinema, ela falou triunfante: "Agora me lembro, não foi em nenhum filme, foi num episódio de *Miami Vice*". Bem naquele momento bati o olho em uma banca de jornal: "MORRE BOBBY MOORE". De repente, as mortes de *Cães de aluguel* pareceram cartunescas. Apressei Amy durante o jantar para que pudesse voltar logo para o apartamento e assistir à tevê, e ela decidiu ir direto para casa depois do Gabrielli's. "Dá para ver que prefere ficar sozinho com seu luto", disse sardônica, e não estava tão errada.

  Havia montes de clipes de Bobby Moore em seu auge como jogador em *Sportsnight*, com, claro, ênfase especial na final da Copa do Mundo de 1966 e naquela imagem inesquecível de Moore recebendo a taça das mãos da rainha, limpando cuidadosamente as mãos na camiseta primeiro e então se voltando para a multidão segurando o troféu bem no alto para Wembley inteira e o país inteiro adorarem. Que dia. Inglaterra 4, Alemanha 2, depois da prorrogação. Uma história saída direto de uma revista em quadrinhos infantil. Quem acreditaria, no começo do torneio, que, depois de anos de humilhação pelos sul-americanos e eslavos, enfim seríamos campeões do mundo no esporte que nós inventamos? Que heróis eles foram, aquele time. Ainda sei recitar os nomes de cabeça. Banks, Wilson, Cohen, Moore (capitão), Stiles, Jack Charlton, Ball, Hurst, Hunt, Peters e Bobby Charlton. Ele chorou naquela ocasião também, acho que me lembro. Mas não Bobby Moore, sempre o capitão modelo, calmo, confiante, aprumado. Tinha um timing impecável como jogador – compensava por sua lentidão no drible. Assistir aos clipes trouxe tudo de volta: a maneira como a longa perna se esticava no último momento possível e roubava a bola dos pés do oponente sem cometer falta. E então o jeito com que tirava a bola da defesa e levava para o ataque, cabeça erguida, costas eretas, como um capitão liderando o ataque da cavalaria. Parecia um deus grego, com seus membros precisos e cachos dourados e curtos. Bobby Moore. Não se faz mais atletas assim. Fazem esses palhaços beberrões rebocados de logotipos de publicidade, que cospem pelo campo inteiro e falam tanto palavrão que os telespectadores surdos que leem os lábios escrevem para a BBC para reclamar.

(Abro uma exceção para Ryan Giggs, o jovem atacante do Manchester United. É um jogador adorável, emocionante de se assistir quando está correndo contra uma defesa com a bola aparentemente colada ao pé, espantando todos como se fossem ovelhas. E ele ainda tem sua inocência, se é que me entende. Não foi ainda jogado para a cautela e o cinismo, não está desgastado por jogar partidas demais muito próximas umas das outras, não teve sua cabeça virada pelo estrelismo. Ainda joga como se gostasse do jogo, como uma criança. Vou dizer o que mais aprecio nele: quando faz algo realmente bom, marca um gol, dribla e passa por três jogadores, cobra o escanteio perfeito ou faz uma cruzada perfeita e está trotando de volta ao círculo central, com a multidão indo à loucura, ele *franze a testa*. Fica com uma cara terrivelmente séria, como um garotinho que tenta parecer um adulto, como se fosse a única maneira de se segurar para não virar cambalhotas ou bater no peito ou gritar de emoção. Adoro isso, o jeito como ele franze o cenho quando faz algo muito brilhante.)

Mas, de volta a Bobby Moore e àquele dia glorioso de junho em 1966 na final da Copa do Mundo. Até Sally, que nunca foi uma grande fã de futebol, foi pega pela animação, pôs Jane para dormir no carrinho e sentou-se para assistir à tevê comigo e Adam – que era pequeno demais para entender de fato o que significava tudo aquilo, mas sentia, com sua intuição, que era importante e ficou sentado com toda a paciência do mundo durante a partida inteira, com o polegar na boca e o cobertor apertado contra a bochecha, me observando o tempo todo em vez de olhar para a tela. Era nosso primeiro aparelho em cores. A Inglaterra usava camisas vermelhas em vez da usual branca com lista vermelho-morango. Suponho que tenhamos tirado na sorte contra a Alemanha pelo privilégio de usar branco e perdemos, mas podíamos ter ficado com o vermelho para sempre, pareceu nos trazer sorte. Fomos sortudos em descolar aquele terceiro gol, razão pela qual marcar o quarto tenha sido tão delirantemente satisfatório. Quando a bola foi para a rede, era possível ouvir os gritos da torcida vindo das janelas dos vizinhos; e, quando tudo terminou, as pessoas saíram para seus jardins ou para a rua, com sorrisos estampados no rosto, para balbuciar algo sobre o jogo com outras pessoas com quem nunca antes haviam trocado nada além de um "bom dia" na vida.

Era um tempo de esperança, um tempo quando era possível se sentir patriótico sem ser rotulado de ultranacionalista tóri. A vergonha de Suez ficara para trás, e então estávamos ganhando do mundo nas coisas que de fato importavam para as pessoas comuns, o esporte, a música pop, a moda e a televisão. A Grã-Bretanha era os Beatles, a minissaia, o seriado *That Was The Week That Was* na BBC e a seleção vitoriosa da Inglaterra. Fiquei pensando se a rainha estaria assistindo à tevê hoje, e o que teria sentido ao se ver entregando a Copa do Mundo para Bobby Moore. Uma pontada ou duas de nostalgia, creio. "*Que bons tempos aqueles, hein, Philip?*" Bons tempos aqueles, quando se podia acordar de manhã confiante de não precisar ler relatos detalhados do mau comportamento sexual de sua família nos jornais: Dianagate, Camillagate, as fitas Squidgey, fantasias de absorvente íntimo do príncipe Charles, a chupação de dedo de pé de Fergie. Transtorno Interno da Monarquia. Nunca fui muito fã da família real, mas não há como não sentir pena da pobre rainha.

O que me lembra de uma experiência bastante perturbadora que tive esta manhã a caminho de Londres. Enquanto esperava pelo trem em Rummidge Expo, vi Nizar mais adiante na plataforma. Estava me deslocando para cumprimentá-lo, com a expressão já formatada em um sorriso, quando vi que estava acompanhado de uma mulher mais jovem. Não era jovem o suficiente para ser sua filha, e sabia que não era a esposa, porque já vira uma foto da mulher em um porta-retratos prateado na mesa dele, uma matrona roliça com ar bastante severo em um vestido floral, rodeada por três crianças, e ela não se assemelhava em nada a essa moça alta e magra de cabelos pretos e brilhantes descendo até os ombros de um casaco preto de lã muito bem cortado. Nizar estava parado muito próximo dela, falando animado e tocando na moça, seus dedos de médico dedilhavam a gola do casaco, arrumavam seus cabelos e puxavam as mangas, de um jeito que era ao mesmo tempo possessivo e deferente, como o estilista de uma celebridade. Ela sorria, complacente, a tudo que Nizar murmurava em seu ouvido, com a cabeça inclinada, porque ele era vários centímetros mais baixo do que ela, mas, por acaso, ergueu o olhar no mesmo instante em que registrei o que estava acontecendo. Felizmente, ela não fazia ideia de quem eu era. Dei meia-volta e me retirei apressado para a sala de espera, onde me sentei e escondi o rosto atrás do *Guardian* até o trem chegar.

Parece estar ocorrendo uma epidemia de adultério: Jake, Jean Wellington, a família real, e agora Nizar. O que eu queria saber é: por que *eu* deveria me sentir constrangido, ou até culpado, por ter surpreendido Nizar com sua Barbie? Por que *eu* fugi? Por que *me* escondi? Eu não sei.

Sally e eu não fazemos amor desde a última quinta-feira. Estou indo me deitar em horários diferentes dos dela, se não reclamo de uma indigestão ou digo estar sentindo que vou ficar gripado etc., para não encorajá-la. Estou com medo de descobrir que de novo não consigo gozar. Suponho que poderia tentar me masturbar, só para conferir que não há nada errado em termos mecânicos.

....

Quinta-feira de manhã, 25 de fev. Depois de escrever aquela última parte, tirei a roupa, deitei na cama com uma toalha à mão e tentei bater uma. Faz muito tempo que não faço isso, deve fazer quase 35 anos, na verdade, e estava fora de forma. Não consegui encontrar nenhuma vaselina no armário do banheiro, e por acaso também havia acabado o azeite de oliva da cozinha, então lubrifiquei meu pau com o tempero de salada da marca do Paul Newman, o que foi um erro. Primeiro, estava muito frio, por causa da geladeira, e, de cara, teve um efeito brochante em vez de estimulante, em segundo lugar, o vinagre e o suco de limão na mistura ardiam como o inferno e, em terceiro lugar, comecei a cheirar como o *pollo alla cacciatora* servido no Gabrielli's quando as ervas foram se aquecendo com a fricção. Mas o problema maior era que não conseguia reunir os pensamentos certos. Em vez de imagens eróticas, ficava pensando em Bobby Moore, triunfante, erguendo a taça Jules Rimet, ou em Tim Roth deitado em uma poça de seu próprio sangue em *Cães de Aluguel*, com a mancha vermelha se espalhando na frente da camisa até parecer que ele estava usando o uniforme da seleção inglesa.

  Pensei em tentar um dos serviços de sexo por telefone de que tanto ouço falar ultimamente – mas onde se consegue um número? As páginas amarelas não serviram para nada e não pensei que poderia tentar o serviço de auxílio à lista. Então lembrei que havia uma antiga revista de anúncios no revisteiro e, como era de se esperar, encontrei alguns anúncios de telessexo nas páginas finais. Escolhi um número que prometia "*Alívio sexual rápido e instantâneo, muita sacanagem pelo telefone*" com uma nota de rodapé explicando que "*devido à nova regulamentação da CEE, agora podemos oferecer para você interação com qualidade europeia*". Fiquei escutando por dez minutos uma menina descrever com muitos suspiros e gemidos o processo de descascar e engolir uma banana e comecei a me perguntar se eram as regulamentações de agricultura da CEE que estavam sendo invocadas ali. Foi um engodo total, e o mesmo aconteceu com as duas outras linhas para as quais liguei.

  Então me ocorreu que eu estava a poucos minutos de caminhada da maior concentração de livrarias pornográficas do país e, embora passasse da meia-noite, algumas delas ainda poderiam estar abertas. Era chato ter de me vestir de novo para sair, mas estava determinado a ir até o fim com minha experiência. Então, bem quando estava pronto para sair do apartamento, me ocorreu verificar a entrada do prédio na câmera do interfone – e, conforme o esperado, lá estava meu invasor da semana passada, enrolado, todo aconchegado, em seu saco de dormir. Reconheci o nariz pontudo e o queixo que ficavam para fora do topo do saco, e a meada de cabelo que lhe caía nos olhos. Fitei a imagem até a câmera cortar automaticamente e me deparei com meu próprio reflexo em cinza-claro na tela. Eu me imaginei descendo e abrindo a porta da frente. Ou teria de acordá-lo e acabaria discutindo, ou teria de passar por cima como se ele não estivesse lá – e não só uma vez, mas duas, já que retornaria depois de um curto intervalo com uma pilha de revistas cheias de moças embaixo do braço. Nenhuma das alternativas era atraente. Tirei mais uma vez a roupa e voltei para a cama, sofrendo de aguda Baixa Tolerância a Frustração. Era como se esse vadio estivesse me mantendo prisioneiro moral em minha própria casa.

Eventualmente consegui produzir um jato de porra por puro esforço físico, então sei que o encanamento está basicamente são, mas meu pau está bem dolorido e também não ajudou em nada meu cotovelo de tenista.

....

Quinta à tarde. Estou sentado na sala vip do Pullman, na estação Euston, esperando pelo trem das 17h10. Queria ter apanhado o das 16h40, mas o perdi por um triz. O coletor dos bilhetes me viu correndo pela rampa e fechou o bloqueio quando eu estava a menos de dez metros de distância, precisamente às 16h39. A estação está cheia de avisos dizendo que as plataformas serão fechadas um minuto antes do horário anunciado de partida dos trens *"pelo interesse da pontualidade e segurança dos clientes"*, mas ele podia ter me deixado passar sem arriscar nenhuma delas. Eu não tinha bagagem, apenas minha maleta contendo o laptop. O último vagão do trem estava a vinte metros de distância, com o guarda parado bem tranquilo ao lado, olhando para a plataforma deserta e aguardando o sinal de partida. Eu teria conseguido com facilidade, como assinalei de forma veemente, mas o sujeito no bloqueio, um pequeno asiático oficioso e determinado, não me deixou. Tentei passar à força, mas ele me empurrou para trás. Na verdade lutamos por um minuto inteiro até que o trem finalmente arrancou, e dei meia-volta furioso, subindo a rampa e enunciando ameaças vazias sobre registrar uma queixa. Ele tem mais base para registrar uma queixa do que eu – de fato, é provável que me enquadrasse por agressão.

Ainda estou tremendo um pouco pela carga de adrenalina e acho que distendi algum músculo das costas durante a briga. Um comportamento bem idiota, realmente, parando para pensar, que é o que farei a seguir. A Baixa Tolerância à Frustração dará lugar à Baixa Autoestima, e uma nova onda de depressão vai entrar para encobrir a psique Passmore com nuvens pesadas e rompantes de chuviscos. Bem desnecessário. Afinal de contas, é apenas meia hora até o próximo trem, e a sala Pullman é um local bem civilizado para aguardar. É parecido com um bordel, ou como imagino que sejam os bordéis, mas sem o sexo. Sobem-se as escadas que levam até o restaurante com serviço de mesa e o superbanheiro, e, no meio do corredor em direção a este último, há uma discreta e circunspecta porta dotada de uma campainha e um interfone na parede ao lado. Ao pressionar a campainha, uma voz feminina pergunta se você tem um bilhete da primeira classe, e, ao responder "Sim", a porta se abre com um clique e um zumbido, e você está dentro. Há uma moça bonita no balcão que sorri quando você mostra seu bilhete e assina o livro de visitantes e lhe oferece um café ou chá de cortesia. É calmo e quieto lá dentro, com ar-condicionado, carpete e mobiliário confortável com poltronas e bancos estofados em tons suaves de azul e cinza. Há jornais, telefones e uma copiadora. Lá embaixo, a plebe que espera pelos trens precisa sentar-se sobre a bagagem, ou no chão (já que não há assentos no vasto saguão em mármore), ou então frequentar uma das lanchonetes – Upper Crust, Casey Jones, The Hot Croissant, Pizza Hut etc. – que estão todas reunidas em um parque temático da junk food na ponta da...

Estava tão envolvido por aquela descrição que descobri que perdi o das 17h10 também. Melhor dizendo, descobri que me restavam apenas dois minutos para tentar pegá-lo, e não poderia suportar a ideia de descer a rampa correndo em direção ao mesmo coletor de bilhetes e vê-lo fechar o bloqueio na minha cara de novo, como em algum tipo de repetição onírica do mesmo trauma original. Então posso muito bem, enquanto espero pelo das 17h40, registrar o motivo de eu estar com o pavio tão curto para começo de conversa.

Fiz uma visita ao escritório de Jake a caminho de Euston. É um conjunto pequeno de salas em cima de uma loja de camisetas e souvenirs de mau gosto em Carnaby Street. Havia uma garota nova na recepção minúscula no topo das escadas, alta e magra, em um vestido preto muito justo e tão curto que mal cobria o traseiro quando ela levantava. Ela se apresentou como Linda. Depois de me acompanhar até a sala de Jake e fechar a porta, ele disse: "Sei o que você está pensando, e não, não é ela. Não que", acrescentou, com seu sorriso descarado e simpático, "eu possa prometer que não vá ser um dia. Deu uma olhada naquelas pernas?". "Mal tive como evitar, não é?", falei. "Dadas as dimensões de seu escritório e da saia." Jake riu. "Quais são as novidades da Heartland?", perguntei. Ele parou de rir. "Tubby", disse, debruçando-se com vontade em sua cadeira giratória, "vai precisar achar um jeito aceitável de tirar a Priscilla da série. Aceitável para todo mundo, digo. Sei que consegue, caso esteja determinado." "E se não conseguir?", sugeri. Jake abriu os braços. "Então vão chamar outra pessoa para fazê-lo." Senti um pequeno espasmo premonitório de ansiedade. "Não podem fazer isso sem meu consentimento, podem?" "Receio que possam", disse Jake, girando a cadeira para abrir uma gaveta e evitando meu olhar no decorrer do processo. "Revisei o contrato original." Ele puxou um arquivo da gaveta e me entregou sobre a mesa. "A cláusula catorze é a relevante."

O contrato para a primeira temporada fora redigido há muito tempo, quando eu era apenas mais um roteirista, sem nenhum cacife em particular. A cláusula catorze dizia que, se me pedissem para escrever mais temporadas baseadas nos mesmos personagens e eu declinasse, eles poderiam empregar outros redatores para o trabalho, me pagando um royalty simbólico pelo conceito original. Não me lembro de dar nenhuma atenção especial a essa cláusula na época, mas não me surpreende que tenha concordado. Conseguir que o programa fosse estendido por mais uma temporada era então minha ambição mais cara, e a noção de que eu mesmo não fosse querer escrever teria me parecido absurda. Mas a cláusula não se referia apenas a uma segunda temporada, mas a "temporadas", no plural indefinido. Efetivamente, eu entregara meus direitos autorais da história e dos personagens. Repreendi Jake por não ter visto o perigo e renegociado a cláusula em contratos subsequentes. Ele afirmou não imaginar que a Heartland fosse topar a parada de modo algum. Discordo. Acho que podíamos ter torcido o braço deles entre a segunda e a terceira temporadas, pois estavam ávidos demais. Até agora não consigo crer que entregariam o programa inteiro para outro roteirista, ou roteiristas. É o meu bebê. Sou eu. Ninguém mais poderia fazer dar tão certo.

Ou será que poderia?

Essa é uma linha perigosa de pensamento, carregada de novas possibilidades para perda de autoestima. Enfim, melhor parar, ou vou perder o trem das 17h40 também.

....

Sexta-feira, 26 de fev., 20h. Jake ligou hoje de manhã para dizer que recebera um bilhete de Ollie Silvers, "*só para resumir os principais pontos de nossa conversa com Tubby domingo passado, para evitar qualquer mal-entendido*". Isso põe a cláusula catorze em operação e significa que tenho doze semanas para decidir se vou eu mesmo tirar Priscilla do script ou deixar a façanha para outro.

Aromaterapia com Dudley esta tarde. Dudley Neil-Hutchinson, para citar o nome completo. Ele lembra um pouco uma versão hippie do biógrafo Lytton Strachey – alto, delgado, com uma longa e farta barba que você pensa estar colada aos óculos de vovó. Ele usa jeans, mocassim, camisas com estampas étnicas e coletes da loja Oxfam. Prende a barba nos coletes para que não faça cócegas durante a massagem. Atende em casa, em uma construção geminada moderna de três quartos, perto do aeroporto, com vidraças triplas para isolar o som dos aviões decolando e aterrissando. Às vezes, deitado de bruços na maca de massagem, você sente passar uma sombra e, se olhar rápido, consegue pegar a rabeta de um imenso avião descendo silencioso por cima dos telhados, tão próximo que dá para ver os rostos brancos dos passageiros nas janelinhas. É bastante alarmante em um primeiro momento. Dudley atende duas vezes por semana na clínica Bem-Estar, mas prefiro ir até a casa dele para o tratamento porque não quero que a srta. Wu saiba que estou recorrendo à aromaterapia também além da acupuntura. Ela é sensível demais, pode tomar como um atestado pessoal de falta de confiança em suas habilidades. Consigo me visualizar dando de cara com ela ao sair de uma sessão com Dudley e a denúncia silenciosa, de mágoa e reprovação naqueles olhos escuros. A srta. Wu também não sabe sobre Alexandra. Alexandra sabe da srta. Wu, mas não de Dudley. Não contei para ela, não porque se sentiria ameaçada, mas porque pode se desapontar comigo. Ela respeita a acupuntura, mas não acho que teria muita paciência com aromaterapia.

Foi June Mayfield quem me colocou nessa. Ela trabalha no departamento de maquiagem da Heartland e senta-se nas laterais durante as gravações de *O pessoal da casa ao lado*, pronta para correr e ajeitar o cabelo de Debbie quando necessário ou aplicar pó no nariz dos atores caso fique lustroso debaixo das luzes. Estava conversando com ela na cantina um dia, e contou que a aromaterapia mudou sua vida, curando as enxaquecas que eram a desgraça de sua existência por anos. Ela me passou o cartão de Dudley, e pensei em fazer uma tentativa. Acabara de desistir da ioga, devido a meu Transtorno Interno da Articulação, então tinha um horário vago em meus compromissos terapêuticos. Costumava ir uma vez a cada quinze dias na srta. Flynn, uma senhora de 75 anos com juntas elásticas que ensina pranayama ioga. Não é do tipo em que se fica de ponta-cabeça por horas ou se dá um nó em si mesmo que precisa ser desfeito na traumatologia. É mais sobre respiração e relaxamento, mas envolve uma tentativa da posição de lótus ou pelo menos uma meia-lótus, que a srta. Flynn não considerava uma boa ideia enquanto eu estivesse com problemas no joelho, então puxei o carro. Para dizer a verdade, nunca fui muito bom na ioga. Nunca consegui atingir o "espaço vazio", que é uma parte vital da prática, quando supostamente se consegue esvaziar a mente e não pensar em nada. A srta. Flynn tentou me ensinar um exercício mental segundo o qual você primeiro esvazia a mente dos pensamentos sobre o trabalho, então dos pensamentos sobre família e amigos, então de pensamentos sobre si mesmo. Bem, eu nunca conseguia passar da primeira base. Assim que, em silêncio, pronunciava a palavra "trabalho" para mim mesmo, os pensamentos sobre revisões de scripts e problemas de elenco e números de audiência começavam a inundar a minha cabeça. Eu desenvolvia preocupações com o trabalho que nunca havia tido.

  A aromaterapia é mais fácil. Você apenas fica lá deitado e deixa o terapeuta o massagear com os chamados óleos essenciais. A teoria por trás disso é bastante simples – talvez simples demais. Dudley explicou na minha primeira sessão. "Quando você se machuca, qual é sua primeira reação instintiva? Esfrega a parte afetada, certo?" Perguntei como é que se esfrega a mente. Ele disse: "Ah, é aí que entram os óleos essenciais". Os aromaterapeutas acreditam que, através da absorção pela pele, os óleos penetram na corrente sanguínea e assim afetam o cérebro. Também a inalação dos aromas específicos dos óleos tem um efeito estimulante ou calmante no sistema nervoso, dependendo daqueles que se usa. Há os animadores e os depressores na aromaterapia, ou as "notas altas" e "as notas baixas", como eles chamam. De acordo com Dudley, é uma forma de medicina muito antiga praticada na China e no Egito eras atrás. Mas, como tudo hoje, foi computadorizada. Quando vou consultar com Dudley, relato meus sintomas e ele anota em seu programa personalizado de aromaterapia chamado UFA (não, isso eu inventei, o nome do arquivo é ATP), aperta uma tecla e o computador puxa uma lista de sugestões de óleos essenciais – junípero, jasmim, menta ou sei lá o quê. Então Dudley me dá os óleos para cheirar e faz um coquetel daqueles de que gosto mais, usando um "óleo base" vegetal.

Não senti a mesma inibição quanto a discutir questões sexuais com Dudley da forma que senti na semana passada com a srta. Wu, então, quando me perguntou como tenho passado desde o último tratamento, mencionei o incidente não ejaculatório. Ele mencionou que a habilidade de ter um encontro sexual sem ejacular era algo muito valorizado pelos místicos orientais. Falei que eles podiam ficar felizes à vontade. Ele digitou em seu Apple Mac por alguns momentos, e a máquina sugeriu bergamota, ylang-ylang e attar de rosas. "Você não me deu rosa para depressão da última vez?", perguntei com uma pitada de desconfiança na voz. "É um óleo muito versátil", disse Dudley, melífluo. "É usado contra impotência e frigidez, bem como na depressão. Também para o luto e a menopausa." Perguntei se isso incluía a menopausa masculina, e ele riu sem me dar resposta.

....

Sábado, 27 de fev. Bem, funcionou, até certo ponto. Fizemos amor na noite passada, e gozei. Não acho que Sally tenha gozado, mas ela não estava realmente no clima e pareceu surpresa quando tomei a iniciativa. Também não posso dizer que o chão tremeu para mim, mas pelo menos ejaculei. Logo, o velho óleo essencial de rosa cumpriu o prometido, ao menos com respeito à impotência. Mas não nas questões que envolvem depressão, luto e a menopausa masculina. Acordei às 3h05 com meu cérebro se revirando tal qual um misturador de cimento, meus anseios parecendo pedras afiadas em um lodo cinzento generalizado de terror, e passei as horas seguintes em um estado raso de sonolência, entrando e saindo do sono com a sensação passageira de estar sonhando alguma coisa sem conseguir lembrar o que era. Meus sonhos são como peixes prateados: agarro pelo rabo, mas eles se desvencilham do meu domínio e tremulam, mergulhando na escuridão profunda. Acordo com falta de ar e o coração martelando, como um mergulhador que chega à superfície. Eventualmente mandei ver em um comprimido para dormir e caí em um coma sem sonhos do qual acordei, na cama vazia, às nove e meia, intratável e com a boca seca.

Sally deixara um bilhete para avisar que fora ao supermercado. Eu também tinha alguns afazeres, então caminhei até High Street. Estava esperando impacientemente na fila do correio quando ouvi a voz de uma mulher atrás de mim: "Está desesperado?". Virei para trás, pensando que estivesse falando comigo, mas era uma mãe falando com seu filhinho. "Não dá para esperar até chegarmos em casa?", ela perguntou. O garotinho meneou a cabeça triste e pressionou os dois joelhos um contra o outro.

Mais tarde. Eu estava bastante desesperado para dar outra chance ao velho Kierkegaard, e tive mais sorte desta vez. Mexi em *Ou-Ou*, porque o título me intrigava. Um livro ótimo e pesado, em dois volumes, e escrito de maneira muito confusa, uma barafunda de ensaios, histórias, cartas etc., escritas por dois personagens fictícios chamados A e B e editados por um terceiro chamado Victor Eremitus, todos pseudônimos para Kierkegaard, presumo. O que me atraiu em particular foi um texto curto no primeiro volume chamado "O homem mais infeliz". Ao ler, me senti como quando vi a lista dos títulos dos livros de Kierkegaard pela primeira vez, que ele falava diretamente à minha condição.

Segundo K., o homem infeliz está "sempre ausente de si mesmo, nunca presente para si". Minha primeira reação foi: não, errado, Søren, meu velho – nunca paro de pensar em mim, esse é o problema. Mas então pensei: pensar sobre si mesmo não é o mesmo que estar presente para si. Sally está presente para si porque ela se leva a sério, jamais duvida de si mesma – ou ao menos não por muito tempo. Ela *coincide* consigo mesma, enquanto eu sou como um daqueles personagens animados em uma revista barata de quadrinhos, do tipo que a cor não se alinha direito com o contorno dos desenhos: há um vão ou sobreposição entre os dois, um tipo de borrão. Esse sou eu: Dan Desesperado com seu queixo azul saliente, mas não coincidindo muito com a linha do maxilar.

Kierkegaard explica que o homem infeliz nunca está presente para si porque está sempre vivendo no passado ou no futuro. Está sempre esperando ou rememorando algo. Ou acha que as coisas eram melhores no passado ou espera que ficarão melhores no futuro, mas estão sempre péssimas no *agora*. Essa é a infelicidade ordinária, do tipo comum ou de jardim. Mas o homem infeliz "no sentido restrito" não está presente para si mesmo nem em suas lembranças nem nas esperanças. Kierkegaard dá o exemplo de um homem que olha para trás desejoso pelas alegrias da infância que de fato ele próprio nunca viveu (talvez estivesse pensando em seu próprio caso). Da mesma forma, "o esperançoso infeliz" nunca está presente para si em suas esperanças, por motivos que estavam obscuros para mim até eu encontrar esta passagem: "Indivíduos infelizes com expectativas nunca sentem a mesma dor daqueles que rememoram. Os indivíduos esperançosos sempre têm um desapontamento mais gratificante".

Sei exatamente o que ele quer dizer por "desapontamento gratificante". Eu me preocupo sobre tomar decisões porque estou tentando me resguardar contra as coisas dando errado. *Espero* que elas deem certo, mas, se dão certo, mal percebo, porque já estava miserável imaginando como poderiam dar errado; e se dão errado de alguma forma imprevista (como a cláusula catorze no contrato da Heartland) isso apenas confirma minha crença subjacente de que os piores infortúnios são inesperados. Se você é um esperançoso infeliz, não acredita de fato que as coisas vão melhorar no futuro (porque se acreditasse não estaria infeliz). O que significa que, quando elas *não* melhoram, isso prova que você estava certo o tempo todo. É por isso que seu desapontamento é gratificante. Legal, né?

Também tenho um sentimento persistente de que as coisas eram melhores no passado – que devo ter sido feliz um dia; do contrário, não saberia que estou infeliz agora, e, em algum lugar do caminho, eu perdi isso, joguei fora, deixei passar, embora consiga apenas recordar esse "isso" em fragmentos passageiros, como assistindo à final da Copa do Mundo de 1966. É possível, entretanto, que esteja me enganando, que de fato fui sempre desgraçado porque fui sempre um esperançoso infeliz. O que, em termos paradoxais, faria de mim um recordador infeliz também. Como posso ser os dois? É fácil! Essa é precisamente a definição do homem mais infeliz:

> Tudo se resume ao seguinte: por um lado, ele espera constantemente por algo que deveria estar recordando... Por outro lado, constantemente se lembra de algo a respeito do qual deveria estar esperançoso... Por consequência, o que espera fica atrás de si e o que recorda fica adiante de si... Está para sempre bastante próximo do objetivo e, ao mesmo tempo, a uma distância dele; agora descobre que aquilo que o torna infeliz, porque agora ele o possui ou por ser de determinado jeito, é exatamente o que há alguns anos teria lhe deixado feliz caso o possuísse naquele momento, ao passo que então era infeliz por não tê-lo.

Pois é, esse cara me sacou direitinho. O homem mais infeliz. Por que então tenho um sorriso de orelha a orelha enquanto leio?

....

Domingo à tarde, 28 de fev. Não fui ao estúdio hoje. Pensei que deveria mostrar para a Heartland que me ressinto da forma como estão me tratando. Sally aprovou. Deixei uma mensagem na secretária eletrônica do escritório cedo pela manhã para dizer que não iria. Não mencionei o motivo, mas Ollie e Hal vão saber o porquê. É a primeira vez que perco uma gravação desde abril, quando tive uma virose. Desnecessário dizer que estou punindo mais a mim mesmo do que a eles. Hal vai estar ocupado demais para se chatear com minha ausência, e Ollie não é do tipo que se chateia, ao passo que eu não tenho nada para fazer, exceto ficar chateado. O dia passou com uma lentidão excruciante. Fico consultando o relógio e imaginando em que estágio dos ensaios eles estão. Mal passa das quatro da tarde, e já está escuro. Está um frio de rachar lá fora, com uma leve camada de neve. Nevascas são esperadas em outras partes do país, segundo os jornais.

Os domingos da moda são cheios de aflição e mea-culpa. O país parece estar passando por uma imensa crise de confiança, Transtorno Interno da Psique Nacional. A pesquisa do Gallup publicada na semana passada mostrou que oitenta por cento do eleitorado estava insatisfeito com o desempenho do governo. De acordo com outra pesquisa, mais de quarenta por cento dos jovens acha que a Grã-Bretanha vai se tornar o pior país para se morar no decorrer da próxima década. O que significa, presume--se, que eles pensam que ou o Trabalhista não ganhará a próxima eleição ou não fará diferença se eles ganharem. Estamos nos tornando uma nação de esperançosos infelizes.

E de lembradores infelizes: não fui o único, tudo indica, a sentir que a morte de Bobby Moore indicava a dimensão de nosso declínio. Há montes de artigos nostálgicos nos jornais falando dele e da Copa do Mundo de 1966. Nossa derrota na terceira partida de críquete para a Índia esta semana também não ajudou a moral nacional. *Índia!* Quando eu era menino, uma série de partidas da seleção contra a Índia sempre era uma perspectiva chatíssima porque era certo que seria uma vitória fácil para a Inglaterra.

São cinco e meia. Os ensaios devem ter terminado, e o elenco vai se recolher para a refeição na cantina antes de se encaminhar para a maquiagem. Ron Deakin sempre come salsichão, ovo e batatas fritas. Ele jura que nunca come frituras em casa, mas afirma que salsichão, ovo e fritas combinam com o personagem de Pop Davis. Ele é bem supersticioso a respeito – entrou em pânico outro dia quando acabaram os salsichões da cozinha. Fico imaginando se ele vai ficar desconcertado com o fato de eu não estar lá como de costume. Os atores gostam que eu esteja por perto no dia da gravação, eles acham encorajador. Receio que esteja punindo tanto a eles quanto a mim ao me manter distante.

Quanto mais eu penso, e não consigo pensar em outra coisa, pior me sinto. Estou tentando resistir à minha deliberação de que tomei a decisão errada, mas me sinto atraído inexoravelmente rumo a essa conclusão como pela força gravitacional de um buraco negro. Em suma, me sinto entrando em um dos meus "estados", o estado *c'est moi*, como Amy diria. Como vou conseguir suportar o resto da noite? Fito a tecla marcada como HELP no meu teclado. Se ao menos ela pudesse me ajudar.

....

Segunda-feira de manhã, 1º de março. Por volta das 18h45 de ontem, bem na hora em que Sally estava pondo a mesa para nossa refeição da noite, minha resolução ruiu. Saí correndo de casa, gritando uma explicação para Sally, sem lhe dar tempo de me chamar de bobo, saí de ré da garagem no ricomóvel, deslizando e escorregando pela passagem – foi por um triz que não amassei o retrovisor na lateral do portão – e dirigi a uma velocidade imprudente até Rummidge, chegando ao estúdio bem na hora de tomar meu lugar para a gravação.

Foi brilhante. Uma plateia maravilhosa – vivaz, apreciativa, coesa. E o script não estava mau também, embora seja minha própria opinião. O argumento narrava o momento em que os Springfield decidem pôr a casa à venda para poderem fugir dos Davis, mas sem contar aos Davis, porque se sentem culpados pela decisão, e os Davis ficam, sem querer, sabotando o plano, aparecendo ou fazendo algo ultrajante bem na hora em que os Springfield estão mostrando a casa para compradores em potencial. A plateia adorou. Imagino que vários deles também queiram se mudar, mas não podem por terem uma equidade patrimonial negativa. Equidade negativa é quando sua hipoteca custa mais do que a casa vale. Está acontecendo bastante por aí. É uma espécie de transtorno interno do mercado imobiliário. Nada engraçado caso esteja acontecendo com você, mas pode ajudá-lo a entender o lado cômico do dilema de Edward e Priscilla. Ou, para colocar de outra forma, assistir às tribulações e provações farsescas dos dois pode fazer você se sentir melhor sobre a sua equidade negativa, especialmente quando o episódio termina com os Springfield em paz com a ideia de ficar onde estão. Com frequência sinto que a sitcom tem esse tipo de efeito social terapêutico.

    O elenco sentiu boas vibrações emanando da plateia e estava mandando bala. Quase não precisaram refazer nenhum take. Concluímos às oito e meia. Todos estavam sorrindo no final. "Oi, Tubby", disse Ron Deakin, "sentimos sua falta nos ensaios de hoje." Resmunguei algo sobre estar enrolado. Hal me olhou com estranheza, mas não falou nada. Isabel, a gerente de set, me disse que eu fizera bem em não participar, que o ensaio fora cheio de arestas e mancadas. "Mas é sempre assim", ela disse. "Se o ensaio sair perfeito, pode ter certeza de que a gravação será um desastre." (Isabel é uma esperançosa infeliz.) Ollie não estava lá: telefonara para avisar que as estradas estavam muito perigosas para os lados dele. Vários membros do elenco decidiram passar a noite em Rummidge em razão do mau tempo, então fomos todos ao bar. A atmosfera estava cordial, relaxada, todo mundo curtindo a sensação de dever cumprido, fazendo piadas, pagando por rodadas. Senti uma imensa afeição por todos eles. São como uma família, e, de certa forma, sou o pai. Sem meus roteiros, jamais teriam se reunido.

    Samantha Handy entrou no bar, depois de pôr o pequeno Mark para dormir em um hotel próximo, na hora em que eu estava de saída. Abriu um belo sorriso, então sorri de volta, feliz por ela não guardar rancores de nossa conversa da semana anterior. "Oh, você já está de saída?", perguntou. "Terminando com a festa?" "Preciso", respondi. "Como está indo seu script?" "Vou discutir a ideia com meu agente", ela respondeu. "Marquei um horário com Jake Endicott na semana que vem. Ele é *seu* agente, não é? Mencionei que conhecia você, espero que não se importe." "Não, claro que não", falei, enquanto pensava comigo: *Que cadela audaciosa!* "Cuidado com o que vai vestir", falei. Ela pareceu ansiosa. "Por quê? Ele tem alguma questão com roupas?" "Ele tem uma questão com mulheres jovens e bonitas", falei. "Recomendaria um bom, longo e largo saco de lixo." Ela riu. Bem, não vai poder dizer que não avisei. Jake vai ficar doido quando enxergar aquela comissão de frente. Tem um rosto bonito também, redondo e sardento, com um leve queixo duplo que serve de trailer para as curvas opulentas forçando a frente da blusa. Ela aceitou meu conselho de pedir a Ollie para ler alguns scripts, e, aparentemente, ele entregou uma pilha para ela comentar. Uma jovem que deve ser observada, em várias instâncias e formas.

    Dirigi para casa devagar e com cuidado nas estradas desertas e cobertas de gelo. Sally já estava dormindo quando cheguei. Algo em sua postura na cama, deitada de costas com aquela expressão da boca, me dizia que fora se deitar descontente comigo – se foi por haver traído minha decisão de manter distância da gravação, sair correndo de casa justo quando estava servindo o jantar, dirigir em condições perigosas, ou por todas essas coisas juntas, não dava para saber. Descobri hoje de manhã que foi por outra coisa. Tudo indica que, depois de avisar que não iria ao estúdio como de costume ontem, ela convidara um casal de vizinhos para um drinque à noite. Jura de pés juntos que me contou, então suponho que o tenha feito, embora eu não tenha a menor memória disso. Preocupante. Ela precisou ligar de novo para os Webster e cancelar. Constrangedor, sem dúvida. Eles são zumbis que votam nos tóris, mas nos convidam todos os anos para um coquetel na noite de Natal, e nunca retribuímos o convite. (Nas raras ocasiões em que damos uma festa, eu me debruço sobre a lista de convidados por horas, agonizando com a escolha dos nomes, tentando chegar ao equilíbrio perfeito de uma turma de interlocutores cintilantes e mutuamente compatíveis. Os Webster nem chegam a ser considerados para tais reuniões, embora os excluir não evite, claro, que eu fique em um estado de ansiedade beirando a histeria quando a festa se aproxima, ou que me anestesie com bebida assim que possível depois que ela começa.) Então, ontem à noite, teria sido uma oportunidade de equilibrar um pouco o placar. Sally diz que agora vai ter de convidá-los para jantar para compensar. Espero que seja só uma ameaça. Enfim, estou na casinha do cachorro. Toda a euforia de ontem à noite evaporou-se. Meu joelho está fazendo e acontecendo esta manhã, e definitivamente dei um mau jeito nas costas.

....

Segunda à tarde. Acabo de voltar da fisioterapia. Falei do músculo das costas para Roland, mas não contei que o distendi brigando com um boxeador paquistanês que recolhe bilhetes. Ele pressupôs que fosse outra lesão do tênis. Na verdade não joguei na semana passada, em parte por causa do tempo e em parte porque não tive vontade de meu reunir com meus parceiros usuais depois do que Rupert me contou sobre Joe e Jean. Roland me fez uma massagem à moda antiga nas costas, bem como um ultrassom no joelho. Era disso que se tratava a fisioterapia quando ele se formou – é bom nisso e gosta do trabalho. Suas mãos são seus olhos, ele tateia, sentindo o terreno até chegar ao mais profundo de suas dores e lamúrias, e, com suavidade e firmeza, alivia a inflamação. Dudley não é tão bom assim.

A esposa de Roland lera algo no jornal durante o café da manhã sobre novos trechos das fitas Diana Squidgey sendo publicados na Austrália. Comentei que achava difícil acreditar que as conversas foram ouvidas por acaso. Roland, não. Fiquei sabendo que ele passa um bom tempo à noite escutando mensagens da polícia na frequência VHF de seu portátil da Sony. "Escuto por horas, às vezes", falou. "Na cama, com os fones de ouvido. Houve uma apreensão de drogas em Angleside ontem à noite. Bem emocionante." Então Roland também sofre de insônia. Deve ser particularmente terrível se você é cego, ficar acordado de noite, escuridão sobre a escuridão.

Uma das coisas deprimentes sobre a depressão é saber que há toneladas de pessoas no mundo com muito mais motivos para se sentirem deprimidas do que você, e descobrir que, longe de ajudá-lo a sair da depressão, isso só faz com que você se desprezar ainda mais, logo, sentindo-se mais deprimido. A forma mais pura da depressão é quando você não consegue achar um motivo que seja para estar deprimido. Como B diz, em *Ou-Ou*: "Uma pessoa com tristeza ou aflição sabe por que sente a tristeza e a aflição. Se perguntar a um melancólico o que é que o deixa para baixo, ele responderá: 'Não sei o que é, não sei explicar'. Aí está a amplidão da melancolia".

Estou começando a pegar o jeito desse livro peculiar. A primeira parte consiste nos papéis de A – anotações, ensaios como "O homem mais infeliz", e um diário chamado *O diário do sedutor*, que supostamente teria sido editado por A, mas escrito por outra pessoa chamada Johannes. A é um jovem intelectual vagabundo que sofre de depressão, só que ele chama de melancolia, e faz disso um culto. No *Diário*, Johannes descreve como seduz uma linda moça inocente chamada Cordelia, só para ver se consegue, contrariando as expectativas, e, então, com total falta de sensibilidade, descarta a moça quando atinge o objetivo:

> agora terminou e não quero voltar a vê-la nunca mais...
> Agora toda resistência é impossível, e apenas quando existe é que é lindo de amar; uma vez que se foi, o amor é apenas fraqueza e hábito.

Não fica claro se devemos pensar que *O diário do sedutor* é algo que A encontrou ou que inventou, ou que é na verdade uma confissão disfarçada. O material é fascinante de qualquer maneira, embora não haja sexo ali – digo, nenhum rala e rola. Há bastante sobre sentimentos sexuais. Isto, por exemplo:

> Hoje meus olhos repousaram nela pela primeira vez. Dizem que o sono pode deixar a pálpebra tão pesada que ela se fecha por si só; quem sabe esse meu olhar tenha um efeito parecido. Seus olhos se fecharam e, no entanto, forças obscuras se movimentam dentro dela. Não vê que estou olhando para ela, sente, sente com o corpo inteiro. Seus olhos se fecham e é noite, mas, dentro dela, é plena luz do dia.

Talvez seja assim que Jake atraia as garotas.

A segunda parte de *Ou-Ou* consiste em algumas cartas desmesuradamente longas de B para A, atacando a filosofia de vida de A e impelindo-o a abandonar a melancolia e recompor a vida. B parece ser um advogado ou juiz e tem um casamento feliz. É um pouco pedante, na verdade, mas bem perspicaz. O trecho que acabo de citar sobre a amplidão da melancolia é de sua segunda carta, intitulada "O equilíbrio entre o estético e o ético no desenvolvimento da personalidade", mas o livro como um todo é sobre a *oposição* da estética e da ética. A é o esteta; B, o eticista, se é que a palavra existe. (Sim, existe, acabo de procurar.) A diz: ou/ou, não importa sua escolha, vai se arrepender dela qualquer que seja. "Se casar, vai se arrepender, se não casar, vai se arrepender; se casar ou não casar, vai se arrepender de ambos", e assim por diante. É esse o motivo por que A está tão interessado na sedução (se a sedução de Cordelia foi real ou imaginária, fica claro que A está fascinado pela ideia, o que significa que também estava o velho Søren), porque, para ele, o casamento envolve uma escolha (da qual ele se arrependeria, o que é inevitável), ao passo que a sedução faz outro alguém escolher e o deixa livre. Ao possuir Cordelia, Johannes prova para si mesmo que ela não valia a pena ser possuída e está livre para descartá-la e retornar à sua melancolia. "Minha melancolia é a amante mais fiel que conheço", afirma. "Por que a surpresa então que eu retribua esse amor?"

B diz que você precisa escolher. Escolher é ser ético. Ele defende o casamento. Ataca a melancolia. "A melancolia é pecado, de fato é um pecado tão grande quanto qualquer outro, pois é o pecado de não desejar com profundidade e sinceridade, e essa é a mãe de todos os pecados." Ele é gentil o suficiente para acrescentar: "Fico contente em admitir que a melancolia, em certo sentido, não é um mau sinal, pois via de regra apenas as naturezas mais talentosas são afligidas por ela". Mas B não tem dúvida de que a vida ética é superior à estética. "A pessoa que vive de forma ética se vê, se conhece, permeia sua concretude inteira com essa sua consciência, não permite pensamentos vagos causando rebuliço, nem possibilidades tentadoras para distraí-lo com seus malabarismos... Ele se conhece." Ou ela se conhece. Sally é do tipo ético, enquanto eu sou do tipo esteta – exceto porque acredito no casamento, então a carapuça não serve tão bem. E onde o próprio

Kierkegaard se enquadra? Ele é A ou B, ou ambos, ou nenhum? Está dizendo que é preciso escolher entre a filosofia de A e de B, ou que qualquer um que se escolha vai causar arrependimento? Ler Kierkegaard é como voar por dentro de uma nuvem pesada. De quando em quando há uma brecha, e você entrevê o chão bem iluminado, e então está de volta ao turbilhão da névoa cinza de novo, sem a porra de uma noção de onde se encontra.

Segunda à noite. Segundo a enciclopédia que acabo de consultar, Kierkegaard chegou a pensar que a estética e a ética são apenas estágios no caminho da iluminação completa, que é "religiosa". O ético parece ser superior ao esteta, mas no final se revela não sendo fundamentado em nada mais substancial. Então precisa se submeter à piedade divina. Não gosto muito do som disso. Mas, ao fazer esse "salto", o homem "finalmente escolhe a si". Uma frase pungente e tentadora: como alguém pode escolher a si mesmo quando já o é? Parece bobagem, no entanto tenho um palpite do que possa significar.

Sally assinalou que continua furiosa comigo ao se recusar a assistir a *O pessoal da casa ao lado* hoje, alegando que estava ocupada demais. É um ritual nosso de segunda-feira à noite, quando o programa passa na tevê, nos sentarmos às nove horas e assistirmos juntos. É engraçado, mas não importa o quão familiarizado você esteja com um programa de televisão antes de ele ir ao ar, tendo escrito o roteiro, visto os ensaios, assistido à gravação e visto uma fita em VHS do produto final editado, é sempre diferente quando o vê de fato sendo transmitido. Saber que milhões de outras pessoas estão assistindo ao mesmo tempo e *pela primeira vez* transforma o resultado um pouco. É tarde demais para alterar ou impedir, e isso confere uma emoção à experiência. É uma tênue réplica do que ocorre no teatro, quando você apresenta o espetáculo diante de uma plateia pela primeira vez. Todas as segundas à noite, quando o último comercial antes do programa congela e desaparece gradualmente da tela e a música tema conhecida começa com a sequência de abertura, sinto meu pulso acelerar. E, o que é absurdo, me pego torcendo pelo elenco como se eles estivessem encenando ao vivo, mentalmente estimulando-os a tirarem o máximo proveito das piadas, nas falas e olhares, embora, em termos racionais, saiba que tudo, cada sílaba e pausa, cada nuance de voz e gesto, e a resposta da plateia do estúdio, já está fixo e inalterável.

Sally desistiu de ler meus rascunhos de roteiros anos atrás – ou quem sabe fui eu quem desistiu de mostrá-los: talvez seja seis de um e meia dúzia do outro. Ela nunca gostou muito do conceito básico de *O pessoal da casa ao lado* e não achava que fosse pegar. Quando correu tudo bem e foi um sucesso, ficou contente, claro, por mim, e pelos cheques de dinheiro que começaram a jorrar na caixa de correio como se houvéssemos encontrado petróleo no quintal. Mas, como é típico dela, não abalou nem um pouco a confiança que tinha no próprio julgamento. Então começou a trabalhar tanto em seu emprego que não tinha mais tempo nem energia para gastar lendo os roteiros, e parei de incomodá-la com isso. Na verdade é mais útil para mim que ela assista aos programas sem saber o que vem a seguir. Isso me dá uma ideia de como os outros 12.999.999 telespectadores estão reagindo, se multiplicar a apreciação dela por um fator em torno de oito. Quando Sally dá uma risadinha, pode apostar que as pessoas estão caindo das poltronas e fazendo xixi nas calças por todo o país. Mas hoje precisei acompanhar o programa em silêncio sorumbático, sozinho.

....

Terça-feira à tarde, 2 de março. Tive Alexandra hoje. Ela estava resfriada e com o nariz entupido, que passou o tempo todo assoando de maneira ineficaz, como alguém que está aprendendo a tocar corneta. "Desculpe-me por mencionar", falei, "mas vai causar problemas nos sínus ao assoar o nariz dessa forma. Tive uma professora de ioga uma vez que me mostrou como limpar o nariz, uma narina por vez." Demonstrei, pressionando um dedo na lateral do meu focinho, e então contra a outra. Alexandra deu um meio sorriso e agradeceu pelo conselho. É a única coisa da ioga que de fato levei comigo. Como assoar o nariz.

Alexandra perguntou como passei a última semana. Contei sobre a comoção quanto ao futuro de *O pessoal da casa ao lado*. Ela perguntou o que eu pretendia fazer. "Não sei", respondi. "Só sei que, não importa o que eu faça, vou me arrepender. Se tirar Priscilla do script, vou me arrepender, se deixar que outro o faça, vou me arrepender. Ando lendo Kierkegaard", acrescentei, pensando que Alexandra ficaria impressionada, mas ela não respondeu. Talvez ela não tenha escutado: assoou o nariz justo quando eu disse "Kierkegaard".

– Você está prejulgando a questão – ela disse. – Está armando para que fracasse.

– Estou apenas encarando os fatos – aleguei. – Minha indecisão não tem volta, como dizem. Veja por exemplo meu último final de semana – contei do meu vacilo sobre acompanhar a gravação.

– Mas você, no fim, bancou uma decisão – Alexandra observou. – Foi até o estúdio. Está arrependido?

– Sim, porque me criou problemas com Sally.

– Você não sabia na hora que ela havia convidado os vizinhos.

– Não, mas deveria ter escutado quando ela me falou. E, de todo modo, sabia que ela desaprovaria minha ida ao estúdio por outros motivos, como as condições das estradas; foi por isso que saí correndo de casa antes que ela tivesse a chance de me dissuadir. *Se* eu houvesse dado a chance, teria finalmente recebido o recado de que os Webster iriam nos visitar.

– E, nesse caso, você teria ficado?

– Lógico.

– E é isso que gostaria que tivesse acontecido?

Pensei por um momento.

– Não – afirmei.

Nós dois rimos, com certo desespero.

Estou realmente desesperado? Não, nada tão dramático assim. Mais parecido com o que B chama de dúvida. Ele faz uma distinção entre a dúvida e o desespero. O desespero é melhor porque ao menos envolve uma escolha. "Então escolha o desespero, já que o desespero em si é uma escolha, pois é possível duvidar sem escolher, mas é impossível se desesperar sem escolher fazê-lo. E quando alguém se desespera, escolhe de novo, e o que escolhe? Escolhe a si mesmo, não em sua urgência, não como esse indivíduo contingente, a pessoa escolhe a si mesma em sua eterna validez." Soa impressionante, mas é possível escolher o desespero e não querer melhorar? Poderia apenas aceitar o desespero, morar nele, ser orgulhoso dele, se alegrar nele?

B diz haver uma coisa em que concorda com A: que, se você for um poeta, está fadado a ser miserável, porque "a existência poética como tal consiste na obscuridade que resulta do desespero que não é levado até o fim, da alma tremendo constantemente de desespero e do espírito incapaz de atingir sua verdadeira transparência". Então parece que você pode estar tremendo de desespero sem haver de fato optado por fazer isso. Será esse meu estado? Isso se aplica à existência de um roteirista tão bem como à do poeta?

O poeta Philip Larkin conhecia bem essa classe de desespero. Acabo de pesquisar "Sr. Bleaney":

> Mas se parasse e observasse o vento frígido
> Desgrenhando as nuvens, deitado à cama sufocante
> Dizendo a si mesmo que estava em casa, o sorriso nítido
> E, sem o temor dissipar, ficasse tremulante
>
> Que o modo que vivemos mede nossa natureza,
> E em sua idade já sem mais o que mostrar
> Além de um caixote alugado que lhe dava a certeza,
> Eu não sei, de que nada mais ele podia atestar.

Está tudo ali: "Tremulante... Temor... Eu não sei".

O que me fez lembrar de Larkin foi uma notícia no jornal de hoje, de que a biografia ainda não publicada, preparada por Andrew Motion, vai mostrá-lo de um ângulo ainda pior que a recente edição de suas cartas. Não li as *Cartas* e nem quero. Também não quero ler a nova biografia. Larkin é meu poeta moderno favorito (talvez o único que consigo entender, na realidade) e não quero que o prazer de lê-lo seja arruinado. Tudo indica que ele concluía conversas telefônicas com Kingsley Amis dizendo "Foda-se a Oxfam". Claro, há coisas piores do que dizer "Foda-se a Oxfam", como, por exemplo, ter um papel ativo, como aqueles atiradores na Somália que afanam a ajuda humanitária destinada às mulheres e crianças morrendo de fome, mas, mesmo assim, para que dizer uma coisa idiota dessas? Puxei meu talão de cheques de caridade e mandei cinquenta pratas para a OXFAM. Fiz isso por Philip Larkin. Como Maureen costumava coletar indulgências e creditá-las a seu falecido avô. Ela me explicou um dia tudo sobre o purgatório e a punição temporária – as coisas mais estúpidas que já se ouviu na vida. Maureen Kavanagh. Fico imaginando que fim ela levou. Por onde será que ela anda.

....

Quarta-feira, 3 de março, tarde da noite. Conheci o posseiro da entrada hoje à noite. Foi assim que aconteceu.

Amy e eu fomos assistir a *Um inspetor está lá fora* no National. Uma produção brilhante em um cenário surrealista lindíssimo, encenada sem intervalo, como um sonho do qual a gente se lembra perfeitamente. Nunca avaliei uma obra de Priestley antes, mas esta noite ele parecia tão bom quanto um Sófocles. Até Amy ficou comovida – não tentou alterar o elenco da peça uma vez durante o jantar. Comemos no Ovations, uma seleção de entradas – são sempre melhores do que os pratos principais. Amy comeu duas, e eu escolhi três. E dividimos uma garrafa de Sancerre. Tínhamos muito para conversar além da peça: meus problemas com a Heartland e a última crise de Amy com Zelda. Amy encontrou uma pílula no bolso da blusa do uniforme de Zelda quando estava pondo as roupas para lavar e ficou com medo que fosse ou ecstasy ou um anticoncepcional. Não conseguia decidir o que seria pior, mas não ousou perguntar à menina por medo de ser acusada de espionar a filha. Fisgou a pílula, lacrada dentro de um envelope, de dentro de sua imensa bolsa, que, de tão grande, parece uma bexiga a ponto de explodir, e depositou no meu prato auxiliar para inspeção. Falei que parecia um comprimido de Amplex e me ofereci para chupar e conferir. Fiz isso, e era. Amy ficou imensamente aliviada de início. Então disse, franzindo a testa: "Por que ela está preocupada com mau hálito? Deve estar beijando os meninos". Propus: "E você não estava, na idade dela?". Respondeu: "Sim, mas não com a língua de um enfiada quase na garganta do outro como fazem agora". "Nós costumávamos", declarei, "chamava-se de beijo de língua." "Bem, você pode pegar AIDS disso hoje em dia", disse Amy. Falei que achava que não era possível, embora eu não saiba de fato.

Então contei sobre a cláusula catorze. Ela disse que era ultrajante e deveria demitir Jake e pedir que a Associação dos Escritores contestasse o contrato. Afirmei que trocar de agente não resolveria o problema e que o advogado de Jake há havia verificado o contrato e era irrefutável. Amy disse: "*Merde*". Debatemos várias ideias para tirar Priscilla da série, o que foi ficando cada vez mais jocoso à medida que o nível do vinho descia na garrafa: Priscilla é requisitada por um marido anterior, que ela supunha estar morto e cuja existência omitira de Edward quando se casaram; Priscilla faz uma operação de mudança de sexo; Priscilla é abduzida por alienígenas do espaço sideral... Ainda acho que a melhor solução é Priscilla morrer no último episódio da temporada atual, mas Amy não se surpreendeu que Ollie e Hal desaprovassem. "Não a morte, querido, *qualquer coisa*, menos a morte." Falei que era uma reação um pouco forte. "Oh Deus, você está parecendo Karl", ela disse.

O comentário me ofereceu um raro vislumbre do que se passa entre Amy e seu analista. Em geral ela é bastante misteriosa sobre a relação dos dois. Tudo que sei é que ela vai ao consultório todos os dias da semana pela manhã, as nove em ponto, ele chega na sala de espera e diz bom dia, e ela o segue para dentro da sala dele e se deita no divã, ele senta atrás, e ela fala por cinquenta minutos. Não deve chegar com um tópico preparado, mas dizer aquilo que lhe vem à cabeça. Uma vez perguntei a Amy o que aconteceria se nada que valesse a pena viesse à sua cabeça, e ela respondeu que ficaria em silêncio. Aparentemente, ela poderia, em teoria, permanecer em silêncio completo pelos cinquenta minutos inteiros, e Karl ainda cobraria seus honorários; embora, Amy sendo Amy, isso nunca de fato tenha acontecido.

    Era por volta das onze quando saímos do teatro. Pus Amy em um táxi e caminhei para casa para exercitar a velha junta do joelho. Roland disse que eu deveria caminhar pelo menos meia hora todos os dias. Sempre gosto de cruzar a ponte Waterloo, ainda mais à noite, com os prédios todos iluminados: o Big Ben e o Palácio de Westminster a oeste, a cúpula de St. Paul e as cúspides afiadas de outras igrejas de Sir Christopher Wren a leste, com a luz vermelha no topo de Canary Wharf piscando no horizonte. Londres ainda causa a sensação de ser uma grande cidade, vista de Waterloo Bridge. A desilusão se instala quando você entra na Strand e descobre que todas as entradas das lojas contam com ocupantes acolchoados, como as múmias de um museu.

    Não me ocorreu que meu próprio camarada fosse estar em seu posto, talvez porque sempre o tenha visto de dentro do apartamento, na tela do interfone, bem depois da meia-noite. Estava sentado apoiado contra a parede da entrada, com as pernas e a parte baixa do tronco dentro de seu saco de dormir, fumando um cigarro de enrolar. Falei: "Ei, fora, você não pode dormir aqui". Ele me olhou, tirando uma longa madeixa de cabelo avermelhado e liso do rosto. Diria que ele tem em torno de dezessete anos. É difícil saber. Apresentava uma nódoa fraca de cerdas avermelhadas no queixo. "Não estava dormindo", ele disse.

– Já te vi dormindo aqui antes – falei. – Cai fora.

– Por quê? – perguntou. – Não estou prejudicando em nada – encolheu as pernas dentro do saco de dormir, para abrir espaço para eu passar sem pisar por cima dele.

– É propriedade particular – falei.

– Propriedade é roubo – ele afirmou com um sorriso meio espertalhão, como se estivesse me testando.

– Ai – falei, encobrindo minha surpresa com sarcasmo –, um vagabundo marxista. Que mais falta inventar?

– Não foi Marx – ele disse –, foi *proud one* – ou pelo menos foi isso que ele pareceu ter dito.

– Como assim *proud one*, um orgulhoso? – perguntei.

Seus olhos pareceram sair de foco por um instante, e ele balançou a cabeça de um jeito obstinado.

– Não sei, mas não foi Marx. Fui pesquisar uma vez.

– *Alguma coisa errada, sir?*

Dei meia-volta. Macacos me mordam se não era um par de tiras parados ali. Eles se materializaram como em resposta a uma prece sequer enunciada. Exceto que eu não queria eles ali agora, ou não ainda. Não naquele exato instante. Fiquei surpreso com minha estranha relutância em entregar o rapaz para o poder da lei. Não suponho que teriam feito mais do que o enxotar dali, mas não tive tempo de organizar isso na minha cabeça. Precisei decidir em uma fração de segundo. "Está tudo bem, policial", disse para o homem que falara comigo. "Conheço esse jovem." O rapaz, nesse meio-tempo, já se pusera de pé e estava enrolando apressado o saco de dormir.

– O senhor mora aqui, sir? – perguntou o policial.

Apresentei minhas chaves em uma demonstração muito ansiosa de propriedade. O rádio preso ao peito do outro oficial começou a grasnar e crepitar com alguma mensagem sobre o disparo de um alarme de furto em Lisle Street, e, depois de mais algumas palavras comigo, os dois foram embora andando no mesmo passo.

– Obrigado – falou o rapaz.

Olhei para ele, já arrependido da decisão. ("Se você o dedura, vai se arrepender, se não dedura, vai se arrepender, dedurando ou não, vai se arrepender de ambos...") Fiquei muito tentado a mandá-lo se catar de uma vez, mas, olhando adiante na rua, vi os dois tiras me espiando da esquina seguinte. "Suponho que seria melhor você entrar por alguns minutos", falei.

Ele me olhou desconfiado por debaixo da franja.

– Você não é pederasta, é? – perguntou.

– Deus meu, não – respondi.

Enquanto subíamos pelo elevador, entendi por que não tirara vantagem do surgimento milagroso dos dois policiais para me livrar dele. Foi aquela frasezinha, "*fui pesquisar uma vez*", que me deixou um pouco desnorteado na hora e me jogou para o lado dele. Mais um que pesquisa coisas. Era como se eu houvesse encontrado na minha soleira uma versão mais jovem e menos privilegiada de mim mesmo.

– Bacana – exclamou com aprovação, quando o convidei para entrar no apartamento e acendi as luzes. Ele foi até a janela e olhou para a rua lá embaixo. – Uau – disse. – Mal dá para escutar o barulho do trânsito.

– São vidraças duplas – expliquei. – Olha, só te chamei aqui para evitar que a polícia te incomodasse. Posso oferecer uma xícara de chá, se quiser...

– Tá – disse, logo se sentando no sofá.

– Vou servir uma xícara de chá, mas é só, está entendendo? Então você toma seu rumo, e não quero ver você de novo aqui nunca mais. Entendido?

Ele assentiu, de modo bem menos enfático do que eu queria, e puxou uma lata de fumo de enrolar do bolso.

– E preferiria que não fumasse, se não se importar – falei.

Ele suspirou, deu de ombros e guardou a lata de volta no bolso da parca. Vestia o kit completo dos jovens andarilhos do West End: parca acolchoada, jeans azuis, Doc Martens, mais um cachecol de tricô amarelado encardido, nojento e tão comprido que batia nos tornozelos.

– Se importa se tirar isso? – disse já se desvencilhando da parca sem esperar minha permissão. – Está mais quente do que estou acostumado – sem o preenchimento artificial da parca, ele parecia magro e frágil em uma camiseta puída com os cotovelos de fora. – Não usa muito esse lugar, usa? – perguntou. – Onde mora no resto da semana? – eu contei. – Ah, sei, mais para o norte, né não? – falou vagamente. – Pra que precisa de duas casas?

A curiosidade dele me deixou desconfortável. Para cortar o fluxo das perguntas, eu mesmo fui fazendo algumas. Seu nome é Grahame – com um "e" no final, ele me informou, como se esse sufixo mudo fosse uma distinção rara e aristocrática. Ele é de Dagenham e tem o tipo de histórico esperado: uma família desfeita, pai ausente, mãe que bebe, falta de assiduidade na escola, encrencou-se com a lei aos doze anos, levado para custódia, mandado para um lar temporário, fugiu de lá, foi mandado para uma instituição, fugiu de lá, subiu para o oeste, como ele chama o West End, atraído pelas luzes brilhantes. Vive de esmolas e um bico ocasional distribuindo filipetas em Leicester Square ou lavando carros em uma garagem do Soho. Perguntei por que não tentava conseguir um trabalho fixo, e respondeu com solenidade: "Valorizo minha liberdade". É uma mistura esquisita de ingenuidade e sofisticação da malandragem de rua, com apenas meia educação, mas com algumas pérolas surpreendentes de informação enterradas naquela metade. Viu o exemplar de *A repetição* de Kierkegaard, que eu comprei de segunda mão em Charing Cross Road hoje, e apanhou, franzindo o cenho ao olhar a lombada. "Kierkegaard", falou, "o primeiro existencialista." Caí na risada de puro assombro. "E o que você sabe sobre existencialismo?", perguntei. "A existência precede a essência", foi dizendo, como se recitasse o começo de uma rima infantil. Ele não estava lendo na orelha, porque o livro não tinha uma. Acho que é uma dessas pessoas que têm memória fotográfica. Vê as frases em algum lugar e as memoriza sem ter a menor noção do que significam. Mas era assombroso que seu olhar houvesse chegado a pousar nelas. Perguntei onde ele topara com o nome Kierkegaard antes, e respondeu que na biblioteca. "Reparei", explicou, "por causa da grafia engraçada. Os dois 'a's. Como um '*Aarghhhh!*' de uma revista em quadrinhos." Ele passa bastante tempo na Westminster Reference Library, perto de Leicester Square, folheando enciclopédias. "Se entrar só pelo aquecimento, eles te expulsam depois de um tempo", afirmou. "Mas não podem fazer isso se estiver lendo os livros."

Quanto mais longe ia a conversa, mais difícil ficava encerrar o papo e devolvê-lo ao frio da rua. "Onde vai dormir hoje?", perguntei. "Sei lá", respondeu. "Não posso dormir ali embaixo?" "Não", respondi com firmeza. Ele suspirou. "Pena, é uma entradinha bacana. Limpa. Não pega vento. Imagino que vou achar outro lugar."

– Quanto custa a cama mais barata por essas bandas? – perguntei.

Ele me lançou um olhar calculista.
– Quinze pratas.
– Não acredito.
– Não estou falando de um abrigo – ele disse com certa indignação. – Não estou falando do Exército da Salvação. Prefiro dormir na calçada do que em um desses lugares, com velhos imundos tossindo e peidando a noite inteira e mexendo com a gente nos banheiros.

No fim, dei quinze libras para ele e o acompanhei até a saída do prédio. Na porta, me agradeceu com ar indiferente, levantou a gola e se mandou na direção de Trafalgar Square. Duvido muito que tenha torrado essa sorte em um quarto para passar a noite – isso lhe garantiria comida e tabaco por dois ou três dias –, mas minha consciência estava aliviada. Ou será que não?

Quando estava indo me deitar, me ocorreu tentar resolver o mistério do tal "orgulhoso" consultando o dicionário que guardo no apartamento, que contém nomes de pessoas famosas junto com os vocábulos, e dito e feito: lá estava, embora eu nunca tenha ouvido falar nele antes: "*Proudhon, Pierre Joseph. 1809-1865, socialista francês, cujo folheto* O que é a propriedade? *(1840) declarava que a propriedade é um roubo*". Que tal essa?

....

Singelas anedotas do British Rail nº 167
(por "Intercidadão")

Durante alguns meses, a escada rolante entre o desembarque dos táxis embaixo da estação Euston e a asa principal esteve fora de combate. Antes disso, sofreu reparos intermitentes. Grandes tapumes de compensado eram instalados ao redor dela, às vezes por semanas, e os passageiros, ou "clientes", como a British Rail se refere a nós hoje em dia, lutando para subir pela escada de emergência com bagagem, bebês, cadeiras de roda, velhinhos e parentes enfermos etc., ouviam as batidas e os ruídos dos serralheiros brigando com os intestinos constipados da máquina do outro lado dessa barricada. Então, removiam os tapumes, a escada rolante voltava a rodar por poucos dias e estragava de novo. Ultimamente, tem sido deixada nesse estado, acometida em meio a um ciclo, sem qualquer esforço aparente sendo feito para consertá-la. Com o típico estoicismo britânico, os passageiros se acostumaram a usá-la como se fosse uma escadaria comum sólida, embora os degraus sejam de uma altura desconfortável para esse fim. Há um elevador em algum lugar, mas, para usá-lo, é preciso estar com um carregador, e não se encontra nem um no desembarque dos táxis.

Recentemente, um aviso impresso surgiu ao pé da máquina paralisada:

Boas notícias
Uma nova escada rolante para Euston

Lamentamos que esta escada rolante esteja inutilizada. Está expirada de vida [*sic*]. Um pedido foi feito para o fabricante e instalação de uma nova. A obra será completada e estará pronta para uso em agosto de 1993.
Administração de Vendas Intercidades

Quinta-feira à noite, 4 de março.
Almocei hoje com Jake no Groucho. Demos cabo de duas garrafas de Beaujolais Villages que aproveitei no momento, mas me arrependi depois. Fui direto a Euston de táxi e, com tempo de sobra, copiei o aviso ao pé da escada rolante quebrada, balançando um pouco sobre os pés e rindo sozinho, atraindo olhares curiosos dos passageiros enquanto passavam correndo e se jogavam no alto percurso de aço. "*Está expirada de vida*". Gosto disso. Poderia ser um novo slogan da British Rail à medida que a privatização se aproxima, em vez de "*Estamos chegando lá*".

Adormeci no trem e acordei me sentindo um trapo bem na hora em que estava saindo da estação Rummidge Expo. Enxerguei o ricomóvel no estacionamento, com sua pintura perolada embranquecida pelas luzes fortes. Precisei esperar meia hora em

Rummidge Central para apanhar um trem de volta e vagabundeei por um tempo na ala comercial acima da estação. A maior parte das vitrines estava tomada de avisos de LIQUIDAÇÃO ou expunha interiores desnudos e empoeirados, verdadeiras cascas ocas de lojas liquidadas. Comprei um jornal da noite. "MAJOR DECIDE ACERTAR OPOSITORES", dizia uma manchete. "900.000 TRABALHADORES DO COLARINHO BRANCO DESEMPREGADOS", dizia outra. Uma música ambiente tocava tranquila, vindo pelas caixas de som escondidas.

Desço às trevas subterrâneas das plataformas para tomar meu trem. Estão avisando que está atrasado. Os passageiros esperam sentados, encolhidos com as mãos nos bolsos, sobre os bancos de madeira, a respiração condensando no ar frio e úmido, olhando ávidos para os trilhos na boca do túnel onde brilha uma luz de sinalização vermelha. Uma voz adenoidal pede desculpas pelo atraso, "que se deve a dificuldades operacionais". Está expirada de vida.

Jake encontrou-se com Samantha na terça-feira. "Garota esperta", ele disse. "Obrigado por mandá-la para mim." "Não mandei", falei. "Apenas a adverti sobre sua moral deplorável." Ele riu. "Não se preocupe, meu garoto, ela não faz meu tipo. Não tem tornozelos, já reparou?" "Não posso dizer que notei", comentei. "Nunca desci muito o olhar." "As pernas são muito importantes para mim", disse Jake. "Veja a bela Linda, por exemplo." Ele discorreu por alguns minutos sobre o assunto das pernas de sua nova secretária, que raspam ao se transpassarem, como as lâminas de uma tesoura, envoltas em meias de náilon pretas embaixo daquela saia minúscula quando ela entra e sai do escritório dele. "Preciso ter essa mulher", declarou. "É só uma questão de tempo." Estávamos já enfiados na segunda garrafa a essa altura. Perguntei se ele não sentia às vezes uma pontada de culpa de ser tão mulherengo.

> JAKE: Mas é claro. Essa é a questão. Essa é a atração. A atração do proibido. Escute, vou lhe contar uma história. (JAKE *enche o copo de* TUBBY *e depois seu próprio.*)

Aconteceu no verão passado. Estava sentado no jardim um domingo à tarde, folheando jornais – Rhoda estava lá dentro, fazendo alguma coisa na cozinha –, e as crianças da casa ao lado estavam brincando no quintal delas, em uma daquelas piscinas infláveis. Era um dia quente. Eles estavam com alguns amigos ou parentes visitando, então havia dois meninos e duas meninas de mais ou menos a mesma idade, entre quatro e seis anos, imagino. Eu não podia ver por causa da cerca viva, mas podia ouvi-los bem. Sabe como a água deixa as crianças atiçadas – faz com que fiquem ainda mais barulhentas que de costume. Havia muita gritaria, berros e barulho de água vindo dos vizinhos. Fiquei um pouco irritado com aquilo na verdade. Não tivemos muitos finais de semana no verão passado quando estava quente o suficiente para se sentar no jardim, e ali estava meu precioso sabá sendo arruinado. Então me ergui da espreguiçadeira e fui até a cerca com a intenção de perguntar se podiam baixar o volume um pouco. Quando me aproximei, escutei uma das menininhas dizendo, óbvio que para um dos menininhos: "Você não pode baixar nossas calcinhas". Ela falou em um tom muito claro, elegante, como uma Samantha juvenil descrevendo uma regra do *croquet*. "Você não pode baixar nossas calcinhas." Bem, eu só me abaixei. Precisei enfiar a mão na boca para conter uma risada. O comentário da criança era totalmente inocente de significado sexual, claro. Mas, para mim, resumiu a história toda. O mundo está cheio de mulheres desejáveis e você não tem permissão para baixar suas calcinhas – a menos que seja casado com elas, e então não tem graça. Mas às vezes damos sorte e elas nos deixam. É sempre a mesma coisa, embaixo das calcinhas, claro. O mesmo buraco de sempre, digo. Mas também é sempre diferente, por causa das calcinhas. "Você não pode baixar nossas calcinhas." Isso resume tudo. (JAKE *esvazia o copo*.)

....

Sexta-feira, 5 de março. Rumo à Clínica do Bem-Estar esta tarde, para a sessão de acupuntura. (Cantando, à melodia inicial de

"Jealousy": "*Terapia! Só faço terapia! Não está terminando, sem falar no que estou gastando...*") Na realidade, me sinto mais positivo esta noite do que ultimamente, mas não sei se é por causa da acupuntura ou porque não bebi nada. A srta. Wu fez o trabalho dela com calor hoje em vez das agulhas usuais. Ela aplica pequenos grânulos de algo que parece incenso na minha pele, nos pontos de pressão, e aplica uma vela acesa sobre eles, um por vez. Eles brilham vermelhos e quentes como brasas, largando faíscas de fumaça um pouco perfumada. Me senti um incenso humano. A ideia é que, à medida que os grânulos queimam, o calor aumente e produza um efeito como o do estímulo da agulha, mas ela precisa retirá-los com uma pinça antes que me queimem de fato. Preciso avisar com precisão quando a sensação de calor se torna dolorosa, de outro modo o cheiro da carne chamuscada se mistura ao cheiro do incenso. É bem emocionante.

A srta. Wu me perguntou sobre a família. Fiquei levemente envergonhado ao descobrir que não tinha nada de novo para contar desde minha última visita. Tenho uma vaga memória de Sally ter falado com Jane ao telefone uns dias atrás e repassado algumas novidades para mim, mas não absorvi na hora, e estava envergonhado demais para perguntar a Sally o que era, porque ela ainda estava puta comigo pelo desapontamento com os Webster. Receio que tenha andado um pouco preocupado ultimamente. Ando lendo muito Kierkegaard e uma biografia dele por Walter Lowrie. Escrever esse diário toma bastante tempo também. Não sei por quanto tempo ainda vou conseguir manter este ritmo – estou impressionado pelo volume de texto que já tenho. Os diários de Kierkegaard completos, em formato não editado, chegam a dez mil páginas, aparentemente. Comprei uma seleção deles em uma edição estilo brochura na Charing Cross Road. Há uma passagem logo no começo quando ele vai consultar o médico que me deixou em alas. Kierkegaard perguntou ao médico se pensava que sua melancolia poderia ser vencida pela força de vontade. O médico disse que duvidava e que talvez fosse perigoso até tentar. Kierkegaard se resignou a viver com a depressão:

A partir daquele instante minha escolha se fez. Aquela malformação penosa com seus sofrimentos assistentes (o que, sem dúvida, teria levado muitos outros a cometerem suicídio se lhes restasse espírito suficiente para compreender a miséria absoluta daquela tortura) é o que tenho considerado como o espinho na carne, minha limitação, minha cruz...

O espinho na carne! Que tal essa?

Søren Kierkegaard. Só o nome na capa já tem um efeito cativante peculiar. É tão estranho, com aspecto tão extravagante e estrangeiro para um olhar inglês – quase extraterrestre. Aquele *o* esquisito atravessado com a barra, como o sinal de zero em uma tela de computador – podia pertencer a uma linguagem sintética inventada por um escritor de ficção científica. E o duplo *aa* no sobrenome é quase tão exótico quanto. Não há palavras nativas do inglês com dois *a*'s consecutivos, acho, nem muitas palavras emprestadas também. Sempre me irritei com os nerds que punham pequenos anúncios nos classificados iniciando com uma fileira sem sentido de A's, só para garantirem uma pole position na coluna, como: "*AAAA Escort à venda, D Reg., 80 mil km, £3.000 ou melhor oferta*". É trapaça. Deveria existir uma regra contra isso, então as pessoas teriam de usar um pouco de criatividade. Acabei de consultar a primeira página do dicionário: *aa, aardvark, Aarhus,... Aa* é uma palavra havaiana para um certo tipo de pedra vulcânica, e um *aardvark* é um mamífero noturno que se alimenta de cupins – o nome vem de um africânder obsoleto, diz ali. "*Aardvark-pardo, Escort à venda*" seria um anúncio bem chamativo. (Presumo que à noite todos os aardvarks sejam pardos.)

Uma vez que se abra um dicionário para uma pesquisa, nunca se sabe onde isso vai dar. Percebi que *Aarhus*, o nome de um porto na Dinamarca, recebeu a grafia alternativa de *Århus*. Uma pesquisa adicional revelou que essa é a forma usual de grafar o duplo *aa* em dinamarquês moderno, um único *a*, com um pequeno círculo em cima. Então, se Kierkegaard fosse vivo hoje, ele escreveria seu nome como Kierkegård. Mais perturbadora ainda é a descoberta de que por todo esse tempo estive pronunciando errado o nome. Pensei que fosse algo como Sor'n Key-erk-er-guard. De modo algum. Aparentemente, o *o* se pronuncia como o *eu* em *deux* do francês, o *Kierk* se pronuncia *Kirg* com um *g* duro, o *aa* soa como *awe* em inglês, e o *d* é mudo. Então o nome soa parecido com Seuren Kirgegor. Acho que vou me ater à pronúncia em inglês.

O *a* com o círculo em cima me lembra de alguma coisa, mas não consigo de jeito nenhum recordar o que é. Frustrante. Vai me ocorrer um dia, quando eu não estiver me esforçando.

Também andei lendo *A repetição*, com o subtítulo de *Um ensaio em psicologia experimental.* Um livro incomum. Bem, são todos livros incomuns. Cada um é diferente do outro, mas os mesmos temas e obsessões seguem emergindo: galanteio, sedução, indecisão, culpa, depressão, desespero. *A repetição* tem outro autor de faz de conta, Constantine Constantius, que é amigo e confidente de um jovem sem nome, e *ele* é um pouco como A em *Ou-ou*. O jovem rapaz se apaixona pela moça que corresponde aos sentimentos e os dois ficam noivos. Porém, em vez de ficar feliz com essa situação, o tipo mergulha imediatamente na mais profunda depressão (Constantius chama de "melancolia", como Kierkegaard em seus *Diários*). O que dispara essa reação é um fragmento de verso (o rapaz tem ele próprio ambições de se tornar poeta) que ele se pega repetindo uma e outra vez:

> À minha poltrona chega um sonho
> Vindo da primavera da juventude
> Um intenso desejo
> Por ti, ó sol entre as mulheres.

O rapaz é um caso clássico de homem mais infeliz. Em vez de viver no presente, apreciando seu noivado, ele se lembra do futuro; ou seja, imagina a si mesmo contemplando o passado de seu amor de juventude do ponto de vista de uma desiludida idade avançada, como o narrador do poema, e então parece não haver sentido em se casar. "Estava apaixonado, profunda e sinceramente apaixonado, isso era evidente – e ainda assim, de um só golpe, nos primeiros dias de seu noivado, era capaz de relembrar esse amor. Em termos substanciais, já havia concluído o relacionamento inteiro. Antes de começar, deu um passo amplo tão terrível que passou por cima de uma vida inteira." É um jeito maravilhosamente esdrúxulo e, no entanto, totalmente plausível de se furtar da felicidade. Constantius resume: "Deseja a moça e precisa se conter, à força, para não passar o dia inteiro em volta dela, mas, contudo, no primeiro instante, torna-se um velho no que diz respeito ao relacionamento inteiro... Que fosse tornar-se infeliz estava claro o suficiente, e que a moça fosse ficar infeliz não é menos nítido". Ele decide que, para o bem da moça, precisa romper o noivado. Mas como pode fazer isso sem fazê-la se sentir rejeitada?

Constantius o aconselha a fingir ter uma amante – colocar uma moça em um apartamento e fazer toda a encenação de visitá-la –, de modo que a noiva passe a desprezá-lo e queira romper, ela própria, o noivado. O rapaz aceita o conselho, mas no último momento não tem coragem de levar a cabo e simplesmente desaparece de Copenhague. Depois de um intervalo, começa a escrever cartas a Constantius, analisando sua conduta e seus sentimentos em relação à garota. Ainda está completamente obcecado por ela, evidente. Tornou-se um infeliz recordador. "O que estou fazendo agora? Começo tudo de novo do começo e pela ponta errada. Afasto todos os lembretes externos da história toda, no entanto minha alma, dia e noite, acordado e dormindo, está ocupada por isso sem cessar." Ele se identifica com Jó. (Fui procurar Jó na Bíblia. Nunca havia de fato lido o Livro de Jó antes. É surpreendente em sua legibilidade – brilhante, na real.) Como Jó, o rapaz chora sua condição miserável ("Minha vida chegou a um impasse, abomino a existência, não tem sabor, faltando sal e sentido"), mas, enquanto Jó culpa Deus, o rapaz não acredita em Deus, então não tem certeza de quem é a culpa: "Como fui me interessar por essa empreitada que chamam realidade? Por que deveria me interessar por ela? Não é uma preocupação voluntária? E, se sou obrigado a tomar parte, onde está o diretor?". O rapaz anseia por um súbito evento transformador ou uma revelação, uma "tempestade", como aquela que chega ao final do Livro de Jó, quando Deus de fato acaba com Jó e diz algo assim: "Você é capaz daquilo de que sou capaz? Se não, aperte o cinto", e Jó se submete, e Deus o recompensa ao lhe dar o dobro de ovelhas e camelos e jumentas do que ele possuía antes. "Jó foi abençoado e recebeu tudo em dobro", diz o rapaz. "Isso é o que se chama de repetição." Então lê em um jornal que a moça se casou com outra pessoa e escreve para Constantius dizendo que a notícia o libertou de sua obsessão: "Sou novamente eu mesmo... A discórdia de minha natureza está resolvida, estou de novo unificado... não se trata então de uma repetição? Não recebi tudo restaurado em dobro? Não recuperei a mim mesmo, precisamente de tal forma que devo sentir em dobro seu significado?" Sua última carta termina com um agradecimento arrebatador à garota e uma dedicação extasiada de si mesmo para a vida da mente:

> ...primeiro uma libação a ela que salvou uma alma situada na solitude do desespero. Salve a magnanimidade feminina! Vida longa ao voo alto do pensamento, ao perigo moral a serviço do ideal! Salve o perigo da batalha! Salve a exultação solene da vitória! Salve a dança no vórtice do infinito! Salve a onda quebrando que me cobre no abismo! Salve a onda quebrando que me arremessa para acima das estrelas!

Agora, quem conhece alguma coisa da vida de Kierkegaard, e conheço um pouquinho agora, não precisa que lhe digam que essa história se aproxima muito da própria experiência dele. Assim que noivou com Regine, passou a duvidar se poderiam um dia ser felizes juntos, por causa do temperamento dele. Então rompeu o noivado, mesmo que continuasse apaixonado pela moça, e ela ainda estava apaixonada por ele e implorou para que não rompesse, e o pai dela também o fez. Kierkegaard foi embora para morar em Berlim por um tempo, onde escreveu *Ou-ou*, que era um longo carrossel de desculpas e explicações para sua conduta diante de Regine. Disse mais tarde que fora escrito para ela e que o "Diário do sedutor", em particular, tinha como objetivo "ajudá-la a pôr o barco n'água". Ou seja, cortar seu apego emocional a ele, fazendo-a pensar que alguém capaz de criar o personagem de Johannes deve ser ele próprio um canalha egoísta de sangue frio. Pode-se dizer que Kierkegaard escrever "O diário do sedutor" é o mesmo que o rapaz de *A repetição* fingir ter uma amante. De fato, quando concluiu *Ou-ou*, Kierkegaard começou em seguida a trabalhar em *A repetição*, explorando o mesmo território em uma história que estava muito mais próxima de sua própria experiência. Porém, quando voltou a Copenhague e descobriu que Regine já estava noiva de outro, ficou radiante? Será que se sentiu libertado e unificado como o herói de *A repetição*? Até parece. Ele ficou devastado. Há um registro nos *Diários* dessa época que claramente descreve seus sentimentos:

> O que pode acontecer de mais terrível a um homem é tornar-se ridículo a seus próprios olhos em uma questão de importância essencial, descobrindo, por exemplo, que a soma e substância de seu sentimento é lixo.

Óbvio que estivera esperando secretamente que sua decisão de livrar-se do noivado fosse revertida de forma milagrosa sem sua vontade própria e que, no fim das contas, se casasse com Regine. Até mesmo quando estava navegando para a Alemanha, a caminho de Berlim, anotou em seu diário: "Não obstante seja imprudente para minha paz de espírito, não consigo deixar de pensar no momento indescritível quando eu pudesse voltar para ela". *Essa* era a repetição que ele tinha em mente: conquistaria Regine duas vezes. Como Jó, seria abençoado e receberia tudo em dobro. Ele na verdade ficou sabendo de seu noivado novo quando estava trabalhando em *A repetição* e jogou fora o final original da história, em que o herói comete suicídio porque não suporta pensar no sofrimento que causou à sua amada.

Então toda essa alta pompa sobre a magnanimidade feminina e o vórtice do infinito era uma tentativa de superar seu desapontamento com a transferência das afeições de Regine para outra pessoa, um esforço para encarar isso como um triunfo e justificativa de sua conduta, e não uma exposição de sua tolice. Não funcionou. Ele nunca deixou de amá-la ou de pensar nela, ou de escrever sobre ela (direta ou indiretamente) pelo resto da vida; e deixou tudo que tinha para ela em testamento (não havia sobrado muito quando ele morreu, mas é a intenção que conta e, neste caso, revela). Que idiota! Mas que idiota inteiramente humano e simpático.

A repetição é um título típico e provocante de Kierkegaard. Normalmente pensamos na repetição como algo entediante, algo a ser evitado se possível, como em "um trabalho repetitivo". Mas, nesse livro, é vista como algo fantasticamente precioso e desejável. Um significado disso é a restauração do que parece estar perdido (por exemplo, a prosperidade de Jó, a fé do rapaz em si mesmo). Porém, outro sentido é a apreciação do que se tem. É o mesmo que viver no presente, "ter a certeza abençoada do instante". Significa se libertar da maldição da esperança infeliz e da recordação infeliz. "A esperança é uma donzela encantadora que escorre pelos dedos, a lembrança é uma velha belíssima, mas que não serve naquele instante, a repetição é a esposa amada de quem a gente nunca se cansa."

Ocorre-me que se poderia inverter essa última metáfora: não a repetição é uma amada esposa, mas uma esposa amada (ou marido amado) é a repetição. Para apreciar o real valor do casamento é preciso descartar a ideia superficial da repetição como algo entediante e negativo e vê-la pelo que é, como, pelo contrário, algo libertador e positivo – nada menos que o segredo da felicidade. É por isso que B, em *Ou-ou*, começa a atacar a filosofia estética de vida de A (e a melancolia que vai com ela) ao defender o casamento e impelindo A ao casamento. (Isso está ficando bem emocionante: eu não havia exercitado meu raciocínio dessa forma em anos, se é que o fiz alguma vez.)

Veja o sexo, por exemplo. O sexo no casamento é a repetição de um ato. O elemento da repetição pesa mais do que qualquer variação que possa haver entre uma ocasião e outra.

Não importa quantas posições você experimente, quantas técnicas eróticas, brinquedos sexuais, fantasias e auxílios visuais você empregue, o fato de que tem o mesmo parceiro significa que cada ato é essencialmente (ou quero dizer existencialmente?) o mesmo. E, se nossa experiência servir de base para alguma coisa (a minha com Sally, digo), a maioria dos casais em algum momento se acomoda a um certo padrão de fazer amor que cai bem para os dois e o repete sempre. Quantos atos sexuais existem em um casamento duradouro? Milhares. Alguns serão mais satisfatórios do que outros, mas alguém se lembra de todos em detalhes? Não, eles se fundem e se misturam na memória. É por isso que mulherengos como Jake acham que o sexo no casamento é chato por natureza. Eles insistem na variedade no sexo, e depois de um tempo os meios de se obter variedade se tornam mais importantes do que o ato em si. Para eles, a essência do sexo está na antecipação, na trama, no planejamento, no desejar, no cortejar, no segredo, nos desenganos, nos encontros marcados. Não se marca encontros com o cônjuge. Não é preciso. O sexo está lá, para ser desfrutando quando quiserem; e se o parceiro não estiver a fim por alguma razão, seja por estar cansado, resfriado ou querer parar para assistir a algo na tevê, bem, não é nada de mais, porque não vai faltar oportunidade. O que há de mais maravilhoso no sexo conjugal (em especial na meia-idade, pós-menopausa, quando a função dos contraceptivos acabou) é que não há necessidade de ficar pensando nisso o tempo todo. Desconfio de que Jake pense em sexo até quando está telefonando para clientes e redigindo contratos; é provável que o único momento em que ele não *pense* em sexo seja quando está de fato fazendo sexo (porque o orgasmo é uma espécie de segundo fugidio, que esvazia a mente dos pensamentos por um breve instante), mas aposto que, assim que goza, já volta a pensar no assunto.

O que se aplica ao sexo se aplica a todo o resto no casamento: o trabalho, a recreação, as refeições, tudo. É tudo repetição. Quanto mais tempo se mora junto, menos se muda, e mais repetição ocorre na vida diária. Um conhece as ideias do outro, os pensamentos, hábitos: quem dorme de qual lado da cama, quem levanta primeiro de manhã, quem toma café e quem toma chá logo cedo, quem gosta de ler a seção de notícias do jornal primeiro e quem prefere o caderno de cultura, e assim por diante. Precisam falar um com o outro cada vez menos. Para alguém de fora, parece chatice e alienação. É um lugar-comum que sempre se sabe dizer quais casais em um restaurante são casados, porque estão comendo em silêncio. Mas isso significa que estejam infelizes na companhia um do outro? De jeito nenhum. Estão apenas se comportando como fazem em casa, como fazem o tempo todo. Não que não tenham nada a dizer um para o outro, mas que nada precisa ser dito. Ser feliz no casamento significa que não é preciso *encenar* um casamento, apenas se vive nele, como um peixe no mar. É notável que Kierkegaard compreendesse isso de maneira intuitiva, embora ele mesmo nunca tenha se casado e tenha jogado fora sua melhor chance de ter essa experiência.

Sally acaba de entrar na minha sala de estudos para dizer que quer se separar. Ela disse ter mencionado isso mais cedo, durante o jantar, mas eu não estava escutando. Desta vez eu escutei, mas ainda não consegui absorver.

DOIS

Brett Sutton

Depoimento de ....Michael Brett Sutton
Idade da testemunha.............Acima de 21
Ocupação da testemunha ......Treinador de tênis
Endereço ....21 Upton Road, rummidge r27 9lp

Este depoimento, consistindo de cinco páginas, cada uma delas por mim assinada, é verídico até onde é de meu conhecimento e crença, e o faço ciente de que, se for usado como prova, posso estar suscetível a uma acusação jurídica caso deliberadamente tenha declarado qualquer coisa que saiba ser falsa ou não acredite ser verdadeira.
Datado de: 21 de março de 1993.

A primeira vez que notei o sr. Passmore se comportar de maneira estranha comigo foi há duas semanas. Dei aulas para a esposa dele por alguns meses, mas o conheço apenas circunstancialmente, como alguém a quem cumprimento quando passamos um pelo outro no clube, nada mais. Nunca dei aulas para ele. A sra. Passmore me contou que ele tem uma lesão crônica no joelho que não respondeu à cirurgia, e isso o afeta de forma considerável com relação ao tênis. Já o vi jogar em algumas ocasiões, usando um suporte rígido, e achei que estava se saindo muito bem, considerando a situação, mas imagino que ache frustrante não ser capaz de se movimentar pela quadra de forma apropriada. Acho que talvez seja por isso que tenha metido essa ideia louca na cabeça. Para quem gosta de esportes, não há nada pior do que uma lesão de longo prazo. Sei porque eu mesmo já passei por isso: problemas de cartilagem, tendinite, já tive de tudo. Realmente abala a gente. O mundo inteiro parece cinza, tudo parece estar contra nós. Basta acrescentar uma crise na vida pessoal, e a pessoa explode. O sr. Passmore não me parece do tipo atlético, mas entendo que o esporte é importante para ele. A sra. Passmore já mencionou que, antes da lesão, os dois costumavam jogar bastante um contra o outro, mas agora ela não gosta mais porque ele não suporta que ela ganhe, porém reclama quando ela não se esforça. Na verdade, acho que hoje em dia ela poderia ganhar dele mesmo que o marido estivesse perfeitamente em forma: ela evoluiu muito nos últimos tempos. Vem treinando comigo duas vezes por semana o inverno inteiro.

    A primeira vez que o sr. Passmore agiu de maneira estranha comigo foi no vestiário masculino no clube há umas duas semanas, embora eu mal tenha registrado na hora. É só em retrospecto que me parece significativo. Eu estava tirando meu uniforme de tênis antes de tomar banho quando por acaso levantei os olhos e vi o sr. Passmore me fitando. Ele estava totalmente vestido. Assim que cruzamos o olhar, ele desviou o rosto e começou a mexer com a chave de seu armário. Não pensaria nada de mais, exceto que, antes de perceber meu olhar, ele estava, de forma bastante óbvia, olhando para minhas partes íntimas. Não vou dizer que nunca tenha me acontecido antes, mas me surpreendeu vindo do sr. Passmore. Na verdade fiquei pensando se tinha imaginado, tudo foi tão rápido. Enfim, logo esqueci o assunto.

    Alguns dias mais tarde, a sra. Passmore estava treinando comigo em uma das quadras cobertas, à noite, e o sr. Passmore apareceu lá e sentou-se para observar nós dois por trás da rede ao final do corredor. Presumi que combinara de encontrar a esposa no clube e havia chegado mais cedo. Sorri, mas ele não sorriu de volta. Sua presença pareceu incomodar a sra. Passmore. Ela começou a cometer erros nas jogadas, não acertando na bola. Por fim, foi até o sr. Passmore e falou com ele pela rede. Entendi que estava pedindo que saísse, mas ele apenas meneou a cabeça e sorriu de um jeito sarcástico. Voltou para falar comigo e disse sentir muito, mas precisava parar a aula. Ela parecia aborrecida e chateada. Insistiu em me pagar pela sessão inteira, embora tivesse apenas feito meia hora de aula. Saiu da quadra sem dirigir o olhar ao sr. Passmore, que permaneceu sentado no banco, encolhido em seu sobretudo com as mãos nos bolsos. Fiquei um pouco constrangido ao passar por ele na saída da quadra. Pressupus que estivessem brigando por algum motivo. Não sonhei nem por um momento que tivesse qualquer coisa a ver comigo.

Poucos dias depois, começaram os telefonemas. O telefone tocava, eu atendia e dizia "Alô?" e ninguém respondia. Depois de um tempo dava um clique, quando a outra pessoa colocava no gancho. As ligações vinham a qualquer hora, às vezes no meio da noite. Informei à British Telecom, mas disseram que não havia nada que eles pudessem fazer. Recomendaram que eu desconectasse o telefone ao lado da cama à noite, então fiz isso e deixei a secretária eletrônica ativada no andar de baixo. Na manhã seguinte, havia duas chamadas registradas, mas sem mensagem. Uma noite, por volta das nove, atendi o telefone, e uma voz aguda em falsete disse: "Posso falar com Sally, por favor? É a mãe dela". Falei que achava que a pessoa discara para o número errado. Não pareceu me escutar e pediu de novo para falar com Sally, dizendo que era urgente. Falei que não havia nenhuma pessoa chamada Sally naquele endereço. Não fiz nenhuma relação com a sra. Passmore, mesmo que tenhamos intimidade para nos tratar pelo primeiro nome. E, embora a voz soasse bem estranha, nunca me passou pela cabeça que fosse uma representação.

Passadas algumas noites, fui acordado por um ruído durante a madrugada. Sabe como é quando isso acontece: até você conseguir acordar direito, o ruído já parou, e você não faz ideia de onde veio ou se a coisa toda foi um sonho. Vesti um agasalho, porque sempre durmo nu, e desci as escadas para verificar, mas não havia sinal de ninguém forçando a entrada. Escutei um carro dando a partida e fui até a porta da frente bem a tempo de ver um carro branco dobrando a esquina no final da rua. Bem, parecia branco sob a iluminação dos postes, mas poderia ter sido prata. Não consegui ver direito para identificar o modelo. Na manhã seguinte, descobri que alguém estivera no quintal. Entraram pela lateral e derrubaram algumas placas de vidro que estavam escoradas contra o barracão das ferramentas – estou no meio da construção de uma estufa. Três das placas estavam quebradas. Deve ter sido esse o barulho que ouvi.

Dois dias depois, levantei de manhã e encontrei minha escada escorada contra a parede da casa embaixo da janela do meu quarto. Alguém a havia retirado do espaço entre a garagem e a cerca do jardim onde eu a guardava. Não havia sinal de qualquer tentativa de arrombamento, mas fiquei alarmado, foi então que informei os incidentes pela primeira vez à sua delegacia. O oficial Roberts veio dar uma olhada. Ele me aconselhou a instalar um alarme contra roubo. Eu estava no processo de fazer os orçamentos quando perdi as chaves de casa. Guardava na minha bolsa do tênis durante o dia, porque são muito pesadas para levar no bolso do meu agasalho, mas na última sexta-feira elas desapareceram. Estava começando a ficar seriamente preocupado que alguém estivesse tentando roubar a minha casa. Pensei que sabia também de quem se tratava – alguém do pessoal da manutenção do clube. Prefiro não revelar quem. Tenho uma porção de troféus em casa, sabe, e essa pessoa uma vez me perguntou sobre eles e o quanto valiam. Combinei com um chaveiro para trocar as fechaduras no dia seguinte.

Naquela noite – era por volta das três da manhã – fui acordado por Nigel apertando meu braço e sussurrando no meu ouvido: "Acho que tem alguém no quarto". Ele estava tremendo de medo. Acendi a luz da cabeceira e lá estava o sr. Passmore parado de pé no tapete do meu lado da cama, com uma lanterna em uma das mãos e uma tesoura grande na outra. Não gostei da cara da tesoura – era grande, com cara de perigosa, como aquelas tesouras de tecelagem. Como eu disse, sempre durmo nu, e o Nigel também, e não havia nada a nosso alcance que pudesse ser usado para nos defender. Tentei manter a calma. Perguntei ao sr. Passmore o que ele estava fazendo. Não respondeu. Estava fixado em Nigel, completamente estupefato. Nigel, que estava mais perto da porta, saltou da cama e desceu correndo para ligar para o 190. O sr. Passmore olhou ao redor do quarto em um estado de perplexidade e disse: "Parece que cometi um engano". Falei: "Acho que sim". Ele disse: "Estava procurando minha esposa".

Eu disse: "Bem, ela não está aqui. Nunca esteve". De repente tudo foi se encaixando, e entendi o que andava acontecendo, na cabeça dele, digo. Não pude evitar soltar uma risada, em parte de alívio e em parte porque ele parecia tão bobo lá parado com aquela tesoura na mão. Perguntei: "O que pretendia fazer com isso, me castrar?". Ele respondeu: "Queria cortar seu rabo de cavalo".

Não quero registrar queixa. Para ser bem honesto, preferia não precisar dar meu depoimento em juízo, porque pode ser noticiado na imprensa local. Isso pode vir a prejudicar o meu trabalho. Alguns dos membros do clube têm preconceito, receio. Não me envergonho de ser gay, mas sou discreto. Moro a uma boa distância do clube, e ninguém de lá sabe nada sobre a minha vida privada. Não acho que o sr. Passmore vá me causar mais algum problema, e ele se ofereceu para pagar pelos vidros quebrados.

Amy

Bem, aconteceu a pior coisa possível. A esposa de Laurence pediu a separação. Ele me ligou ontem à noite para contar. Logo soube que devia ser algo *catastrophique*, porque pedi para que não telefonasse para minha casa a menos que fosse terrivelmente importante. Preciso atender lá em cima, na extensão do quarto, e Zelda sempre quer saber depois quem era e o que queria, e não posso garantir que ela não vá bisbilhotar na extensão do andar de baixo. Temos uma rotina em que Laurence telefona no escritório na hora do almoço ou eu chamo por ele quando está no apartamento. Sei que você acha que eu deveria ser mais franca com Zelda sobre minha relação com Laurence, mas... Não, sei que você não *disse* isso, Karl, mas dá para perceber. Bem, claro, já que insiste, preciso aceitar sua palavra, mas suponho que seja possível que você *subconscientemente* desaprove, digo, se *eu* reprimo coisas, imagino que seja possível que você também reprima, não é? Ou tem certeza de que você é absoluta, completa e totalmente de uma racionalidade sobre-humana? Desculpa, desculpa. Estou muito chateada, mal preguei o olho na noite passada. Não, ele não fazia ideia. Está extremamente arrasado. Pelo que entendi, ela simplesmente entrou na biblioteca na sexta à noite e anunciou que queria a separação. Bem assim. Disse que não suportava mais viver com ele, que ele estava feito um zumbi, essa foi a palavra que ela usou, um zumbi. Bom, ele é com frequência um pouco *distrait*, tenho que admitir, mas os escritores em geral o são, na minha experiência. Pensava que ela estaria acostumada com isso, mas é evidente que não. Ela disse que não se comunicavam mais e não tinham nada mais em comum, e agora que os filhos estavam crescidos e saíram de casa, não fazia sentido continuarem morando juntos.

Lorenzo passou o fim de semana todo tentando convencê-la a desistir, mas não deu em nada. Bem, acho que primeiro ele tentou argumentar que não havia nada de errado com o casamento, que era como qualquer outro casamento, algo a ver com a repetição e Kierkegaard, não consegui acompanhar direito, ele não estava sendo muito coerente, coitadinho. Sim, ele desenvolveu uma coisa com Kierkegaard ultimamente, por algum motivo. Enfim, quando isso não funcionou, mudou de tática e disse que virariam a página, ele conversaria com ela nas refeições, passaria a se interessar pelo trabalho dela, viajaria com ela nas folgas de fim de semana e esse tipo de coisa, mas ela disse que era tarde demais.

Sally. O nome dela é Sally. Só a encontrei poucas vezes, mais nas festas da Heartland, e ela sempre me passou a imagem de ser resguardada e contida. Gosta de fazer uma mesma bebida render a noite inteira e ficar supersóbria enquanto todo mundo ao redor está caindo pelas tabelas. Acho que isso confirma a sensação dela de que nós da televisão somos um bando de vagabundos inúteis. Bonita em um estilo meio *noli me tangere*. Maçãs altas, um queixo forte. Um pouco como a Patricia Hodge, mas mais atlética, meio desgastada pelo sol. Ah, sempre esqueço que você nunca vai ao teatro ou vê televisão. Que raios faz com seu tempo livre? Oh, eu deveria ter adivinhado. Lê Kierkegaard? Ele não parece muito minha praia. Ou a do Laurence também, pensando bem. Fico imaginando o que ele viu nesse filósofo. Não, Laurence perguntou para ela se havia outra pessoa, e ela disse que não. Perguntei a ele se era concebível que Sally desconfiasse de alguma coisa entre nós dois, algo além do que de fato existe, digo, que é inteiramente inocente, como você sabe, mas ele garantiu que não. Bem, ela sabe que somos bons amigos, mas não acho que faça ideia da frequência com que a gente se vê fora do trabalho, e fiquei pensando se alguém andou fofocando ou mandando cartas anônimas para envenená-la, mas Laurence disse que ela não mencionou meu nome nem o acusou de qualquer coisa do tipo. Ai, minha nossa. *Quel cauchemar!*

Devia ter percebido que era óbvio. Laurence é meu amigo mais querido, meu amigo homem mais querido, de qualquer forma. Não gosto de vê-lo destruído. Estou vendo seu sorriso cínico. Enfim, não me importo em admitir que meus motivos para me sentir incomodada são em parte egoístas. Estava muito feliz com nosso relacionamento. Me caía bem. Era íntimo, sem ser... não sei. Vamos lá, sem ser sexual. Mas não, não quero dizer sexual, ou não só sexual, mas também sem ser possessivo ou exigente ou algo assim. Afinal, nosso relacionamento nunca foi *desprovido* de sexualidade. Sempre existiu um elemento de... de galanteio na forma com que Laurence me trata. Sim, galanteio. Mas o fato de que ele tem um casamento feliz – tinha um casamento feliz – e de que isso era entendido por nós dois tirava da relação qualquer tensão potencial. Podíamos desfrutar da companhia um do outro sem pensar se gostaríamos de ir juntos para a cama, ou se esperávamos que o outro quisesse, se é que me entende. Gostava de me arrumar para sair com Laurence – me arrumar para sair com uma amiga não é a mesma coisa –, mas não precisava pensar em me *des*vestir para ele depois. Se você é solteira e sai com um homem, ou insiste para rachar a conta ou fica com a sensação desconfortável de que está incorrendo em algum tipo de dívida erótica que pode ser cobrada a qualquer momento.

Não, não faço ideia de como era a vida sexual dele com Sally. Nunca falamos do assunto. Sim, contei a ele sobre minhas experiências com Saul, mas ele nunca me falou nada dele com Sally. Não perguntei. Uma espécie de *pudeur* me restringiu. *Pudeur*. Afinal, eles ainda estavam casados, seria como uma intrusão... Ah, tudo bem, quem sabe eu não quisesse mesmo saber, caso ela acabasse sendo uma daquelas mulheres que têm orgasmos múltiplos com a facilidade de quem descasca ervilhas e podem fazer o Kama Sutra inteiro de cabeça para baixo. O que há de tão engraçado nisso? Eles ficam de cabeça para baixo no Kama Sutra? Ah, bem, você entendeu. Nunca fiz de conta que não me sinto inadequada em relação ao sexo. Digo, por que outro motivo estou aqui? Mas nunca senti ciúmes de Sally. Ela podia ficar com aquela parte da vida de Laurence, e com aquele pedaço de Laurence, diga-se de passagem. Eu não queria saber nada sobre o assunto. Oh, estou usando o pretérito? Sim, estou, não estou. Bem, com certeza não acho que nossa relação tenha terminado, mas suponho que esteja com medo de que vá mudar de maneiras que não consigo prever. A menos que eles reatem, claro, sugeri a Laurence que deveriam ver um terapeuta de casais, mas ele só grunhiu e disse: "Eles vão dizer que preciso de psicoterapia e já estou fazendo isso". Perguntei como é que ele sabia que era isso que diriam, e ele declarou: "Falo por experiência". Parece que não é a primeira vez que Sally andou seriamente de saco cheio com o casamento. Uma vez ela sumiu de casa por um fim de semana inteiro, ele não sabia para onde ela fora, e ela voltou bem na hora que ele estava ligando para a polícia.

Ela não falou uma só palavra por dias porque estava com laringite, estivera vagando pelos montes Malverns debaixo de chuva, mas, quando sua voz voltou, insistiu para que fossem buscar alguma orientação para casais. Foi assim que Laurence começou a psicoterapia. Ele nunca me contara isso antes. Suponho que não havia motivo para tal, mas foi um pouco perturbador ter isso jogado para cima de mim agora. Suponho que ninguém nunca conte *tudo* sobre si para alguém. Exceto para o analista, claro...

Bem, vi Laurence ontem à noite, no apartamento dele. Ligou no trabalho para avisar que estava vindo à cidade, mas não queria comer fora, então eu sabia que me esperava um longo e lancinante *tête-à-tête*. Parei no Fortnum's depois do expediente para apanhar uma quiche com salada. Laurence não comeu muito, mas bebeu bastante. Está muito deprimido. Digo, estava deprimido antes, mas agora tem de verdade algo com que se deprimir. Sim, acho que ele tem bastante consciência da ironia.

As coisas não melhoraram *chez* Passmore. Sally mudou-se para o quarto de hóspedes. Ela sai para trabalhar cedo de manhã e volta tarde da noite, então não precisa falar com Laurence. Afirma que vai conversar no fim de semana, mas não consegue lidar com os problemas dele e fazer o trabalho dela ao mesmo tempo. Acho que é bem sinistro que ela escolha dizer "problemas *dele*", e não "problemas deles", não acha? Veja bem, entendo como ela se sente sobre conversar com Laurence nesse estado atual. Depois de quatro horas disso ontem à noite, eu estava completamente *finito*. Eu me sentia como uma esponja que fora saturada e espremida tantas vezes que perdera toda a elasticidade. E então, quando disse que precisava ir para casa, ele pediu que eu passasse a noite. Falou que não era para sexo, mas para poder me abraçar. Não dormia direito desde a última sexta-feira e parecia mesmo estar com os olhos fundos, pobrezinho. Ele disse: "Acho que me ajudaria a dormir se eu pudesse abraçá-la".

Bem, claro que isso estava fora de questão. Digo, sem nem contar se eu queria ser abraçada e o risco de isso evoluir para outra coisa, eu não poderia passar a noite toda fora sem avisar. Zelda teria ficado doente de preocupação, e se eu telefonasse com alguma história improvisada ela logo saberia que não era verdade, sempre sabe quando estou mentindo, é um dos hábitos mais irritantes dela. Por acaso, tivemos o momento mãe castradora de novo hoje de manhã. Sim. Tivemos uma briga amarga no café, sobre granola. Não *apenas* sobre granola, claro. Não tinham a marca dela de costume no Safeways na última vez em que fui ao supermercado, então comprei outra, e, hoje de manhã, o pacote antigo acabou, então pus esse outro na mesa, e ela se recusou a tocar nele porque tinha adição de açúcar. Uma quantidade *minuscule*, e de açúcar mascavo, que é mais saudável, como fiz questão de assinalar, mas ela se recusou a comer, e é a única coisa que ela ingere de manhã fora o café preto em si, foi para a escola de estômago vazio, me deixando com uma sensação inacreditável de culpa, exatamente como ela queria, claro. O tiro de misericórdia foi dizer que eu estava tentando fazer com que ela comesse açúcar porque ela é magra e eu sou gorda, "uma gorda nojenta" foi a frase que ela usou, acha que isso é verdade? Não, não digo a parte de eu ser nojenta por ser gorda, não me considero nada gorda, embora gostasse de perder alguns quilinhos. Digo, é possível que esteja subconscientemente invejando a silhueta de Zelda? Oh, você sempre me devolve essas perguntas. Não sei. Talvez esteja um pouco. Mas, para ser honesta, não sabia que havia açúcar na porcaria da granola.

Onde eu estava? Ah, sim, Laurence. Bem, precisei dizer não, embora me sentisse mal com aquilo, ele parecia tão aflito, tão suplicante, como um cachorro que quer entrar para escapar da chuva. Perguntei se ele não podia tomar um comprimido para dormir, e falou que não queria porque lhe deixava deprimido demais ao acordar, e, se ficasse ainda mais deprimido do que já estava, temia que fosse cair duro. Sorriu quando disse isso, para mostrar que era uma piada, mas me preocupou. Ele foi falar com a psicoterapeuta na segunda, mas não parece ter ajudado muito. Isso pode ser culpa de Laurence, porque, quando perguntei, ele não se lembrava de nada que ela dissera. Não estou certa de que ele tenha absorvido algo do que *eu* falei na noite passada também. Tudo que ele quer fazer é despejar sua versão das coisas, sem escutar nenhum conselho construtivo. Quase cheguei a dizer que deveria tentar análise, querido, é o que eu faço, cinco dias por semana: despejo minha versão das coisas sem obter nenhum conselho construtivo. É só uma brincadeirinha, Karl. Sim, claro que sei que as piadas são formas disfarçadas de agressão...

    Bem, as coisas foram de mal a pior. Sally saiu de casa, e Laurence está sozinho lá. É uma casa de cinco quartos em uma área residencial de valor elevado nos arredores de Rummidge. Nunca estive lá, mas me mostrou algumas fotos. É o que os agentes imobiliários chamam de uma casa moderna com personalidade. Não saberia dizer que personalidade. Uma cruza de casa de campo francesa com clube de golfe, quem sabe. Não é do meu gosto, mas é confortável e substancial. Fica bem afastada da rua, no final de uma entrada comprida para carros, com um monte de árvores e arbustos ao redor. Ele me disse uma vez: "É tão quieto aqui que poderia escutar meu cabelo crescendo, se tivesse cabelo". Sim, ele é careca. Nunca mencionei antes? Faz piada disso, mas acho que o incomoda. Enfim, não gosto de pensar nele sozinho naquela casa, como uma conta dentro de um chocalho.
    Entendi que o fim de semana passado foi meio carregado. Sally disse que estava preparada para conversar, mas deveriam estabelecer um tempo limite para as discussões, não mais de duas horas por vez e apenas uma sessão por dia. Soava como uma ideia bem razoável para mim, mas Laurence não conseguiu

aceitar. Diz que a faculdade a enviou recentemente para fazer um curso de gerenciamento, e ela está tentando tratar a crise conjugal como se fosse uma contenda industrial, com pautas e intervalos. Concordou com a condição, mas na hora, quando terminava o horário combinado, ele não parava. Por fim, ela disse que, se ele não parasse de acossá-la, sairia de casa até que ele recobrasse a razão. E ele, bem idiota, disse: "Então tá, saia e veja se me importo" – ou algo parecido, e ela saiu. Não quis avisar para onde ia e não mandou dizer nada desde então.

    Laurence está convencido de que existe outro homem na parada e ela encenou essa briga para poder ficar com ele. Acha que sabe quem é também: o professor de tênis no clube esportivo deles. Não parece ter nada a ver com o jeito de Sally, mas nunca se sabe. Você se lembra de eu ter contado que Saul me jurou de pés juntos que não havia nenhuma outra pessoa quando me pediu o divórcio, e então descobri que ele andava transando com a Janine havia meses. Laurence diz que Sally começou as lições de tênis há poucos meses e logo em seguida decidiu pintar o cabelo. Não, não parece provar muita coisa, mas ele está bem convencido e em seu estado atual não há como discutir com ele. Não vem a Londres esta semana porque diz que anda muito ocupado. Acho que significa que está muito ocupado perseguindo o professor de tênis. Não gosto nem um pouco disso, mas não consigo evitar sentir um alívio um pouco culpado porque não vou precisar fazer outra sessão de quatro horas de aconselhamento esta noite.

    Laurence está roubando mais e mais do nosso tempo, não é? Não dá para você me dizer algo para eu mudar de assunto? Que tal alguma livre associação? Eu costumava gostar disso, parece que nunca mais fizemos esse exercício.

    Tudo bem. Mãe. Minha mãe. Na cozinha em Highgate. O sol da tarde brilhando pela vidraça fosca da janela, projetando uma estampa furta-cor sobre a mesa e os braços e mãos dela. Está vestindo um daqueles aventais antigos com estampa floral que cruzavam nas costas e se amarravam na frente. Estamos picando vegetais juntas para um cozido ou sopa. Tenho uns treze ou catorze anos. Acabei de começar a menstruar. Ela está me falando dos fatos da vida. Sobre como é fácil engravidar e o quanto devo me precaver com relação aos homens e os meninos. Picando cenouras enquanto ela fala, como se desejasse cortar fora os pintos deles... Por que será que pensei numa coisa dessas? Suponho que seja porque estou preocupada com Zelda. Claro que conversei com ela sobre os fatos da vida, mas deveria me certificar de que esteja usando contraceptivos ou ela vai tomar isso como um encorajamento à promiscuidade? Não acha que é isso? O que então? Ah, vamos lá, Karl, solte-se um pouco, me dê alguma interpretação. Não, não dê – já sei, na verdade é tudo sobre mim e Laurence, não é? Ai, meu Deus...

Bem, Sally agora arranjou um advogado. Sim, Laurence recebeu uma carta dele perguntando se pode instruir seu próprio representante a entrar nas discussões sobre um acordo de separação. Também com uma proposta de Sally de que deveriam concordar em ir ao clube esportivo em dias alternados, para evitar encontros embaraçosos. Aparentemente, Laurence anda indo até lá para assistir a Sally praticando tênis com o professor. Ela diz que aquilo atrapalha seu desempenho. Imagino que sim. Claro que isso apenas o convenceu mais ainda de que ela tem algo a esconder sobre o professor. Laurence disse a seu advogado para mandar avisar Sally que se ela quer morar longe dele vai precisar fazê-lo com seu próprio salário, além de que ela pode pegar de volta a quantia com que contribuiu para a poupança deles, que não é muito, claro, comparada ao que Laurence vem ganhando nos últimos anos. Acho que é um mau sinal que já estejam brigando por causa de dinheiro e contratando advogados, foi aí que as coisas ficaram bem péssimas entre mim e Saul. Ai, minha nossa, estou com uma sensação tétrica de *déjà-vu* com relação a tudo isso...

Bom, as coisas foram de mal a pior. Laurence recebeu uma injunção para impedi-lo de ir até a faculdade onde Sally trabalha, ou melhor, acho que agora estão chamando de universidade. Universidade Volt ou Watt – alguma coisa elétrica. O advogado dela retornou dizendo que ela se considerava no direito de receber metade da poupança, pois ela o sustentara durante anos com seu cargo de professora enquanto ele tentava a sorte como roteirista. Laurence foi até a universidade com uma fúria ensandecida e a emboscou do lado de fora do escritório dela e fez uma cena. Ela disse que ele estava louco. Bem, acho que talvez esteja, pobrezinho. Então ela pediu a injunção contra ele, e, se aparecer por lá de novo, pode ser preso. Na verdade, ele não tem permissão para chegar a um raio de dois quilômetros do lugar. Isso o irrita ainda mais porque significa que não pode tentar segui-la quando ela sai do trabalho para descobrir onde está morando. Está vigiando a casa do professor de tênis, mas até agora nada. Disse que é apenas uma questão de tempo antes de apanhá-los. Acho que ele quer dizer *em flagrante*. Só Deus sabe o que ele pretende fazer se os pegar. Laurence mal seria páreo para um tenista se chegassem a se pegar no soco...

    Bem, parece que Sally, no fim das contas, não estava tendo um caso, pelo menos não com o professor de tênis. Tudo indica que ele é gay. Sim. Bem, devo admitir que passei um trabalho para eu mesma não cair na risada quando Laurence me contou. Não sei exatamente como descobriu, ele foi um pouco evasivo ao telefone, mas parecia bem seguro. Soava bem abatido também, pobrezinho. Enquanto suspeitava do professor, tinha um alvo para sua raiva e ressentimento. Não se pode odiar alguém que não sabemos quem é. Enfim, desconfio que esteja começando a acreditar que Sally pode ter dito a verdade no fim das contas, sobre o motivo de querer a separação – que não aguentava mais viver com ele. Isso não ajudou em nada sua autoestima. Lembro quando fiquei sabendo de Janine, lá no fundo fiquei um tiquinho aliviada e ao mesmo tempo absolutamente furiosa, porque significava que não precisava me culpar pelo fracasso do casamento. Ao menos não totalmente.

    Outra evolução deprimente para Laurence é que os filhos agora sabem do rompimento. Acho que foi como atravessar o Rubicão, para ele. Enquanto não sabiam, havia sempre a possibilidade de que ele e Sally voltassem sem qualquer dano mais grave, sem constrangimento, sem perder a credibilidade. Quando Sally foi embora, a última coisa que ele lhe disse – contou que saiu correndo atrás do carro dela e bateu na janela para que ela baixasse o vidro –, a última coisa que ele disse foi: "Não diga nada para Jane e Adam". Claro, eles tinham de saber mais cedo ou mais tarde. Sally provavelmente contou logo em seguida, mas Laurence acaba de descobrir que eles sabem. Recebeu telefonemas dos dois. Estão sendo muito cuidadosos para não tomar partido, mas a principal coisa que lhe chamou a atenção é que não parecem muito chateados e nem mesmo muito surpresos. É óbvio para mim que Sally deve ter se aberto com os dois há algum tempo e preparado os filhos para o que aconteceu. Acho que essas fichas estão começando a cair para Laurence também. "Sinto como se estivesse vivendo um sonho", falou, "e acabo de acordar. Mas só que acordei para dentro de um pesadelo." Pobre Lorenzo. Falando em sonhos, tive um muito esquisito na noite passada...

    Bem, aconteceu, sabia que a hora chegaria, dava para sentir: Laurence quer dormir comigo. Não apenas para me abraçar. Para fazer sexo. O animal de duas costas. Era uma das expressões usadas por Saul, não finja que nunca ouviu antes, Karl. Está em Shakespeare em algum lugar. Não lembro em qual das peças, mas tenho certeza que é Shakespeare. Bem, não chega a ser mais estranho do que a maioria das outras frases disponíveis. "Dormir com", por exemplo. Conheci uma moça uma vez que dizia estar dormindo com o chefe quando queria dizer que havia trepado com ele no banco de trás do Jaguar na floresta de Epping durante o horário de almoço. Acho que não chegaram a dormir muito.

    Laurence levantou o assunto durante o jantar ontem, suponho que eu deveria ter me precavido quando me levou ao Rules em vez de nossa *trattoria* habitual. E me encorajou a pedir a lagosta. Ainda bem que estávamos jantando cedo e o restaurante estava meio vazio; do contrário, as pessoas estariam caindo das cadeiras tentando escutar tudo. Disse que a única razão pela qual não tentara fazer amor comigo antes era porque acreditava na fidelidade no casamento, e já lasquei *tout de suite* dizendo que compreendia e o respeitava por isso. Falou que era muito generoso de minha parte ver por esse ângulo, mas sentia que estivera me explorando de certa forma, desfrutando de minha companhia sem qualquer comprometimento, e que agora que Sally havia deixado dele não havia motivo para que nos inibíssemos mais. Falei que não me sentia explorada de maneira alguma ou nem mesmo inibida. Não fui tão direta assim, claro. Tentei explicar que valorizava nossa relação precisamente porque não havia conotações sexuais, logo, nenhuma tensão, nenhuma ansiedade, nenhum ciúme. Ficou muito desanimado e disse: "Está dizendo que não me ama?", e falei: "Querido, não me *permiti* amar você dessa maneira". Ele afirmou: "Bem, agora pode". E respondi: "Suponhamos que eu me permita, e então Sally e você reatam o casamento, como fica?". Ele disse, com muita tristeza, que não conseguia imaginar que isso fosse ocorrer um dia. A relação entre eles está piorando. Ela está falando em divórcio porque Laurence se recusa a discutir arranjos financeiros para uma separação voluntária, o que é muita bobagem dele. Seu advogado lhe disse que Sally ficaria com metade dos bens conjuntos e até um terço da renda conjunta como pensão em um acordo de divórcio. Laurence acha que ela não poderia ficar com nada porque ela o abandonou. A correspondência voa de um lado para outro entre os advogados. E agora ele quer dormir comigo.

    Então o que devo fazer? Ah, sei que não vai me dizer, é apenas uma pergunta retórica. Exceto que uma pergunta retórica é quando a resposta está implícita, não é? E não sei a resposta para essa aí. Disse a Laurence que pensaria no assunto e estou pensando, quase não pensei em outra coisa desde a noite passada, mas não sei o que fazer, de fato não sei. Tenho muito afeto por Laurence, e gostaria de ajudá-lo a atravessar a crise. Entendo que apenas quer ser confortado e eu queria ser uma daquelas mulheres dos filmes que parecem a mãe terra com seu coração de ouro, doando seus corpos com generosidade a homens bonzinhos sem pensar duas vezes, mas não sou. Felizmente, Laurence continua maravilhosamente *galant*. Voltamos ao apartamento depois que o Rules começou a encher com a turma que estava saindo dos teatros e conversamos mais um pouco, mas não houve licenciosidade nem qualquer tentativa de. Aconteceu uma coisa estranha quando me acompanhou até a saída. Ele sempre desce de elevador comigo e me coloca em um táxi para casa. Quando abrimos a porta da rua do prédio, ali, na entrada, estava um desses jovens andarilhos que se vê por tudo hoje em dia, em um saco de dormir. Precisamos praticamente pisar por cima dele para chegar à calçada. Bem, eu apenas o ignorei, me pareceu a coisa mais segura a fazer, mas Laurence disse *olá* para o homem, como se não houvesse nada desagradável na presença dele ali, como se o homem, ou melhor dizendo, o menino, fosse algum conhecido. Enquanto estávamos parados na calçada procurando um táxi, chiei com Laurence: "Quem é esse?", e ele respondeu: "Grahame". Como se fosse um vizinho ou algo do tipo. Então um táxi apareceu e não tive a chance de perguntar mais nada. Acho que sonhei com isso essa noite...

Bem, suponho que o fato de eu ter usado a expressão de Saul, o animal com duas costas, da última vez e aplicado ao Laurence pode ser significativo – é aí que está querendo chegar? Que estou com medo de fazer sexo com Laurence porque sexo com Saul era um desastre sem tamanho? Mas isso é covardia ou bom senso?

Sei que não acha natural que eu jamais tenha feito sexo com alguém desde o divórcio. Sei que nunca disse nada de maneira explícita – quando foi que disse algo explícito? Mas posso ler nas entrelinhas. Bem, por exemplo, referiu-se a meu relacionamento com Laurence como uma espécie de *marriage blanc*. Bem, tenho quase certeza de que foi você que disse isso, e não eu. Enfim, lembro com clareza sua sugestão de que eu estava usando meu relacionamento com Laurence como um tipo de álibi. E falei que nos tornáramos tão próximos que transar com qualquer outra pessoa pareceria uma infidelidade. O que é verdade.

Zelda entra nisso também, claro. Se eu decido ir para a cama com Laurence, ela vai descobrir? Posso guardar segredo dela? Deveria esconder isso dela? Saber disso poderia jogá-la nos braços de um jovenzinho lascivo e inconstante? Uma vez você deu a entender que eu não elaborei o fato de que mais cedo ou mais tarde ela vai fazer sexo. Que enquanto ela é menor de idade posso racionalizar a defesa de sua virgindade como uma paternidade responsável, mas que eventualmente ela vai se tornar uma jovem adulta e decidir fazer sexo com alguém e que não há nada que eu possa fazer para evitar isso e então é melhor aceitar, mas que eu não serei capaz de fazer isso se não tiver eu mesma um relacionamento sexual satisfatório. Então talvez essa seja uma oportunidade que caiu do céu para que eu me torne o que você consideraria uma mulher inteira de novo, será que não?

Então, lá no fundo há outra consideração. A possibilidade de casamento. Se Sally e Laurence se divorciam, seria meio lógico que *nós* nos engatássemos. Não, não acho, do contrário ele teria mencionado isso quando estava tentando me seduzir na outra noite. Na verdade, esse pode ser o motivo por que me levou ao Rules, porque a *padrona* no restaurante italiano onde geralmente vamos está sempre desfiando elogios ao matrimônio, insinuando que Lorenzo deveria fazer de mim uma mulher honesta – ela não sabe que ele já é casado. Acho que secretamente, ou até de forma inconsciente, ele ainda anseia se reconciliar com Sally. Reclama com amargura do comportamento dela, mas acho que, se ela concordasse em dar mais uma chance para o casamento, ele voltaria correndo com o rabo abanando. Não nutro ilusões a esse respeito. Mas se ela estiver decidida e se de fato for até o fim com isso, então tenho bastante certeza de que ele desejaria se casar de novo. Entendo como a mente dele funciona melhor do que ele próprio. É do tipo casadoiro. E com quem ele se casaria se não comigo?

Andei tentando imaginar como seria. Poderia haver alguma resistência inicial de Zelda, mas acho que, eventualmente, ela o aceitaria. Seria bom para ela ter um homem adulto na casa, bom para nós duas. Uma imagem um pouco rosada e enevoada fica voltando à minha mente, de nós três juntos na cozinha, Laurence ajudando Zelda com os deveres na mesa da cozinha, e eu sorrindo, benevolente ao lado do meu Aga de três fornos. Não temos um fogão Aga, então suponho que a imagem subentenda que eu vá querer me mudar. Não importa o que Sally consiga no acordo do divórcio, Laurence ainda ficaria muito bem de vida. Sabe como é quando a gente começa a sonhar acordado, pensa vagamente sobre a possibilidade de se casar de novo e, antes de perceber, já está escolhendo o tecido das cortinas para a casa de verão em Dordogne. Mas me ocorreu que, se Laurence fosse fazer o pedido um dia, seria bom saber se somos, sabe, fisicamente compatíveis, não acha? Ou não acha?

    Estou certa de que não seria uma péssima experiência, de qualquer jeito. Laurence é muito doce e gentil. Saul sempre era tão dominador na cama. Faça isso, faça aquilo, faça isso mais rápido, faça aquilo mais devagar. Ele nos dirigia como se estivéssemos fazendo um filme pornô. Não seria assim com Laurence. Não esperaria que eu fizesse nada depravado – pelo menos, acho que não. Sim, Karl, sei que isso é um conceito subjetivo...

    Bem, viu a matéria no *Public Interest*? Na última edição que saiu ontem. Não, não imagino que tenha visto, mas todo mundo que conheço lê avidamente. Enquanto fingem menosprezar, claro. Tem uma coluna de fofocas da mídia chamada "O.C". É uma abreviação de "Off Camera". De algum jeito eles conseguiram saber da história de Laurence com o professor de tênis. Sim. Parece que Laurence de fato arrombou a casa do homem no meio da noite, esperando pegá-lo na cama com Sally, e o descobriu na cama com outro homem. Dá para imaginar? Não, eu mesma não fazia ideia até ler o jornal. Harriet entrou no escritório ontem de manhã com o último número e largou na escrivaninha na minha frente sem dizer uma palavra, aberto na página da "O.C.". Praticamente *morri* quando li. Então liguei para Laurence, mas o agente já o alertara. Afirmou que a história está correta em sua essência, exceto que diz que ele segurava um pé de cabra na mão, quando, de fato, era uma tesoura. Pode perguntar, sim. Aparentemente ele pretendia cortar o rabo de cavalo do homem. Pelo menos o jornal não ficou sabendo *desse* detalhe. A matéria inteira era de uma crueldade debochada, nem preciso dizer. "Tubby Passmore, o escriba folicularmente prejudicado da sitcom *O pessoal da casa ao lado* da Heartland, se meteu recentemente em uma situação mais engraçada do que qualquer coisa que ele tenha inventado..." Esse tipo de coisa. E havia uma charge dele como aquele fulano, o deus grego que era casado com Vênus e a pegou na cama com Marte – Vulcano é o nome dele. Era feita no estilo de uma pintura antiga, "segundo Ticiano", ou Tintoretto, ou alguém, dizia embaixo. Com o pobre Lorenzo, bem gordo e careca, de túnica, e o professor de tênis e seu amigo muito nus, entrelaçados na cama, e todos com aparência de total constrangimento. Foi muito perspicaz, na verdade, para quem não estava pessoalmente envolvido. Laurence não sabe como foi que conseguiram o furo. O professor de tênis não registrou queixa por querer manter a vida pessoal embaixo dos panos, então, é óbvio que ele não foi a fonte. Felizmente para ele a nota não informa o nome. Mas a polícia estava envolvida, então é provável que um deles tenha vendido a história para o *P.I.* Laurence está arrasado. Sente como se o mundo inteiro estivesse rindo dele. Não ousa dar as caras no Groucho ou no clube de tênis nem em qualquer lugar em que o conheçam. A charge parece ter atingido o ponto mais sensível. Ele foi catar e pesquisar a história de Vênus, Marte e Vulcano, e descobriu que Vulcano tinha uma perna aleijada. Ele pareceu pensar que foi um toque de uma inteligência diabólica, embora eu mesma ache que foi só coincidência. Sim, Laurence tem um problema no joelho, nunca falei disso antes? Ele tem essas dores súbitas e cortantes na articulação sem razão aparente. Já fez cirurgia, mas voltou. Estou certa de que é psicossomático. Já perguntei se ele consegue se lembrar de algum trauma de infância associado ao joelho, mas ele fala que não. O que me lembra que outro dia relembrei um acidente que me aconteceu quando era menina...

    Bem, falei para Laurence que vou. Dormir com ele, claro. Sim. Anda em uma depressão tão profunda pela matéria do *Public Interest* que senti que precisava fazer algo para animá-lo. Não, claro que não é meu único motivo. Sim, é provável que já tivesse tomado minha decisão antes. Bem, quase. O negócio do *P.I.* só deu um empurrãozinho. Então estou tirando dois dias do trabalho e vamos esticar o fim de semana. O fim de semana depois do próximo. Saindo na quinta à noite e retornando segunda à tarde. Então vou faltar às minhas sessões da sexta e da segunda. Sim, eu sei que vou precisar pagar por elas, Karl, lembro aquele pequeno discurso que você deu quando comecei. Bem, se está detectando um tom subjacente de hostilidade, ouso confirmar que ela existe. Considerando que quase nunca faltei a uma sessão em três anos, pensei que poderia abonar os honorários nesta ocasião, afinal é uma espécie de emergência. Para salvar a sanidade de Laurence. Imagino que ele mesmo pagaria as consultas se eu pedisse, mas você provavelmente não aprovaria, aprovaria?

Ainda não sei, Laurence está organizando tudo. Falei que para qualquer lugar, contanto que seja no exterior e de preferência quente. Sentia que precisávamos ir para algum lugar. A *minha* casa está fora de cogitação, claro, e não pareceria certo no apartamento dele também, não da primeira vez, de todo modo. É muito pequeno e às vezes dá para sentir a sordidez inteira do West End pressionando contra as paredes e as janelas tentando entrar: os cheiros dos restaurantes, o ruído do tráfego, os turistas e a vagabundagem... sim, perguntei sobre o jovem andarilho. Parece que começou a acampar na entrada de Laurence algumas semanas atrás. Laurence tentou se livrar dele, mas, de um modo muito laurenciano, acabou convidando o tipo para tomar um chá. Uma jogada ruim. Então deu a ele dinheiro para encontrar uma cama para passar a noite. Uma *péssima* jogada. É claro que o jovem voltou logo em seguida esperando por mais *largesse*. Laurence alega que não lhe deu nenhuma, mas com certeza desistiu de qualquer tentativa de se livrar dele. Falei para chamar a polícia para retirá-lo, mas não quer. "Não está causando nenhum problema", diz. "E afasta os ladrões." O que imagino que seja verdade, de certa forma. Os apartamentos ficam desocupados a maior parte do tempo. Mas desconfio que Laurence o deixe ficar porque está solitário. Laurence é solitário. Acho que gosta de ter alguém para cumprimentar quando entra e sai, alguém que não leia *Public Interest*. Sonhei na noite passada sobre aquela charge, aliás. Eu era Vênus, Saul era Marte e Laurence era Vulcano. O que você entende por isso?

Bem, receio que estejamos indo a Tenerife. Laurence foi a uma agência de viagens e disse que queria um lugar quente no exterior, mas não muito distante, e foi isso que eles conseguiram. Queria que eu mesma tivesse organizado tudo agora. Laurence não está apto. Sally costumava reservar as férias deles. As Ilhas Canárias *soam* como uma coisa boa, o nome, digo, mas nunca ouvi uma palavra a favor delas de ninguém que de fato tenha estado lá. E você? *Esteve* lá. Não, não suponho que seria seu estilo. Harriet foi a Gran Canária uma vez e disse que era medonha, embora tenha tentado negar tudo ontem para não me deprimir. Quem sabe Tenerife seja melhor. Bem, afinal, são só poucos dias e pelo menos vai estar quente.

    Contei a Zelda que estou viajando a negócios – que Laurence está situando um episódio de *OPCL* nas Canárias, uma história sobre um pacote de viagem, e que precisamos de algumas pessoas locais para o elenco. É um álibi bem implausível, na real. Não a ideia das Canárias em si, porque eles de fato filmam algum episódio ocasional em outros lugares, e na verdade Laurence está bem empolgado com a ideia do pacote de viagem, imaginando os Springfield acordando no quarto de hotel no primeiro dia, realizados por terem escapado dos Davis por duas semanas, apenas para encontrá-los tomando café na sacada ao lado, talvez ele de fato escreva isso se acontecer outra temporada – mas que eu fosse precisar ir até lá para um casting, em especial a esta altura, é improvável, se você entende qualquer coisa do meio. Zelda aceitou com uma falta de desconfiança muito suspeita. Não consigo deixar de sentir que ela sabe que há mais coisa nessa viagem do que apenas televisão, mas devo admitir que ela tem sido um doce sobre isso. Vem sendo muito solícita, me aconselhando que roupas devo levar. Parece uma estranha inversão de papéis, como se ela estivesse me ajudando a planejar meu *trousseau*. Ajeitei para Zelda passar o fim de semana com sua amiga Serena, e isso a deixou de bom humor. E a mãe de Serena é uma mulher sensata, então não preciso me preocupar com as duas aprontando nada. De modo geral, estou bem animada com a viagem. Pode me fazer bem alguns dias de *la dolce vita* ao sol.

....

Bem, no quesito fim de semana de libertinagem, foi um desastre, para ser bem direta. Não chegou a ser grande coisa como viagem de férias também. Já esteve em Tenerife? Não, você já disse, agora lembro. Bem, se eu tivesse de escolher entre as minas de sal na Sibéria e um hotel quatro estrelas em Playa de las Americas, escolheria a Sibéria sem pestanejar. Playa de las Americas é o nome do resort onde ficamos. Laurence escolheu pela brochura do agente de viagens, por ser perto do aeroporto, já que chegaríamos tarde da noite. Bem, isso parecia fazer sentido, mas acabou sendo o lugar mais medonho que possa imaginar. *Playa* quer dizer praia em espanhol, claro, mas não tem praia, não o que eu chamaria de praia. Só uma faixa de lama negra. Todas as praias em Tenerife são pretas, parecem negativos fotográficos. A ilha inteira é essencialmente uma massa de coca-cola, e as praias são feitas de coca em pó. É vulcânica, entende? Há na verdade um imenso vulcão no meio da ilha. Infelizmente não está ativo, do contrário, poderia entrar em erupção e arrasar Playa de las Americas inteira. Então poderia valer uma visita, como Pompeia. Ruínas pitorescas de concreto com turistas carbonizados enquanto exibiam camisetas molhadas e vertiam *sangria* goela abaixo.

Aparentemente há poucos anos era apenas uma faixa litorânea árida e pedregosa, então alguns construtores decidiram fazer um resort ali, e agora é uma piscina preta do lado do Atlântico. Tem uma avenida principal espalhafatosa chamada de Avenida Litoral que está sempre entupida de trânsito e é margeada pelos bares, cafés e discotecas mais vulgares que já vi, emitindo uma música ensurdecedora, luzes piscando e cheiro de fritura dia e noite, e, fora isso, não há nada a não ser quadras e mais quadras de hotéis em prédios de arranha-céus e apartamentos de *timesharing*. É um pesadelo de concreto sem quase nenhuma árvore ou grama.

Não percebemos de imediato o quanto era horrível porque estava escuro quando chegamos, e o táxi do aeroporto nos levou pelo que me pareceu um desvio suspeito, mas, refletindo bem, talvez o motorista estivesse tentando nos poupar do impacto total da Avenida Litoral na nossa primeira noite. Não falamos muito durante o trajeto, exceto para assinalar como o ar estava quente e úmido. Não havia muito para se dizer porque não podíamos ver nada até chegar aos arredores de Playa de las Americas, e então o que vimos não estimulava comentários: prédios desertos, guindastes parados e penhascos de prédios de apartamentos vazios com apenas umas poucas janelas acesas e placas de *De Venta* do lado de fora, e então uma longa estrada arterial enfileirada de hotéis. Tudo era feito de ferro e concreto, banhado por uma luz amarelada e doentia de baixa voltagem dos postes de iluminação pública, e tudo dava a impressão de haver sido construído da forma mais barata possível em questão de duas semanas. Podia sentir Laurence se encolhendo mais e mais no canto de trás do carro. Ambos já sabíamos que chegáramos ao Fundo do Poço, mas não conseguíamos admitir. Uma contenção terrível se apossara de nós desde o instante em que aterrissáramos: a consciência do que fôramos FAZER lá, e nossa ansiedade de que isso deveria ser um sucesso, nos deixou temerosos de suspirar uma palavra qualquer de decepção sobre o cenário.

Enfim, me consolei que o hotel seria direitinho com certeza. Quatro estrelas, Laurence me assegurou. Mas quatro estrelas em Tenerife não significa o mesmo que na Inglaterra. Quatro estrelas em Tenerife é apenas um hotel de pacote de viagem um pouco acima da média. Tremo só de pensar no que deve ser um hotel de uma estrela em Tenerife. Meu coração afundou – e já estava em algum lugar perto dos meus joelhos – quando entramos no lobby e assimilamos o piso de assoalho vinílico, os sofás cobertos com plástico e as plantas de borracha empoeiradas murchando sob as luzes fluorescentes do teto. Laurence fez o check-in e seguimos o funcionário subindo em silêncio no elevador. Nosso quarto era funcional e sem enfeites, bastante limpo, mas com forte cheiro de desinfetante. Havia duas camas de solteiro. Laurence olhou para elas com desânimo e avisou ao carregador que havíamos pedido um quarto de casal. O funcionário disse que todos os quartos do hotel tinham camas de solteiro. Os ombros de Laurence afundaram alguns graus a mais. Quando o carregador saiu, ele pediu desculpas melancólicas e jurou vingança contra o agente de viagens assim que chegasse em casa. Sem perder a esportiva, falei que não tinha importância e abri as portas deslizantes para sair para a pequena sacada. Dava para ver a piscina lá embaixo – um formato qualquer, como uma mancha naqueles testes Rorschach, disposta entre pedras artificiais e palmeiras. Estava iluminada por dentro da água e reluzia um azul brilhante na noite. A piscina era a única coisa que havíamos visto até então que era remotamente romântica, mas o efeito foi estragado pelo odor poderoso de cloro de banheiro público que se erguia da água e pelas batidas da música de uma boate que seguia com seu progresso ensurdecedor na outra ponta. Fechei as persianas para isolar o ruído e o cheiro e liguei o ar-condicionado. Laurence estava arrastando as duas camas para juntá-las, fazendo um barulho aterrorizante quando os pés rangeram no piso de lajotas frias e revelando que o quarto não estava tão limpo quanto nos pareceu no primeiro instante, porque havia poeira atrás e embaixo das mesas de cabeceira, e descobrimos que os fios dos abajures de cabeceira não eram compridos o suficiente para alcançar as novas posições, então acabamos pondo as camas de volta na posição original. Fiquei secretamente aliviada, pois ficou mais fácil sugerir que fôssemos dormir direto. Estava tarde, eu estava exausta e me sentia tão sexy quanto um saco de couves-de-bruxelas. Acho que Laurence sentia o mesmo, porque concordou prontamente. Usamos o banheiro com decoro, um depois do outro, e então nos beijamos com ar de castidade e entramos em nossas respectivas camas. Assim que deitei, pude sentir pelos lençóis finos que meu colchão era revestido de plástico. Dá para acreditar? Pensava que só os bebês e os velhinhos incontinentes recebiam colchões encapados com plástico. Pois bem, turistas de pacote também. Dá para ver que você está irrequieto, Karl – quer saber se nós FIZEMOS aquilo no fim ou não, não é? Bom, vai precisar ser paciente. Esta é a minha história e vou contar do meu jeito. Ah, é mesmo? Já? Bem, até amanhã, então.

Bem, o que você acha que aconteceu? Nunca vai adivinhar. Sally voltou a morar na casa deles em Rummidge e anunciou que vai ficar, e eles vão levar vidas separadas. Sim, é assim que se chama, "vidas separadas", é um termo com reconhecimento legal. Significa que partilham da casa conjugal enquanto corre o processo do divórcio, mas não moram juntos. Não coabitam. Laurence voltou para casa ontem – tinha passado a noite no apartamento de Londres – e encontrou Sally esperando por ele com uma folha datilografada de propostas sobre como deveriam dividir o mesmo teto, quem ficaria com qual quarto, que horas cada um faria uso da cozinha e que dias usariam a máquina de lavar. Sally foi bem explícita a respeito de não lavar a roupa de Laurence. Ela já embolsou o quarto principal, que é a suíte, e instalou uma nova fechadura na porta do quarto. Ele descobriu que todos os seus ternos, camisas e objetos haviam sido cuidadosamente transferidos e organizados no quarto de hóspedes. Está furioso, mas o advogado diz que não há nada que possa fazer a respeito. Sally escolheu bem o momento. Ela perguntou se poderia passar para buscar algumas roupas na casa no último final de semana, e ele respondeu que sim, a qualquer hora, pois estaria viajando e ela tinha as chaves da casa, claro. Mas, em vez de levar as roupas dela, se mudou de volta quando ele não estava lá para tentar impedi-la. Não, ela não sabe que ele estava em Tenerife comigo. Na verdade, ela *não* pode ficar sabendo.

    Ah, sim, onde eu estava? Bem, nada aconteceu na primeira noite, como eu disse, exceto que dormimos em nossas camas separadas – até bem tarde, apesar dos colchões para incontinentes, porque estávamos os dois cansados demais. Pedimos café no quarto. Não foi encorajador: suco de laranja enlatado, croissants com sabor de papelão murcho, geleia e doce em pequenas embalagens plásticas – uma continuação da comida de avião. Tentamos comer na nossa sacadinha, mas fomos espantados pelo sol, que já estava de um calor surpreendente. A sacada dava para o leste e não tinha nenhum guarda-sol ou toldo. Então comemos no quarto com as persianas fechadas. Laurence releu o *Evening Standard* que comprara no dia anterior em Londres. Ofereceu-se para dividir comigo, mas senti que sua leitura durante o café não caía bem *comme il faut* naquelas circunstâncias. Quando fiz uma piadinha a respeito, ele franziu a testa com uma cara de perplexidade e disse: "Mas sempre leio o jornal durante o café", como se fosse uma lei fundamental do universo. É extraordinário como, assim que se precisa dividir o espaço com alguém, a gente começa a percebê-lo por um ângulo completamente diferente, e manias e jeitos que jamais imaginaríamos passam a nos irritar. Aquilo me lembrou dos meus primeiros meses de casada. Lembro o quanto fiquei chocada pelo jeito como Saul costumava deixar o vaso sanitário com rastros de merda na louça, como se ninguém nunca houvesse lhe explicado para que servia uma escova de vaso, mas, claro, se passaram anos até que eu conseguisse mencionar o fato. Dividir o banheiro em Tenerife foi um certo pesadelo também, para dizer a verdade, mas, quanto menos eu falar do assunto, melhor.

 Decidimos passar nossa primeira manhã de preguiça ao lado da – ah, sim, *quer* saber sobre isso, não é mesmo? Bem, o banheiro era sem janelas, como em geral o são nesses hotéis modernos, e o exaustor não parecia estar funcionando, pelo menos não estava fazendo nenhum ruído, então me certifiquei de usar o banheiro primeiro logo depois do café. Não deve lhe causar surpresa à luz de nossas discussões anteriores sobre uso de banheiro que – como devo colocar isso – que, quando consigo fazer o número dois, as fezes são bem pequenas, duras, umas bolotinhas densas. Tem certeza de que quer que eu continue? Bem, o fato é que esse vaso sanitário de Tenerife não conseguia lidar com elas. Quando puxei a cordinha, elas dançaram ali, felizes, na água, como pequenas bolinhas marrons de borracha que se recusavam a desaparecer. Continuei puxando a corda, e elas seguiam emergindo na superfície. Um total retorno dos reprimidos. Fiquei desesperada. Não podia sair do banheiro até me livrar delas. Digo, não é muito agradável encontrar os cocôs alheios boiando no vaso na hora em que você vai usá-lo, e com certeza dá uma esfriada no romance, não acha? E não era capaz de pedir desculpas ou explicar a Laurence, ou fazer piada disso. Você precisa estar casado com a pessoa por pelo menos cinco anos para conseguir levar assim. O que eu realmente precisava era de um bom balde de água para derramar no vaso, mas o único recipiente no banheiro era uma cesta de papel feita de treliça de plástico. Eventualmente me livrei de minhas bolotinhas empurrando-as uma por uma pelo encanamento com a escova de banheiro, mas não é uma experiência que gostaria de repetir.

    Bem, como dizia, decidimos passar nossa primeira manhã de preguiça ao lado da piscina. Mas, quando descemos, todas as espreguiçadeiras e todos os guarda-sóis estavam ocupados. As pessoas estavam esparramadas por tudo, absorvendo todo o câncer de pele que podiam. Laurence tem a pele muito clara e uma quantidade extraordinária de pelos no torso, que sugam o protetor solar como se fossem mata-borrão, mas deixam passar todos os raios nocivos. Eu me bronzeio fácil, mas li tantos artigos de coalhar o sangue nas revistas femininas nos últimos tempos sobre o efeito dos raios na pele que agora estou aterrorizada de expor um único centímetro. O único pouquinho de sombra era em um trecho malcuidado de grama colado na parede do hotel e a quilômetros de distância da piscina. Sentamos lá, desconfortáveis, em nossas toalhas por um tempo, e comecei a ficar ressentida com as pessoas que reservaram cadeiras largando os pertences em cima e saindo para tomar um café da manhã tardio. Sugeri a Laurence que deveríamos confiscar um par dessas espreguiçadeiras desocupadas, mas ele não quis. Os homens são tão covardes nessas coisas. Então eu fui lá e fiz. Havia duas cadeiras lado a lado embaixo de uma palmeira com toalhas dobradas em cima, então apenas movi a toalha de uma cadeira para a outra e me ajeitei confortavelmente. Passados vinte minutos, uma mulher apareceu e me fitou raivosa. Mas fingi estar dormindo e, depois de um tempo, ela apanhou ambas as toalhas e foi embora, e Laurence chegou todo sem jeito e pegou a outra cadeira.

    Essa pequena vitória me deixou de bom humor por um tempo, mas logo passou. Não sou boa nadadora, e Laurence precisa se cuidar por causa do joelho, e a piscina, que parecia decente vista da sacada, era na verdade bem desagradável para se nadar, o formato era ruim e estava cheia, transbordando com crianças agitadas e fedendo a cloro. Li em algum lugar que não é o cloro em si que provoca o cheiro, mas a reação química com a urina, então aquelas crianças deviam estar mijando tudo que podiam na água e seguiam voltando para a máquina de coca-cola para encher de novo os copos. Depois de nosso mergulho, não havia nada a fazer exceto ler, e as cadeiras não eram boas para a leitura, eram daquele tipo barato que não se pode ajustar. A armação tubular de aço sobe um pouco na ponta, mas não o suficiente para apoiar a cabeça a uma altura confortável para ler, de modo que a gente precisa segurar o livro para cima, e, depois de cinco minutos, seus braços parecem que vão despencar. Levei *Possessão* de A.S. Byatt comigo, e Lorenzo tinha algo do Kierkegaard, *Temor e tremor*, acho que era o nome, o que não soava muito adequado para a ocasião. Dava para adivinhar o tipo dos outros hóspedes do hotel pelo que estavam lendo: Danielle Steel, Jeffrey Archer e os tabloides ingleses que chegaram no meio da manhã. A maioria me parecia operários da fábrica de carros de Luton, mas não falei nada porque Laurence se incomoda com o esnobismo metropolitano.

 Nenhum dos dois levara toalhas de banho de casa, pensando que um hotel de quatro estrelas as forneceria, mas esse não fazia isso, e havia apenas uma única pequenina toalha de banho por pessoa no quarto, então decidimos sair para um passeio e fazer algumas compras. Precisávamos também de chapéus para sol e chinelos de borracha, porque o concreto em torno da piscina era quente como o inferno àquela hora. Então nos vestimos de novo e lá fomos nós, caminhar em pleno sol do meio-dia, que batia na calçada e refletia das paredes dos prédios de *timesharing* como se fossem raios laser. De acordo com o mapa das ruas do hotel, estávamos a poucas quadras do mar, então pensamos em caminhar naquela direção e procurar uma loja de praia, mas não havia nem praia nem loja, apenas uma murada baixa ao final de uma rua sem saída e, abaixo dela, uma faixa estreita do que parecia cinza molhada sendo remexida pelo mar. Demos meia-volta e andamos de volta até a rua principal onde havia uma pequena galeria, construída no subsolo por algum motivo, um túnel lúgubre de lojas vendendo souvenirs de mau gosto e artigos de necessidade para os turistas. Parecia impossível comprar qualquer coisa que não tivesse a palavra "Tenerife" gravada ou um mapa da ilha estampado. Alguma coisa em mim se rebelou contra comprar uma toalha com a qual não gostaria que me vissem nem morta depois de voltar para casa, então seguimos a avenida até o centro da cidade para ver se podíamos encontrar uma seleção maior. Acabou sendo uma caminhada de dois quilômetros quase sem sombra alguma. No começo estava chato, e então ficou horrível. Havia um trecho especialmente horrível na Avenida Litoral chamado de Veronicas, com alta densidade de bares, boates e restaurantes oferecendo "*Paella* e batatinhas" e "Feijão na torrada". A maioria desses lugares tinha música de discoteca retumbando na rua saindo das caixas de som para atrair os clientes, ou então estavam mostrando vídeos de antigas sitcoms britânicas no máximo volume em aparelhos de televisão montados na parede. Parecia resumir a total vacuidade de Playa de las Americas enquanto balneário de férias. Lá estavam todos aqueles britânicos, sentados em um vulcão extinto no meio do mar, a três mil quilômetros de casa, pagando por drinques para poderem assistir a antigos episódios de *Porridge*, *Only Fools And Horses* e *It Ain't Half Hot, Mum*. "Já viu cena mais patética?", perguntei a Laurence, e foi justo quando chegamos a um café que estava exibindo *O pessoal da casa ao lado*. Não estava obtendo bons índices de audiência, receio. Na verdade, havia apenas quatro pessoas no lugar, um casal de meia-idade parecendo dois caranguejos gigantes escaldados e um par de jovens amuadas com cabelos em estilo punk. Claro, Laurence tinha de entrar. Ainda estou para conhecer um roteirista que consiga desviar os olhos de uma tela de tevê que esteja passando seu próprio trabalho. Laurence pediu uma cerveja para ele e um gim-tônica para mim e sentou-se lá hipnotizado, com um sorriso afetuoso na cara, como um pai orgulhoso que assiste ao vídeo caseiro dos primeiros passos do filho. Digo, ninguém é mais fã do trabalho de Laurence do que eu, mas não passei por aquilo tudo para me sentar em um bar e assistir aos anos dourados de *O pessoal da casa ao lado*. Parecia me restar apenas uma coisa a fazer, então o fiz. Virei meu g&t de um só gole e pedi outro, um duplo. Laurence tomou outra cerveja, dividimos uma pizza de micro-ondas, e então cada um tomou um licor com o café. Laurence sugeriu que voltássemos ao hotel para uma *siesta*. No táxi, na volta, ele pôs o braço em volta do meu ombro, então adivinhei que tipo de *siesta* ele tinha em mente. Ah, já terminou? Até amanhã então. Sim, claro que já ouvi falar de Sherazade, o que tem ela...?

Bem, sorte que eu estava meio bêbada, ou então teria sido ainda mais constrangedor. Digo, não sabia se era para rir ou chorar, e, com alguns drinques no meu sistema, eu ri. Me deu um ataque de riso assim que vi Laurence colocando seu suporte para o joelho quando estávamos nos preparando para nossa *siesta*. É feito de algum tecido esponjoso e elástico, do tipo que usam para fazer roupa de mergulho, e é vermelho berrante, com um buraco para a patela ficar de fora. Ficou especialmente engraçado quando ele não estava vestindo mais nada. Ele pareceu bastante surpreso com a minha reação. Tudo indica que sempre usa aquilo quando ele e Sally fazem sexo. Quando ele amarrou uma bandagem elástica no cotovelo também, eu quase tive um ataque de riso. Ele explicou que tivera uma reincidência de cotovelo de tenista recentemente e não queria arriscar. Fiquei imaginando se ele colocaria mais alguma coisa, um par de caneleiras, quem sabe, ou um capacete de ciclista. Na verdade, não teria sido má ideia, porque a cama era tão estreita que ele corria perigo de cair no chão durante as preliminares. Essas se traduziram em uma série de lambidas e narigadas da parte dele. Só fechei os olhos e deixei que ele navegasse. Foi bem bom, embora provocasse cócegas, e segui dando risadinhas quando acho que deveria ter gemido. Então parecia que ele queria que eu montasse por cima, com ele deitado de costas, por causa do joelho, e que esperava que eu cuidasse da parte mais complicada dos procedimentos sozinha, digamos. Conheci uma atriz uma vez que contou ter o sonho recorrente de estar no palco sem saber que peça era, precisando adivinhar as falas e os movimentos a partir daquilo que outros atores estavam dizendo e fazendo. Senti como se eu estivesse substituindo o papel de Sally dentro de um quadro semelhante de dificuldades. Não sei como ela via aquele papel específico, mas eu me senti como uma cruza entre uma prostituta e uma enfermeira ortopédica. Entretanto, levei tudo na esportiva e me movimentei para cima e para baixo um pouco em cima dele até que ele gemeu, e eu rolei dali. Mas acabou que estava grunhindo por não conseguir gozar. "Talvez tenha bebido um pouco demais no almoço, querido", falei, "Talvez", ele respondeu entristecido. "Foi legal para você?" Claro que eu disse que foi maravilhoso, embora, para ser honesta, já tenha sentido mais prazer com um bom banho quente no fim de um dia cansativo, ou um chocolate belga realmente top de linha com uma xícara de café colombiano moído na hora. Francamente.

Bem, dormimos por uma hora ou mais depois disso, então tomamos banho, bebemos uma xícara de chá na sacada, que já estava na sombra, e lemos nossos livros até a hora de descer e tomar um drinque no bar antes do jantar. Não estávamos falando muito um com o outro porque tudo que passava pelas nossas cabeças, pela minha pelo menos, era algo que não se ousaria dizer, sobre como o lugar era horrível e a viagem inteira estava se revelando um desastre, sabendo que ainda tínhamos três dias ali. Estávamos no sistema *demi-pension* com o hotel. Deram-nos uns tíquetes quando fizemos o check-in que precisávamos entregar quando entrávamos na sala do restaurante, um barracão vasto com umas quatrocentas pessoas comendo, desatinadas, o mais que podiam, como se estivessem correndo contra o tempo em algum tipo de campeonato televisivo. Você se servia dos *hors d'oeuvres* e das sobremesas, e eles traziam o prato principal na mesa. Havia a opção de frango *chasseur* e peixe frito à milanesa. Era no padrão da cantina da BBC, comestível, mas sem graça. Bebemos uma garrafa de vinho tinto, mas tomei a maior parte porque Laurence estava se preparando para um bom desempenho mais tarde. Isso não ajudou a deixar a noite muito relaxante. Saímos para caminhar e descemos de novo para a costa, para assistir às ondas remexendo as cinzas. Então não parecia haver mais nada a fazer, exceto ir para a cama. Era isso ou voltar para o centro, e a função que devia ser aquilo durante a noite era fácil de imaginar. Então fizemos amor de novo, e o mesmo aconteceu. Ele teve uma ereção, mas não conseguiu, qual é a palavra, ejacular, não interessava o quanto eu me balançasse para cima e para baixo.

Ficou terrivelmente chateado com isso, embora eu dissesse que não importava, na verdade eu estava feliz da vida, nunca gostei da sensação do líquido aos poucos ir vazando na minha camisola depois. Ele falou: "Deve haver alguma coisa errada comigo". Eu disse: "Não é você, é esse hotel horroroso e o lugar terrível onde está localizado, isso basta para deixar qualquer um impotente".

Foi a primeira vez que expressei meus reais sentimentos desde que chegamos lá. Ele reagiu como se houvesse levado um tapa na cara. "Sinto muito", disse teso. "Fiz o meu melhor." "Claro que sim, *chéri*", falei. "Não estou culpando você, foi aquele idiota na agência de viagens. Mas por que não vamos para algum lugar melhor?" "Não dá", explicou. "Paguei adiantado." Parecia pensar que estávamos sob alguma obrigação contratual de permanecer as quatro noites inteiras. Levou um bom tempo para fazê-lo entender que podíamos muito bem arcar – ao menos *ele* podia – com o custo de perder a reserva das duas noites que restavam. Era como se os fantasmas de seus pais houvessem saído das sepulturas para proibir tal desperdício escandaloso de dinheiro. "De todo modo", ele disse, "há apenas um hotel cinco estrelas em Playa de las Americas, e está lotado. O agente tentou." "Pensaria mesmo que está lotado", falei. "Qualquer um que tenha reservado um hotel cinco estrelas em Playa de las Americas teria erguido uma barricada para se proteger no quarto e não sair de lá jamais. Mas suponho que haja outros hotéis cinco estrelas em outros locais de Tenerife?" "Como chegaríamos lá?", Laurence perguntou. "Alugando um carro, meu docinho", falei, pensando comigo que eu parecia estar falando com uma criança.

Bom, tomando conta da parte organizacional, nos arranquei daquele inferno imediatamente após o café na manhã seguinte. Laurence teria preferido fugir do hotel sem falar nada, mas tivemos de fazer o check-out para pagar por alguns extras, então tive a satisfação de dizer ao pessoal da recepção o motivo de estarmos partindo, não que eles se importassem. Alugamos um carro com ar-condicionado da Avis e subimos pela costa até a capital, Santa Cruz. Nunca vi paisagem mais árida e chata na vida, como a superfície da lua durante uma onda de calor. Mas

Santa Cruz é uma cidade bem bonitinha, um pouco desajeitada, mas civilizada. Havia apenas um hotel sofisticado, com uma piscina e um jardim lindo e sombreado, e um restaurante decente. Robert Maxwell fez sua última refeição lá, na verdade, antes de se jogar de seu iate. Se ele estivesse em Playa de las Americas, não haveria necessidade de toda aquela especulação sobre os motivos que teve para fazer aquilo.

Bem, tivemos um fim de semana bem agradável em Santa Cruz, o hotel nos deu uma suíte imensa de pé direito altíssimo, com banheiro de mármore e uma janela que abria, e uma vasta cama de casal na qual nos abraçamos e dormimos feito bebês. Não fizemos mais nada nela. Falei para Laurence, não vamos arriscar outro *débâcle*, meu caro, agora que as coisas estão indo tão bem, e ele pareceu feliz em concordar. A verdade é que decidi que não ia mais me casar com Laurence, mesmo se ele me pedisse, e que não queria um relacionamento sexual com ele, ou de fato com mais ninguém. Decidi que podia me virar sem sexo, muito obrigada, pelo resto da vida. Percebi o quanto fui tola dando voltas e voltas analisando meu relacionamento com Saul, questionando o que dera errado, por que eu não o satisfazia, quando o importante era o que satisfazia a *mim*, e pôr meu corpo à disposição de outro homem depois de todos esses anos não resolveria o caso. Espero que Laurence e eu possamos voltar à nossa relação casta e companheira, mas, se não pudermos, *tant pis*.

Então, na verdade, não foi um desastre tão grande no fim das contas, esse meu fim de semana de libertinagem. Acho mesmo que estou vendo as coisas de forma mais clara do que antes, como resultado disso. Vejo que não há nada *errado* comigo, posso me aceitar do jeito que sou. Não *preciso* de sexo. Não *preciso* de um homem. E não preciso de *você*, Karl, não mais. É. Este é o fim da análise. Você me avisou que eu saberia o momento. E agora sei. Esta é nossa última sessão, Karl. Sim. Este é o grande adeus. Estou curada.

LOUISE

STELLA?... AQUI É LOUISE... Oi!... Ah, bem. E você? ...Ah. *Achei* que sua voz estava um pouco deprimida quando deixou o recado... É, olha, sinto muito não ter retornado a ligação antes, mas ando tão ocupada que não dá pra acreditar... Reuniões, reuniões e mais reuniões... É, é o mesmo filme, só que agora estão chamando de *Retorno*. Sabe o que dizem de Hollywood, qualquer coisa se resolve ou em cinco minutos ou em cinco anos, e este neném parece que vai ser uma encheção de saco de cinco anos. Enfim, por que você tá tão pra baixo? ...Arrã... Arrã... meio que adivinhei... Escuta, querida, não vai me agradecer por dizer isso agora, mas, honestamente, você está melhor sem ele... Claro que nunca gostei do sujeito, mas eu tava certa ou não tava? Não falei pra nunca confiar num homem que usa uma cruz de ouro no pescoço?... Ele te explorou, amada... Assim que você pagou o tratamento de canal e as aulas de teatro, ele te largou... Bem, claro que está sentindo isso agora, mas vai superar, confia em mim, já passei por isso. Espera um minuto, estou com outra ligação entrando. Não saia daí...

Oi. Era o Nick, ligando de Nova York só pra dar um oi... É, foi passar uns dias. Está com um cliente estreando uma peça off-Broadway. Mas, Stella, quer que eu te distraia dos problemas contando uma coisa esquisitíssima que me aconteceu ontem?... Ok, tira os sapatos, levanta as pernas e me empresta os ouvidos...

Era tipo seis da tarde ontem. Eu tinha acabado de sair de uma reunião no Global Artists, tomei banho, troquei de roupa e estava pensando em preparar algo para comer ou pedir um Sushi Express quando toca o telefone e escuto esse sotaque inglês dizendo: "Alô, Louise, aqui é Laurence Passmore." Laurence

Passmore? Tipo, o nome não significa nada pra mim e não reconheço a voz. Então digo: "Ah, é?", em um tom meio neutro, e o cara dá uma risadinha nervosa e diz: "Suponho que seja isso que os *disc jockeys* chamam de direto do túnel do tempo". "Conheço você?", pergunto, e há um silêncio doloroso que dura cerca de um minuto e então ele diz: "*O pessoal da casa ao lado?* Quatro anos atrás?", e a ficha cai. Esse é o cara que criou a versão britânica original de *Quem mora ao lado?* É. Lá se chama *O pessoal da casa ao lado*. Quando eu trabalhava para a Mediamax, eles compraram os direitos, e ele veio da Inglaterra como um tipo de consultor do piloto, e me incumbiram de dar atenção a ele. Mas, tipo, o nome "Laurence" não me soava familiar. "Você não tinha outro nome na época?", perguntei. "Tubby", ele respondeu. "Tubby Passmore, claro", falei. Na hora me voltou tudo: cinquentão, calvo, corpulento. Era um cara bacana. Meio tímido, mas legal. "Nunca gostei desse apelido, para ser sincero", ele disse, "mas não consigo me livrar dele." "Ei", fui dizendo, "legal você ligar. Que negócios te trazem a L.A.?" "Bem, não estou aqui a negócios, na verdade", ele explicou. Os britânicos repetem "na verdade" um bocado, já notou? "Férias?", pergunto, pensando que deveria estar a caminho do Havaí ou sei lá de onde. "Uma espécie de férias", respondeu, e então: "Estava pensando se você estaria livre para jantar hoje à noite."

Bem, noventa e nove vezes em cem, isso estaria fora de questão. Nick e eu saímos todas as noites na semana passada. *Todas as noites.* Mas, por acaso, Nick estava viajando, e eu não tinha nada planejado e pensei: e daí, por que não? Sabia que não rolaria nada fora de linha nesse encontro... Por que uma vez, quando ele esteve aqui antes, eu cheguei nele, e ele recuou... É... Bem, eu tinha acabado de terminar com Jed e estava meio sozinha. E ele também. Mas ele me recusou do jeito mais educado possível, porque amava a esposa... É, existem homens assim, Stella. Na Inglaterra, pelo menos... Bom, quando concordei com o jantar, ele ficou em êxtase. Disse que estava hospedado no Beverly Wilshire, e pensei comigo que qualquer um que esteja pagando do próprio bolso para ficar no Beverly Wilshire vale uma saída, e estava já pensando se eu tinha intimidade suficiente com o maître no Morton's para conseguir uma mesa em cima da hora, quando ele disse: "Eu gostaria de ir até aquele restaurante de frutos do mar na praia, em Venice, onde fomos da outra vez". Bem, eu não me lembrava de qual restaurante ele estava falando, e ele não lembrava o nome, mas disse que reconheceria quando o visse, então tomei a atitude decente e me ofereci para nos levar lá. Venice não é meu lugar favorito, mas imaginei que talvez fosse melhor se eu não fosse vista no Morton's com um roteirista obscuro da tevê inglesa – digo, não é como se esse cara fosse Tom Stoppard ou Christopher Hampton ou algo parecido.

Então vesti algo casual e fui de carro até Beverly Hills para pegar Tubby Passmore na hora combinada. Ele estava rondando perto das portas, então não saí do carro, só buzinei e abanei. Levou uns dez minutos para ele me enxergar. Estava com a mesma aparência que eu lembrava, talvez alguns quilos mais pesado, com sua cara batatuda e uma franja de cabelo fino que nem de bebê caindo por cima da gola da jaqueta. Um sorriso bonito. Mas não conseguia imaginar por que um dia eu sentira vontade de ir para a cama com ele. Entrou no carro, e falei: "Bem-vindo a L.A.", e estendi a mão, ao mesmo tempo em que ele foi direto para a minha bochecha, então tivemos essa pequena confusão, mas demos risada. Ele disse, quase em tom acusatório: "Você trocou de carro", e eu ri e disse: "Espero que sim. Devo ter tido pelo menos cinco carros diferentes desde que você esteve aqui..." Não, é uma Mercedes. Troquei a BMW por uma Mercedes branca com interior em couro vermelho. É linda. Só um minuto, entrou outra ligação...

Merda merda merda... Desculpa, estava só pensando alto, era o Lou Renwick da Global Artists. Nossa estrela não vai assinar, a menos que o amigo dele dirija, e o último filme do amigo foi uma bobagem sem tamanho. Essas pessoas são tão babacas. Deixa pra lá, vou aguentar firme. Tenho pontos nesse aqui... É, tenho opções no livro... Onde eu estava? Ah, sim, bom, fomos para Venice e caminhamos de um lado a outro da praia, cortando entre os joggers, surfistas, patinadores, jogadores de frisbee e passeadores de cachorros, procurando por este restaurante, e, eventualmente, ele pensou ter encontrado, mas o nome não estava certo e nem é um restaurante normal de frutos do mar, mas de comida tailandesa. No entanto, quando perguntamos lá dentro, disseram que abriram fazia mais ou menos um ano, então imaginamos que fosse provavelmente o próprio. De fato, a cara do lugar me lembrou vagamente alguma coisa também.

Tubby queria se sentar do lado de fora, embora estivesse um pouco frio, e eu, com pouca roupa para um jantar *al fresco*... Ah, uma blusa sem manga, e aquela saia de algodão preta que comprei na sua loja ano passado. Com os botões dourados? A própria. Tubby disse que vimos um lindo pôr do sol quando comemos em Venice da outra vez, mas ontem estava nublado, lembra, então não havia motivo particular para sentar na rua, mas ele mais ou menos insistiu. O garçom perguntou se queríamos algo para beber, e Tubby olhou para mim e pediu: "Uísque sour, sim?", e eu ri, disse que não bebia mais coquetéis, tomaria apenas uma água mineral, e ele pareceu estranhamente irritado. "Mas um *vinho* você bebe?", falou com ansiedade, e disse que talvez uma taça. Ele pediu uma garrafa de chardonnay de Napa Valley, o que me pareceu um pouco econômico para um cara que estava parando no Beverly Wilshire, mas não falei nada.

Durante todo o caminho até Venice, não parei de falar sobre *Retorno* porque minha cabeça estava cheia do assunto e acho que estava me exibindo um pouco, contando para ele que eu era uma produtora de cinema de primeira agora, não só uma executiva da tevê. Então, depois de pedir a comida, imaginei que era hora de deixá-lo falar um pouco. "Então, o que está acontecendo com você nos últimos tempos?", perguntei. Bem, foi como aquele momento em um filme de catástrofe quando alguém sem querer abre uma porta em um navio, e milhões de toneladas de água do mar entram derrubando tudo. Deu um suspiro que era quase um grunhido e começou a derramar uma história de angústia desesperada. Contou que a mulher queria se divorciar, e a empresa de tevê queria tirar o programa dele, e estava com uma lesão crônica no joelho que não curava. Parece que a esposa saiu de casa sem avisar e então voltou, duas semanas depois, para dividir o mesmo teto dentro de um sistema especial chamado "vidas separadas". Tipo, eles não só têm quartos separados, mas cada um tem sua vez de usar a cozinha e a máquina de lavar. Ao que parece os tribunais britânicos de divórcio são muito rígidos com o uso da lavanderia. É. Se ela de propósito lavasse as meias dele, poderia bagunçar a petição, ele diz. Não que se corra qualquer risco disso. Eles nem falam um com o outro quando se passam na escada. Mandam bilhetes, tipo a Coreia do Sul e a do Norte. Não. Ele desconfia de que exista alguém, mas ela diz que não, que apenas não quer mais ser casada com ele. Os filhos deles estão crescidos... Ela é algum tipo de professora universitária. Ele conta que ficou chocado quando ela anunciou... Quase trinta anos – dá pra acreditar? Eu não sabia que ainda existia alguém no mundo, fora dos lares para idosos, que fosse casado com a mesma pessoa por trinta anos. O que parecia incomodá-lo mais do que qualquer coisa era que, em todo aquele tempo, ele nem a traiu uma única vez. "Não que nunca tenha ficado tentado", afirmou. "Bem, você sabe, Louise." E então me deu essa longa olhada sentimental com os olhos azuis injetados.

 Vou te contar, me arrepiei inteira, e não era por causa da brisa vinda do mar. De repente compreendi o sentido *todo* daquele encontro. Percebi que foi naquele mesmo restaurante que eu havia tentado seduzi-lo tantos anos atrás... É! A coisa toda veio jorrando de volta na minha memória, como uma sequência de flashback em um antigo filme noir. Havíamos comido um belo jantar com uma garrafa de vinho, e eu escapulia para o toalete feminino entre os pratos para cheirar... É, eu tava usando drogas naquela época... Sempre levava um papelote na bolsa, a lavoura financeira favorita da Colômbia... Mas Tubby não curtia esse tipo de lance. Achava que, quando as pessoas ofereciam coca pra ele numa festa, estavam falando da bebida. Achava que estar ligado queria dizer que a pessoa estava esperta. Até a ideia de fumar um simples baseado o assustava, então nunca dei bandeira de que estava cheirando pó. Achava que ele acabaria desconfiando pelo jeito que eu ria do jeito inglês dele de falar. Enfim, lá estava eu, chapada e cheia de tesão, e lá estava aquele cavalheiro inglês, gentil e limpinho, sentado na minha frente, que obviamente me achava atraente, mas era decente demais ou tímido demais para tomar a iniciativa, então eu mesma tomei. Ao que parece, eu disse que gostaria de levá-lo para casa e trepar com ele a noite inteira... Pois é. Ele citou as palavras exatas para mim. Estavam gravadas na memória. Entende do que estou falando? Aquele encontro todo era uma reprise do outro de tantos anos atrás. O restaurante em Venice, a mesa do lado de fora, o chardonnay de Napa Valley... Foi por isso que ele estava tão irritado porque eu trocara de carro, o restaurante de frutos do mar agora era tailandês e eu não bebia mais uísque sour. Foi por isso que ele nos fez sentar na rua. Estava tentando recriar as exatas circunstâncias daquela noite há quatro anos no maior nível possível de detalhes. Cada detalhe, exceto um... Exato! Agora que a mulher o havia abandonado, queria aceitar meu convite para transar com ele. Ele viajou de lá da Inglaterra especificamente para esse propósito. Não parece ter passado pela cabeça dele que as minhas circunstâncias poderiam ter se alterado nesse meio-tempo, sem falar na minha disposição. Acho que, na cabeça dele, eu estava para sempre sentada naquela mesa ao lado do oceano, fitando ansiosamente o mar e esperando que ele reaparecesse, liberado de suas juras matrimoniais, para me arrebatar em seus braços. Espere um minuto, estou com outra ligação...

Oi. Como é que nós vivíamos antes da espera telefônica? Era o agente da Gloria Fawn. Ela dispensou *Retorno*. Que novidade, imagino que ele não tenha sequer mostrado o roteiro para ela. Bem, fodam-se... Ah, sim, então, tipo, eu estava dizendo, aquilo de fato me assustou, pensar que esse cara voara oito mil quilômetros para mudar de ideia quanto a uma proposta de quatro anos atrás. É como se você pedisse para alguém te passar o sal, e, quatro anos mais tarde, a pessoa aparece com uma salina. Bom, decidi que era melhor pôr os pingos nos *i*'s o mais depressa possível, então, quando ele tentou me servir mais vinho, pus minha mão sobre a taça e falei que estava cortando a bebida porque estava tentando engravidar e, se desse certo, teria de parar por completo... É.

Achei melhor tentar de uma vez. O velho relógio biológico está correndo com os ponteiros. Nick está a fim... Bem, obrigada, Stella. Estou contando com você para umas roupas chiques de maternidade... Enfim, esse anúncio fez Tubby Passmore parar para pensar, mas ele ainda não tinha entendido direito. Acho que por um instante pensou que eu queria ter o filho com *ele*... Bem, pode rir, mas esse cara é irreal, estou dizendo. Então expliquei que eu estava com Nick, e ele tipo se desmanchou diante dos meus olhos. Achei que ia começar a chorar em cima da sopa de camarão com capim-santo. Perguntei: "Alguma coisa errada?", embora soubesse muito bem qual era, e ele citou Kierkegaard para mim... É, Kierkegaard, o filósofo. Não Kierkegaard, o bufê. Rá, rá. Ele disse: "A coisa mais apavorante que pode acontecer a um homem é tornar-se ridículo a seus próprios olhos em uma questão de importância essencial". É. Foi isso. Cheguei a anotar depois.

Bem, como pode imaginar, nossa noite nunca mais se recuperou. Comi toda a comida, ele bebeu todo o vinho, e eu cuidei de toda a conversa. Não conseguia parar de sentir pena do cara, então falei pra ele sobre Prozac. Acredite se quiser, ele nunca havia ouvido falar. Balançou a cabeça e disse que nunca tomava tranquilizantes. "Tive uma experiência ruim com Valium uma vez", contou. Valium! Digo, esse cara está na Idade da Pedra farmacêutica. Expliquei para ele que Prozac não era um tranquilizante ou um antidepressivo comum, mas um cura-tudo totalmente novo. Usei sérios argumentos de venda... Claro, querida, e você não? Não é todo mundo em Hollywood que toma?... Bem, Nick e eu somos fãs. Claro. Temos nossa tabela presa com percevejo na parede da cozinha, nos dizendo quando tomar nossas queridas cápsulas em verde e branco. Bem, mudou a minha vida... Não, não estava deprimida, ninguém precisa estar deprimido para tomar. Faz maravilhas por sua autoconfiança. Tipo, eu nunca teria coragem de sair da Mediamax sem Prozac... Ah, sim, li a matéria na revista *Time*, mas nunca tive nenhuma experiência do tipo... Deveria experimentar, realmente, Stella... Bem, tem um efeito colateral, preciso admitir: torna mais difícil ter um orgasmo. Mas você não está com nenhum romance no momento, amada, o que tem a perder? Não, claro que não, Stella, mas o Prozac poderia virar sua maré... Bem, tá bem, querida, cada um tem seu jeito de lidar com as adversidades... Ah, o levei de volta para o Beverly Wilshire, e ele adormeceu no carro, não sei se pela bebida, pelo jet lag, pelo desapontamento ou por uma combinação de tudo isso. O chefe dos carregadores abriu a porta do carro, dei um beijo na bochecha de Tubby, o empurrei para fora e fiquei assistindo enquanto ele cambaleava para o lobby. Senti meio que pena dele, mas o que podia fazer? ...Não sei, suponho que vá voltar para Londres... É mesmo? ...Bem, não sei. Posso perguntar a ele, se você quiser... Tem certeza de que é uma boa ideia, Stella? ...Bom, se está dizendo. Entende que ele não é exatamente a versão inglesa do Warren Beatty, né? ...Ah, ele é limpo, com certeza, não precisa se preocupar com isso. Vou ligar para ele agora e dizer que tenho essa amiga linda e descompromissada que está morrendo para conhecê-lo... Falamos em seguida.

OLLIE

Oh, olá, George, como vão as coisas no *Atualidades*? Que bom, que bom. Ah, sobrevivendo, mal e mal. Obrigado, estou precisando. Um chope Bass, por favor. Ah, pode ser uma caneca. Tá. É, uma dessas manhãs. Minha secretária faltou, está doente, nossa máquina de fax está quase pifada, a BBC arrematou a novela canadense em que eu estava de olho, e um advogado sacana está me processando porque tem o mesmo nome daquele advogado corrupto do episódio de *Motorway Patrol* – você viu? Não, na semana anterior. Ah, obrigado, Gracie. E um pacote de batatinhas, sabor bacon defumado. Não, não, George, deixa que eu pago as batatinhas. Bem, já que insiste. Obrigado, Gracie. Saúde, George. Ah. Estava precisando disso. Como? Ah, suponho que vamos fazer um acordo e pagar uma bela grana, é mais barato a longo prazo. Vamos sentar? Lá no canto. Gosto de ficar de costas para a parede neste lugar, tem menos chance de que alguém escute. É, mas não quer dizer que não estejam tentando te pegar. Rá, rá. Chegamos. Coma uma batata. Isto é, se eu conseguir abrir o maldito pacote. Deveriam inventar algo que abrisse essas embalagens plásticas, algo como um cortador de charuto que pudesse levar no bolso, eu estaria disposto a patentear, você ganharia uma fortuna. Opa! Entende o que quero dizer? Ou o negócio não abre de jeito nenhum, ou arrebenta no meio e derrama o conteúdo todo no teu colo. Coma uma. Vi um sujeito no bar outro dia, juro por Deus, foram umas dez rodadas com ele brigando com o pacote de Walton's Crisps. Quebrou uma unha tentando rasgar o saco, quase quebrou um dente tentando arrancar a ponta, terminou com ele, desesperado, ateando fogo com o isqueiro. Não estou brincando. Acho que estava tentando derreter a ponta do pacote, mas pegou fogo, psssst, chamuscou as sobrancelhas do sujeito e fedeu o lugar inteiro com o cheiro de gordura de batatinha queimada. Sério. Agora, se puséssemos isso na tevê, não ousaríamos dizer Walton's Crisps, ou eles desceriam com uma tonelada de tijolos contra nós; bem, é justo, acho, mas estamos chegando a um ponto onde é preciso conferir o nome de cada maldito advogado do país antes de liberar um script. Bela cerveja, essa aqui.

    É, foi uma dessas manhãs, isso é certo. Para coroar, tive uma reunião com Tubby Passmore. Um lunático sem igual. Bem, está me dando muita dor de cabeça no momento. Suponho que já saiba sobre Debbie Radcliffe? Ah, pensei que Dave Treece já havia posto você a par. Bem, guarde segredo, mas ela quer sair de *O pessoal da casa ao lado*. É. Pode crer que é sério. O contrato dela termina no fim da temporada atual, e ela não vai renovar por valor nenhum, a vaca. Sei lá, diz que quer voltar aos palcos. Ela é? Bem, não tenho como saber, nunca vou ao teatro se posso evitar. Não suporto. É como estar amarrado no assento em frente a uma televisão com apenas um canal. E você não pode falar, não pode comer, não pode beber, não pode sair pra ir ao banheiro, não pode nem mesmo cruzar as pernas porque não tem espaço. E ainda cobram vinte paus pelo privilégio. Enfim, está irredutível, então precisamos tirar a personagem dela do programa. Ainda está com índices muito bons, como você sabe. Totalmente. Pelo menos mais uma temporada, é provável que duas ou três. Então pedimos a Tubby para reescrever o último episódio ou dois da atual para nos livrarmos de Priscilla, sabe, a personagem de Debbie, para dar lugar para uma nova mulher na vida de Edward na temporada seguinte, entende? Sugerimos algumas ideias a Tubby, mas ele não aceita nenhuma. Disse que a única forma é literalmente matando-a. Em um acidente de carro, ou na mesa de cirurgia ou algo assim. É, inacreditável, não é? Teríamos o país inteiro aos prantos. Debbie precisa sair de um jeito que deixe os telespectadores se sentindo bem, manda o bom senso. Digo, ninguém está fingindo que é fácil. Mas se há algo que aprendi em meus 27 anos de televisão é que *sempre tem solução*. Não importa qual o problema, se é nos roteiros, ou no elenco ou locações ou custos, sempre tem solução – caso se force a pensar. O problema é que a maioria das pessoas é de uma preguiça fodida, ninguém quer fazer o esforço. Só que chamam de integridade. Tubby diz que prefere ver o programa terminar a comprometer a integridade dos personagens. Já ouviu tamanha besteira? Estamos falando de uma sitcom, não de Ibsen. Temo que ele esteja sofrendo de ilusões de grandeza, a última é que quer escrever... Ah, bem, felizmente descobrimos que, pelo contrato, podemos chamar outro roteirista para assumir se Tubby se recusar a escrever outra temporada. Pois é. Claro que não *queremos*. Preferimos que o próprio Tubby faça o serviço. Ah, fodam-se os direitos morais dele, George! A questão é que ele pode fazer o trabalho melhor do que qualquer outro, se ao menos se dignasse a fazer o esforço. Bem, estamos num impasse no momento. Ele tem cinco semanas para aparecer com uma ideia aceitável para ir tirando Debbie do programa ou então vamos chamar outro roteirista. Sei lá, não estou muito esperançoso. Não parece estar vivendo no mundo real nos últimos tempos. A vida privada dele está na merda total. Sabe que a mulher deixou dele? É. Fiquei sabendo disso quando ele me ligou uma noite, em casa, bem tarde. A voz dele soava um tanto enraivecida – sabe, quando a pessoa respira pesado e dá longas pausas entre as palavras. Disse que tinha uma ideia para tirar Debbie do programa. "Suponha", foi falando, "suponha que Priscilla simplesmente dá um fora no Edward sem avisar? Suponha que ela apenas anuncie para ele no último episódio que não quer permanecer casada? Não existe outro homem. Ela apenas não o ama mais. Nem mesmo gosta mais dele. Diz que morar com ele é como morar com um zumbi. Então decidiu deixá-lo." Falei para ele: "Não seja ridículo, Tubby. Precisa haver mais motivação do que isso. Ninguém vai acreditar". E ele perguntou: "Não vão?", e desligou o telefone. A próxima coisa que escuto é que a mulher dele o deixou. Viu aquela matéria no *Public Interest*? Bem, essa era a questão, não era? Não havia outro homem. O sujeito era gay. Parece que a mulher de Tubby caiu fora porque, como ele disse, não queria mais ficar casada com ele. Está lidando muito mal com isso, claro, como qualquer um. Vai tomar outra? Do mesmo? O que era, Club tinto?

Ah, o Saint Emilion, certo. Acha que vale a diferença no preço, é? Não, não, vai tomar o Saint Emilion, George. Não entendo nada de vinho, nunca fingi entender. Pequena ou grande? Acho que eu mesmo vou tomar uma meia, tenho trabalho esta tarde. Ah, certo. Vou comer uma torta, e você? Frango e cogumelos, certo.

Aí está. Uma taça grande de Saint Emilion. Eles chamam quando as tortas ficarem prontas. Nosso número é o dezenove. Estava num pub outro dia em que estavam distribuindo cartas de jogar em vez dessas fichas de chapelaria.

A moça no bar chamava "Rainha de Copas" ou "Dez de Espadas", ou o que fosse. Ideia esperta, pensei. Estou sempre perdendo essas coisinhas incômodas e esquecendo meu número. Sua torta saiu um e 25, aliás. Ah, valeu. Isso é tudo que tenho trocado, vou ficar te devendo dez centavos, tudo bem? Saúde. Sim, bem, ele marcou para falar comigo hoje. Achei, quem sabe, que tivesse uma nova ideia brilhante sobre como se livrar da personagem de Debbie, mas não tive essa sorte. Em lugar disso, acabou que queria tentar a mão com drama sério. É. Não vai acreditar nisso, George. Quer fazer uma série sobre um velhote chamado Kikkiguard. Ah, é assim que se pronuncia? Já ouviu falar dele então? É isso aí, um filósofo dinamarquês. Que mais sabe sobre ele? Bem, eu nem sabia disso até Tubby contar. Fiquei pasmo, (*a*) que ele se interessasse pelo assunto, e (*b*) que pensasse que nós nos interessaríamos. Perguntei para ele, falando bem devagar: "Quer escrever uma série dramática para a Heartland Television sobre um filósofo dinamarquês?". Digo, se tivesse dito que era sobre um doce dinamarquês não teria soado mais amalucado. Ele só assentiu com a cabeça. Consegui não rir na cara dele. Já passei por isso antes com escritores de comédia. Todos começam a ter ideias acima de suas possibilidades em algum momento. Querem acabar com o público do estúdio, ou escrever sobre problemas sociais. Na outra semana, Tubby fez uma referência ao aborto no script. Eu te pergunto – aborto em uma sitcom! Ou você dá corda ou manda tomar rumo. Ainda tenho esperança de que Tubby dê um jeito em *O pessoal da casa ao lado*, então dei corda. Falei: "Ok, Tubby, venda pra mim. Qual é a história?".

Bem, não havia história para ser relatada. Esse fulano, Kierkegaard, era filho de um mercador rico em Copenhague, estamos no que, época vitoriana, talvez começo da vitoriana, o velho era um tipo tristonho e cheio de culpa, que cria os filhos de acordo. Eram protestantes muito rígidos. Quando era jovem, Kierkegaard deixou de lado um pouco desses princípios. "Dizem que pode ter ido a um bordel uma vez", Tubby afirmou. "Só uma?", perguntei. "Ele se sentiu muito culpado com isso", Tubby disse. "Foi provavelmente sua única experiência sexual. Noivou depois com uma moça chamada Regine, mas rompeu." "Por quê?", perguntei. "Não achava que seriam felizes", respondeu. "Sofria muito de depressão, como o pai." "Estou vendo que isso não vai ser um seriado de comédia, Tubby", falei. "Não", ele respondeu totalmente sério. "É uma história muito triste. Depois de romper o noivado, ninguém entendeu por que, ele foi embora para Berlim por um tempo e escreveu um livro chamado *Ou-ou*. Voltou para Copenhague, com esperanças secretas de reatar com Regine, mas descobriu que ela estava noiva de outro." Parou e olhou para mim, muito emotivo, como se essa fosse a maior tragédia da história mundial. "Entendo", falei depois de um tempo. "E o que ele fez então?" "Escreveu uma série de livros", Tubby respondeu. "Tinha qualificações para ser pastor, mas não concordava em fazer da religião uma carreira. Por sorte, herdara uma fortuna substancial do pai." "Está parecendo que essa foi a única sorte dele na vida", falei. Ah, ela disse dezenove, George? Aqui, docinho, nós somos o número dezenove. Uma de carne e rim e outra de frango com cogumelos, isso mesmo. Ótimo. Obrigado. Chegou rápido. De micro-ondas, claro. É bom ter cuidado na primeira mordida, podem queimar a língua, essas tortas. São mais quentes por dentro do que parecem. Humm... nada má. Que tal a sua? Bom. Então. Tubby Passmore, isso. Perguntei se Kierkegaard era famoso no tempo dele. "Não", afirmou ele. "Os livros eram considerados estranhos e obscuros. Estava à frente de seu tempo. Foi o fundador do existencialismo. Reagiu contra o idealismo abrangente de Hegel." "Isso não soa como material apropriado para o horário nobre de uma tevê aberta, Tubby", declarei. "Eu abordaria os livros só de relance", falou. "A ênfase maior seria no amor de Kierkegaard por Regine. Ele nunca conseguiu esquecê-la, mesmo depois de ela ter se casado." "O que aconteceu?", instiguei. "Tiveram um caso?" Ele pareceu bastante chocado com aquela sugestão. "Não, não", afirmou. "Ele a via pela cidade – Copenhague era pequena naqueles tempos –, mas nunca se falaram. Uma vez, ficaram cara a cara na igreja, e pensou que ela ia dizer alguma coisa, mas não disse, nem ele. Daria uma cena ótima", afirmou. "Uma emoção tremenda, sem uma só palavra. Apenas close-ups. E música, claro." Aparentemente, isso foi o mais perto que chegaram de uma reaproximação. Quando Kierkegaard pediu permissão ao marido para escrever para a moça, ele recusou. "Mas ele sempre a amou", Tubby continuou. "Deixou tudo para ela em testamento, embora não restasse muito quando ele morreu." Perguntei de que ele havia morrido. "Uma infecção dos pulmões", explicou. "Mas, na minha opinião, foi de coração partido. Perdera o desejo de viver. Ninguém de fato compreendia seu sofrimento. Quando estava no leito de morte, o tio disse que não havia nada de errado com ele que não pudesse ser curado endireitando seus ombros. Tinha só 48 anos quando faleceu." Perguntei o que mais esse velhote fazia fora escrever livros. A resposta foi praticamente nada, exceto fazer passeios de carruagem pelo país. Perguntei: "Onde está o risco, Tubby? Onde está o suspense?". Ele pareceu tomado de surpresa. "Não se trata de um thriller", disse. "Mas precisa existir alguma ameaça ao seu herói", falei. "Bem", ele disse, "houve um período em que uma revista satírica começou a atacá-lo. Isso lhe causou muita dor. Debochavam das calças dele." "Das calças?", perguntei. Vou te dizer, George, precisei me esforçar para não rir durante a coisa toda. "Sim, imprimiram caricaturas dele com uma perna das calças mais curta do que a outra." Bem, assim que ele falou "caricatura", me lembrei da charge do *Public Interest*, e tudo se encaixou. É, tudo fez sentido. O cara desenvolveu alguma espécie de identificação com esse sujeito Kierkegaard. Está tudo ligado aos problemas conjugais dele. Mas não insinuei nada. Apenas recapitulei a história conforme ele me relatou. "Ok, Tubby, vamos ver se entendi direito", comecei. "Tem esse filósofo dinamarquês, do século XIX, que fica noivo de uma donzela chamada Regine, termina o noivado por motivos que ninguém entende, ela se casa com outro cara, os dois nunca mais se falam, ele vive mais uns vinte anos, escrevendo livros que ninguém entende, então morre, e cem anos depois ele é aclamado como o pai do existencialismo. Acha mesmo que há uma série dramática para tevê em algum lugar disso tudo?" Pensou por um momento, então disse: "Quem sabe seria melhor um episódio único". "Muito melhor", falei. "Mas, claro, essa não é minha área. Precisa falar com Alec Woosnam sobre isso." Pensei que fora uma jogada bastante esperta, o mandando gastar os ouvidos do Alec falando de Kierkegaard. Não, claro que Alec não vai engolir, faça-me o favor! Mas vai dar uma enrolada em Tubby se eu pedir. Conseguir que ele escreva um primeiro tratamento e fale com o pessoal do Channel Four, vai passar por todas as etapas. Se cedermos com o Kierkegaard, ele pode muito bem jogar junto sobre a personagem de Debbie em *O pessoal da casa ao lado*. Não, ele não tem um editor de script. Tínhamos um durante a primeira temporada, mas depois disso não vimos mais necessidade. Tubby entrega os roteiros direto para mim e Hal, e nós trabalhamos juntos em cima deles. Não acho que ele aceitaria bem o fato de voltar a ter um editor. Mas é uma ideia, George, definitivamente uma ideia. Mais uma? Bem, eu não deveria, mesmo, mas essa torta me deu uma sede terrível, deve estar salgada demais. Ah, melhor pedir logo uma caneca. Valeu.

Samantha

Hetty, querida, como vai? Deus do céu, não preciso nem perguntar, preciso? Pobrezinha. Sua bochecha está inchada como uma abóbora. Imagino que esteja surpresa de me ver, mas, quando telefonei, a pessoa com quem divide o apartamento me avisou que você estava aqui, e, como eu estava por perto, pensei em dar uma chegadinha, mesmo não sendo um horário adequado de visitas. Não acho que se importem muito, será? Não pode falar nada? Ai, querida, que pena. Estava animada para uma boa conversa. Bem, vai ter que apenas balançar a cabeça e usar os olhos, querida, como uma boa atriz de televisão. Comprei umas uvas para você, onde posso deixá-las – aqui? Foram lavadas, então pode se servir. Não? Não está podendo comer *nada*? Que inferno são esses sisos. Gravemente impactados, foi? *Dois* deles? Não admira que esteja com essa cara péssima. Humm... estão deliciosas. Sem sementes. Tem certeza de que se descascar uma para você não daria...? Não? Ah, bem, então tá. Dói muito? Suponho que tenham enchido você de analgésicos. Precisa exigir *mais* assim que o efeito desses passar. Os hospitais são terrivelmente malvados com isso, acham que a dor é uma melhora. Bem, vou precisar fazer toda a parte conversacional, não vou? Ainda bem que tenho muito para contar. O fato é que acabo de passar um fim de semana bizarríssimo, e estou morrendo para contar tudo para alguém que não seja ligado ao meu trabalho. Consegui um trabalho novo na Heartland, veja bem, um trabalho de verdade. Editora de script. Comecei na semana passada. Basicamente significa que você lê as primeiras versões de um script preparado pelo roteirista e faz comentários e sugestões, e em geral age como um meio de campo entre o autor e o produtor ou diretor. É o primeiro passo para alguém que quer passar a escrever ou produzir algo. Sabe que eu andava ciceroneando aquele pestinha, Mark Harrington, de *O pessoal da casa ao lado*? Bem, agora estou trabalhando com o roteirista, Tubby Passmore. Bem, pode fazer careta, Hetty, mas 13 milhões de pessoas não podem estar erradas, não na televisão, não podem. Foi o próprio Tubby quem pediu por mim. Conheci o sujeito através desse ciceroneamento – nos encontrávamos nos ensaios, na cantina e assim por diante. Sempre foi muito agradável, mas bem tímido. Eu o tomei por um herbívoro. Sempre digo que há dois tipos de homem, os herbívoros e os carnívoros. Com base em algo no jeito com que olham para você. Por ter esses peitos, sou alvo de muitos olhares. Sei que você costumava dizer na escola que seria capaz de matar por um par desses, Hetty, mas para ser honesta eu daria qualquer coisa por uma silhueta como a sua. Não, é sério. As roupas ficam tão melhores em uma mulher sem busto. Não que você seja *completamente* reta, querida, mas sabe o que estou dizendo. Enfim, alguns homens apenas passam os olhos com ar de apreciação, como se fosse uma estátua ou algo assim, esses são os herbívoros, querem apenas apreciar, e outros olham para você como se desejassem rasgar suas roupas e enfiar os dentes, esses são os carnívoros. Jake Endicott é um carnívoro. Ele é meu agente. É agente do Tubby também, por acaso. E Ollie Silvers, o produtor de *O pessoal da casa ao lado*, ele é outro carnívoro. Quando falei com Tubby um dia sobre minhas ambições de roteirista, ele sugeriu que pedisse a Ollie para me passar alguns scripts para ler e fazer relatórios, sabe, analisando os que não foram encomendados, da pilha de refugos. Então fui me encontrar com ele, usando meu terno de linho claro, sem blusa, e, durante toda a conversa, pude ver que ele estava tentando espiar dentro da minha roupa para ver o que eu estava usando por baixo do blazer, se é que tinha alguma coisa. Saí do escritório com uma pilha de roteiros. Estou vendo que você desaprova, Hetty, mas sou completamente pós-feminista com relação a isso, receio. Acho que é um grande erro das mulheres causarem toda essa comoção sobre assédio sexual. É como o desarmamento unilateral. Em um mundo masculino, precisamos de todos os ardis e armas que temos. Não acho que deveria mexer tanto a cabeça, querida, seus pontos podem arrebentar. Pode ser que seja diferente no serviço público, não tenho como saber. Enfim, como eu ia dizendo, achava que Tubby fosse um herbívoro confirmado. Se estivéssemos sentados à mesma mesa na cantina ou no bar, ele conversava comigo de uma forma paternal e jamais me cantou nem chegou perto disso. Tem idade suficiente para *ser* meu pai, na real. Está mais para o gordo, como o nome indica. Calvo. Uma cabeça grande em formato oval. Sempre me lembra dos desenhos do Humpty Dumpty em uma edição de *Alice no País das Maravilhas* que eu tinha quando era criança. Eu o paparicava puramente por interesse, não me incomodo em admitir. Nossa, preciso parar de comer suas uvas. Só mais uma, então.

Bom, como eu ia dizendo, Tubby sempre me pareceu bem imune aos meus encantos femininos, de fato eu estava levemente curiosa pela falta de interesse dele, mas então sua atitude mudou de repente. Foi depois que o casamento dele terminou – ah, esqueci de mencionar, a esposa deixou dele há um ou dois meses. Houve uma série de boatos – que ela se assumira lésbica, que fora morar em um ashram ou que o pegara na cama com o professor de tênis dela. Nada a ver com a realidade dos fatos, conforme fui descobrir depois. Ele deu uma sumida durante algumas semanas. Mas então, um belo dia, apareceu nos ensaios em Londres, em um prédio nojento em Pimlico que a Heartland usa, e logo em seguida me passou uma cantada. Sem qualquer aviso. Lembro que o vi passar pelas portas de empurrar, parar na soleira olhando ao redor até me encontrar, e então veio direto na minha direção e se jogou do meu lado, mal se preocupando em dar oi para Hal Lipkin, que é o diretor, ou alguém do elenco. Deborah Radcliffe sorriu, mas ele passou reto sem olhar para ela, o que não agradou muito. Pude ver as farpas que ela mandava para nós pelo canto do olho. Tubby parecia acabado. Os olhos estavam injetados. A barba por fazer. As roupas amassadas. O fato é que ele acabara de chegar de L.A. e fora direto do aeroporto para as salas de ensaio. Falei que isso demonstrava uma grande devoção para com seus compromissos, e ele me fitou como se não entendesse do que eu estava falando, então expliquei: "Estou falando em participar dos ensaios quando você deve estar exausto". Ele disse: "Oh, às favas com os ensaios", e no segundo seguinte me convidou para jantar na mesma noite. Bem, eu combinara de ir ao cinema com James, mas não deixei que isso me atrapalhasse. Digo, se um roteirista famoso, bem, famoso em termos de televisão, convida uma ninguém como eu para jantar, a gente aceita. Se não quiser continuar sendo uma ninguém pela vida toda, você aceita. É assim que funciona, querida, acredite em mim. Por falar nisso, James pensa que eu passei o último final de semana visitando minha avó em Torquay, lembre-se desse detalhe, se por acaso encontrar com ele, tudo bem?

Então Tubby me levou para esse restaurantezinho no Soho, Gabrielli's. Nunca havia ido lá antes, mas ele era, obviamente, um habitué. Eles o receberam com os braços abertos, como se fosse um filho pródigo – todos, exceto pela mulher do dono, que me olhava com raiva por algum motivo. Tubby estava adorando toda aquela atenção até que a mulher apareceu e serviu uns pães na mesa e perguntou, olhando para mim: "Essa é sua filha, então, signor Passmore?", e Tubby ficou muito vermelho e disse que não, que não era, e então essa mulher disse: "E como está la signora Amy?", e Tubby ficou mais vermelho ainda e afirmou que não sabia, que não a via há algum tempo, e a vaca velha intrometida deu um sorriso presunçoso e desapareceu para a cozinha. Tubby parecia Humpty Dumpty depois de ter caído do muro, resmungou que às vezes comia ali com Amy Porteus, a diretora de elenco de *O pessoal da casa ao lado*. Já a vi algumas vezes. Ela é uma moreninha atarracada, acho que de uns quarenta e poucos anos, sempre um pouco arrumada demais e fedendo a perfume. Comentei em tom de brincadeira que ele obviamente não parecia ter o hábito de levar mocinhas para lá, e ele respondeu, bem sério, que não, que não tinha e perguntou se eu gostaria de beber algo. Tomei um campari com soda, e ele bebeu água mineral. Falei sobre minha ideia para uma novela, e ele assentiu e disse que parecia interessante, mas não parecia de fato estar prestando atenção. O que, querida, que você não está entendendo? Faça mímica. Ah! Não um novelo, uma *novela*, entende, como *Eastenders*, só que o que estou imaginando é mais na linha de *Westenders*. Perguntei se ele fora a L.A. a negócios, e ele disse que "em parte", mas não explicou a outra parte. Serviram uma refeição bem decente, e tomamos uma garrafa de chianti, que deveria ser bem especial, mas ele mal tocou no vinho, disse que por conta do jet lag estava com medo que fosse cair de sono. Durante a sobremesa, foi levando a conversa, de modo bem desajeitado, para o tema sexo. "Você não faz ideia", foi dizendo, "do quanto éramos reprimidos sobre sexo quando eu era novo. As moças de bem não faziam. Então os moços de bem não podiam na maioria das vezes. O país estava repleto de virgens de 25 anos, inclusive muitos rapazes. Imagino que ache difícil dar crédito a isso. Suponho que não pensaria duas vezes para fazer sexo com alguém que gostasse, pensaria?" Então perguntei – o quê? Ah, sim, vou falar mais baixo. Essas camas são bem juntinhas, não? Por que ela está aqui? Faça mímica. Apêndice? Não. Histerectomia? É mesmo? Você é boa de mímica, querida. Sabe, essa pode ser a gênese de uma boa brincadeira de salão, bem aqui.

Então falei que dependia se eu de fato gostava da pessoa, e ele me olhou todo emotivo e perguntou: "E você de fato gosta de *mim*, Samantha?". Bom, fiquei um pouco surpresa com a velocidade na qual chegáramos àquele ponto. Foi como se tivessem me levado para passear em um daqueles GTi's, que parecem ter um astral familiar sossegado, mas vão de zero a oitenta em três segundos. Então ri minha risadinha delicada e disse que aquilo estava parecendo um convite. Ele pareceu muito abatido e disse: "Então não gosta?". Falei que pelo contrário, gostava muito dele, mas achava que estava exausto e com jet lag e podia não saber muito bem o que estava fazendo ou dizendo, e eu não queria tirar vantagem dele. Bem, ele ponderou aquilo por um momento, franzindo a testa, e pensei, você estragou tudo, Samantha, mas, para meu alívio, a cara de Humpty Dumpty se abriu em um sorriso, e ele disse: "Você tem toda a razão. Que tal uma sobremesa? Eles fazem um ótimo tiramisu aqui". Ele se serviu uma taça cheia de vinho, mandou ver, como que para compensar o tempo perdido, e pediu uma segunda garrafa. Falou sobre futebol o resto do jantar, que não posso dizer que seja meu assunto favorito, mas felizmente estávamos acabando. Ele me pôs em um táxi na frente do restaurante, deu dez para o motorista pela corrida e me beijou na bochecha feito um tio. Ah, aí vem o carrinho do chá. Consegue beber de uma xícara? Ah, bom. Já ia dizer que, se não pudesse, eu beberia por você. Posso ficar com seus biscoitos então? Uma pena jogar fora. Hummm, de creme, os meus favoritos. Que pena que não pode comer nem um.

  Então, onde eu estava? Ah, sim, bem, alguns dias depois, recebi uma mensagem para ir falar com Ollie Silvers no escritório de Londres da Heartland. Passei a manhã toda agonizando sobre o que vestir e o que deixar à mostra, mas no caso foi desnecessário porque ele me ofereceu o trabalho direto. Hal Lipkin estava com ele. Cada um se sentou em uma das pontas de um sofá comprido, alternando os comentários que faziam. "Você deve ter notado que o sr. Passmore anda agindo de modo bem estranho ultimamente", disse Ollie. "O casamento dele está passando por dificuldades", disse Hal. "Está sofrendo bastante", disse Ollie. "Estamos preocupados com ele", falou Hal. "Também estamos preocupados com o programa", disse Ollie. "Gostaríamos de fazer mais uma temporada", disse Hal. "Mas surgiu um contratempo", disse Ollie. Não posso lhe dizer que contratempo é esse, querida, porque me fizeram jurar sigilo. Sei que você não se mistura com o jornalismo de mídia, mas mesmo assim. Não deveria nem ter lhe contado que *existe* um problema. É tudo de um segredo absoluto. Em resumo, querem que Tubby reescreva os últimos episódios da temporada atual para abrir caminho para uma nova evolução da história na temporada seguinte. Introduzindo uma nova situação na sitcom, digamos. "Mas Tubby não parece capaz de concentrar seus esforços no problema", falou Hal. "Então achamos que ele precisa de um editor de roteiro", disse Ollie. "Uma espécie de mistura de fiscal com editor de dramaturgia", explicou Hal. "Alguém para segurar o nariz dele no esmeril e a bunda na cadeira da mesa de trabalho", disse Ollie. "Nós propusemos isso a Tubby", continuou Hal. "E ele pediu por você", disse Ollie. Durante todo aquele tempo, eles não me deram a menor chance de dizer uma só palavra – fiquei só olhando de um para o outro, como um espectador em Wimbledon. Mas então deram uma pausa, como que esperando uma resposta. Falei que estava lisonjeada. "Deveria estar", disse Ollie. "Teríamos preferido alguém com mais experiência", disse Hal. "Mas aqueles relatórios que redigiu para mim foram bem precisos", disse Ollie. "E deve conhecer o seriado de trás para frente, acompanhando os ensaios por todo esse tempo", disse Hal. Falei: "Sim. Imagino que seja por isso que o sr. Passmore sugeriu meu nome para a função". Ollie me deu uma olhada carnívora e disse: "Sim, imagino que seja". Ele não sabia, claro, que Tubby havia me levado para jantar e me feito uma proposta indecente poucos dias antes.

Naturalmente, entendi que aquele novo acontecimento era uma segunda tentativa, bem mais sutil, de sedução por parte de Tubby. Então não fiquei surpresa quando praticamente a primeira coisa que ele fez quando comecei a trabalhar foi me convidar para passar um fim de semana com ele. Telefonei da minha nova sala, ou melhor, da minha nova mesa na sala que divido com outras duas garotas. Somos todas editoras de roteiros – por algum motivo, os editores de roteiro quase sempre são *mulheres*. Como as parteiras, falei: "Olá, aqui é Samantha, imagino que já saiba que sou sua nova editora de roteiros", e ele respondeu: "Sim, fico muito feliz que tenha assumido a função". Não o deixei perceber que eu sabia que ele pedira por mim. Perguntei: "Quando vamos nos reunir?", e ele falou: "Vá para Copenhague comigo no fim de semana que vem". Indaguei: "Para quê?", e ele disse: "Preciso fazer umas pesquisas". Falei: "E o que Copenhague tem a ver com *O pessoal da casa ao lado*?", e ele respondeu: "Nada. Estou escrevendo um filme sobre Kierkegaard, Ollie não falou para você?". Respondi que não, que Ollie não esclarecera essa parte, mas claro que ficaria feliz em poder ajudar de todas as formas possíveis. Ele disse que marcaria as passagens e os quartos de hotel e me passaria todos os detalhes. Reparei no plural de "quartos" e aprovei. Digo, sabia no que estava me metendo, mas uma garota tem que manter sua dignidade. Não precisa me olhar desse jeito, Hetty.

Assim que ele desligou, liguei para Ollie e contei que Tubby parecia estar pensando que eu fora designada para ajudá-lo a trabalhar em um filme sobre Kierkegaard e não para *O pessoal da casa ao lado*. Sabe quem é Kierkegaard, não é, querida, ou melhor, quem ele foi? Claro que sabe, estudou Filosofia em Oxford. Desculpe. Preciso confessar que ele não passava de um nome pra mim antes desse fim de semana, mas agora sei mais do que gostaria sobre ele. Não é o assunto mais óbvio para um filme de televisão, convenhamos. Aliás, caso esteja achando que estou falando errado o nome dele, essa é a forma que eles pronunciam em dinamarquês, Kierke*gaud*, como em "Ai meu Daus", que foi o que Ollie exclamou quando contei que Tubby queria me levar para Copenhague e o porquê. Ouvi-o suspirar e resmungar sozinho e depois o clique de um isqueiro, quando acendeu um charuto, e então disse: "Olha, Samantha, meu docinho, vá em frente, agrade ele bastante, faça essa parte do Kierkegaard, participe de tudo, mas fique lembrando-o, em todas as oportunidades que tiver, sobre *O pessoal da casa ao lado*, ok?". Respondi que ok.

Já foi alguma vez a Copenhague? Nem eu, até esse fim de semana. É muito bonita, mas um pouco chata. Muito limpa, muito tranquila – quase não tem trânsito se comparada a Londres. Aparentemente eles construíram o primeiro circuito de compras pedonal da Europa. Acho que isso resume os dinamarqueses de certa forma. São tremendamente ecológicos e conscientes dos usos de energia. Ficamos em um hotel de luxo, mas a calefação estava desligada a ponto de ficar desconfortável, e no quarto havia um cartãozinho pedindo para que a gente ajudasse a conservar os recursos do planeta evitando lavagens desnecessárias de roupa de cama e toalhas. O cartão é vermelho de um lado e verde do outro, e, se deixar com o verde para cima, eles só trocam seus lençóis depois de três dias, e não trocam as toalhas a menos que você as deixe no chão do banheiro. O que é muito sensato e responsável, mas um pouco brochante. Digo, sou tão ecológica quanto qualquer um em casa, por exemplo, sempre compro meu xampu em embalagens biodegradáveis, mas um dos prazeres de ficar em um hotel de luxo é dormir em lençóis limpinhos e passados todas as noites e usar uma toalha limpa a cada vez que se toma um banho. Receio que tenha deixado meu cartão com o lado vermelho para cima o fim de semana todo e evitado cruzar com o olhar da camareira se passasse por ela no corredor.

 Partimos de Heathrow na sexta à noite – primeira classe, tudo do melhor, minha cara, uma refeição quente com facas e garfos de verdade, e bebendo tudo o que podia durante as duas horas de voo. Bebi bastante champanhe e é provável que tenha falado demais por conta disso, pelo menos a mulher na fileira da frente passava se virando para trás e me olhando feio, mas Tubby parecia estar se divertindo. Na hora em que chegamos ao hotel, no entanto, estava começando a me sentir bem cansada e perguntei se ele se importaria se eu fosse direto para a cama. Ele pareceu um pouco desapontado, mas então disse, muito galante, que não, nem um pouco, era uma boa ideia, ele faria o mesmo e então estaríamos revigorados pela manhã. Então nos despedimos com muito decoro no corredor, na porta do meu quarto, sob os olhares do carregador. Caí na cama e apaguei.

 O dia seguinte estava claro e ensolarado, ideal para conhecer Copenhague a pé. Tubby também nunca havia estado lá. Ele queria sentir o ambiente e também procurar possíveis locações. Não faltavam prédios bem preservados do século XVIII e do começo do XIX, mas o problema são os sinais de trânsito modernos e o mobiliário de rua. E há uma doca pitoresca chamada de Nyhavn, com navios antigos genuínos ancorados, mas as construções antigas que dão para elas foram convertidas em restaurantes moderninhos e um hotel turístico. "Vamos acabar filmando em algum lugar completamente diferente", disse Tubby, "algum lugar no Báltico ou no Mar Negro." Comemos um almoço variado em um local de Nyhavn e depois fomos até o museu da cidade onde eles tinham uma sala do Kierkegaard.

 Tubby estava cheio de expectativa para essa visita, mas acabou se revelando um certo anticlímax, pelo menos eu achei. Uma sala meio pequena para um museu, de cerca de dez metros por cinco, com alguns exemplos de mobiliário e meia dúzia de vitrines de vidro exibindo objetos variados relacionados a

Kierkegaard – seus cachimbos, uma lupa, algumas fotos e livros velhos. Nem repararia neles em um antiquário, mas Tubby se derramava em cima dessas coisas como se fossem relíquias sagradas. Em especial, estava interessado em um retrato da noiva de Kierkegaard, Regine. Eles estavam noivos por cerca de um ano, mas então ele rompeu, e depois se arrependeu para sempre de acordo com Tubby. O retrato era uma pequena pintura a óleo de uma moça usando um vestido verde curto com um xale verde escuro em torno dos ombros. Ele fitou o retrato por uns cinco minutos sem piscar. "Ela se parece com você", falou em algum momento. "Acha mesmo?", perguntei. Ela tinha olhos castanho-escuros e o cabelo combinando, então suponho que ele estivesse falando que ela tinha seios grandes. Na verdade, para ser justa, havia algo em relação à boca e ao queixo que não era distante dos meus. Ela também parecia ser divertida – havia uma suspeita de um sorriso nos lábios e um brilho no olhar. O que era mais do que se podia dizer de Kierkegaard, a julgar pelo desenho feito dele que estava na mesma vitrine: um velho magrelo caturra, torto e de nariz comprido, vestindo uma cartola alta e carregando um guarda-chuva enrolado como se fosse uma espingarda embaixo do braço. Tubby disse que era uma caricatura feita por um jornal quando Kierkegaard estava nos seus quarenta anos e assinalou outro desenho feito por um amigo, de quando ele era jovem e no qual ele parecia bem bonito, mas de certa forma não dava para acreditar tanto quanto na caricatura. A coluna torta era porque ele sofria de uma curvatura na espinha. Preferia escrever de pé, em uma mesa alta, a qual era um dos exemplos de mobiliário da sala. Tubby ficou de pé ao lado dela por um momento, tomando notas em um bloco de jornalista que levara consigo, e uma menina alemã que entrara na sala com os pais ficou olhando para ele enquanto escrevia e perguntou ao pai: "*Ist das Herr Kierkegaard?*". Eu ri, porque fica difícil imaginar alguém que se pareça menos com Kierkegaard. Tubby me ouviu dar risada e se virou. "O que foi?", perguntou. Quando expliquei, ele corou de alegria. Está absolutamente obcecado por Kierkegaard, em especial pelo relacionamento dele com a tal moça Regine. Havia outro móvel na sala, do lado oposto da escrivaninha, um tipo de armário com um metro e meio de altura. Tubby descobriu pela brochura do museu que Kierkegaard mandara fazer especialmente para guardar nele suas lembranças de Regine. Pelo que entendi, ela teria suplicado para que ele não rompesse o noivado e disse que ficaria feliz se pudesse passar o resto da vida com ele, mesmo se precisasse morar em um pequeno armário, a burra. "É por isso que não tem nenhuma prateleira dentro", explicou Tubby. "Para que ela pudesse caber." Juro que os olhos dele se encheram de lágrimas quando leu isso na brochura.

    Jantamos naquela noite no restaurante do hotel: uma culinária simples, mas com ingredientes excelentes, a maioria era de peixe muito bem preparado. Comi rodovalho assado. Estou aborrecendo você, querida? Ah, bom, pensei ter visto seus olhos se fechando por um momento. Bem, durante toda a refeição fiquei tentando levar a conversa para o tópico *O pessoal da casa ao lado*, e ele arrastava o assunto de volta para Kierkegaard e Regine. Comecei a de fato ficar enjoada demais com o assunto. Também estava suspirando para conhecer um pouco da vida noturna de Copenhague depois do jantar. Digo, tem a reputação de ser uma cidade muito liberada, com muitas sex shops, locadoras de vídeo e shows de sexo ao vivo e coisas assim. Eu não vira um fiapo de nada parecido até ali, mas presumia que estivessem em algum lugar. Queria fazer um pouco de pesquisa minha, para meu projeto *Westenders*. Mas, quando insinuei alguma coisa para esse fim, Tubby pareceu bem devagar no entendimento, quase como se não *quisesse* me entender. Pensei talvez que ele tivesse planos para um show de sexo ao vivo privativo, só nós dois, mas não. Por volta das dez e quinze, bocejou e disse que havia sido um longo dia e quem sabe era hora de se recolher. Bem, fiquei estupefata – e, tenho de admitir, um pouco aborrecida. Digo, não que eu positivamente goste dele, mas esperava que ele demonstrasse mais evidências de gostar de mim. Não podia acreditar que tivesse me levado até Copenhague só para falar de Kierkegaard.

    Na manhã seguinte era domingo, e Tubby insistiu que fôssemos à igreja porque isso é o que Kierkegaard teria feito.

Era muito religioso aparentemente, de um modo um pouco excêntrico. Então fomos a esse culto luterano de uma monotonia inacreditável, todo em dinamarquês, lógico, o que o deixou ainda mais chato do que as aulas de religião na escola, se é que dá para acreditar. E depois do almoço fomos ver o túmulo de Kierkegaard. Está enterrado em um cemitério a uns três quilômetros do centro. Seu nome na verdade quer dizer "adro" em dinamarquês, então Tubby observou que estávamos visitando Kierkegaard no *kierkegaard*, o que foi, eu diria, a única piadinha da tarde. Era um lugar bem bonito, com canteiros de flores e árvores plantadas para formar alamedas, e, segundo o guia de viagem, a população da cidade costuma usar o lugar como parque quando o tempo está bom e fazer piquenique ali e tudo o mais, mas na tarde em que estivemos lá estava chovendo. Encontramos alguma dificuldade em localizar o túmulo, e, quando enfim o achamos, foi um pouco decepcionante, como a sala do museu. É um pedacinho de chão cercado por uma cerca de ferro, com um monumento ao pai dele no meio e duas lápides de pedra escoradas nele com os nomes da esposa e dos filhos, incluindo Søren, entalhados nelas. Esse era o primeiro nome de Kierkegaard, Søren, com um desses *o*'s esquisitos atravessados dos dinamarqueses. Mas você provavelmente já sabia disso, não é? Desculpe, querida. Ficamos na chuva por alguns minutos em silêncio respeitoso. Tubby tirou o chapéu, e a chuva escorria pelo topo da careca, pelo rosto e caía da ponta do nariz e do queixo. Não tínhamos guarda-chuva, e logo comecei a me sentir bem molhada e desconfortável, mas Tubby insistiu em procurar o túmulo de Regine. Lera em algum lugar que ela fora enterrada no mesmo pátio de igreja. Havia uma espécie de índice de todos os túmulos em um mural perto da entrada, mas Tubby não conseguia se lembrar do nome de casada de Regine, então precisou vasculhar colunas e mais colunas de nomes até chegar a Regine Schlegel. "É ela!", gritou e saiu correndo à procura do lote – 58D ou sei lá –, só que não conseguia achar. Os lotes não são muito bem marcados, e não havia ninguém a quem perguntar porque era domingo e chovia muito, e eu estava ficando mais e mais de saco cheio sapateando nas poças, em roupas ensopadas e sapatos escorrendo, com água vertendo das árvores e me descendo pela nuca, e falei que queria voltar ao hotel, e ele disse, bem bravo, tudo bem, vá, e me deu um dinheiro para o táxi, então eu fui. Tomei um banho bem longo e usei *duas* toalhas limpas e joguei as duas no chão, pedi chá pelo serviço de quarto, bebi uma garrafa miniatura de licor de cereja do frigobar e comecei a melhorar o meu humor. Tubby voltou umas duas horas depois, encharcado até os ossos. E abatido porque não conseguira encontrar a lápide de Regine, e não daria tempo de retornar na manhã seguinte e perguntar para alguém porque tínhamos que pegar o avião logo cedo.

 A noite seguiu o modelo da anterior: jantar no restaurante do hotel seguido pela proposta de Tubby de que nos recolhêssemos cedo – para nossos quartos. Não pude acreditar. Comecei a me perguntar se havia algo errado comigo, tipo, mau hálito, mas fui verificar quando estava me preparando para deitar e estava doce e fresco. Quando tirei todas as roupas e me olhei no espelho, também não consegui ver nada de errado ali, na verdade, pensei comigo que, se eu fosse um homem, não conseguiria manter as mãos longe de mim, tá entendendo? Estava começando a me sentir meio agitada, para ser franca, de pura frustração, com *nadica* de sono, então decidi assistir a um filme pornô no canal interno de vídeo do hotel. Peguei meia garrafa de champanhe do frigobar, sentei-me diante da tevê de camisola e sintonizei o canal. *Pois bem*, minha cara, uma surpresa e tanto! Não sei se já assistiu a algum desses filmes em um hotel britânico. Não? Bom, não perdeu nada, pode acreditar. Costumava assistir de vez em quando se estava hospedada no Rummidge Post House quando fazia meu trabalho de cicerone, só por diversão. Uma das minhas funções era me certificar de que o pestinha do Harrington não pudesse assisti-los. A recepção do hotel costumava bloquear o aparelho do quarto dele, para seu desgosto. Na verdade, esses filmes não têm nada mais explícito do que muitos dos programas a que se assiste nos canais de tevê aberta, na realidade até menos, a única diferença é que os assim chamados filmes para adultos consistem *inteiramente* de cenas de sexo e são de péssima qualidade, as atuações são péssimas e os argumentos das histórias são de uma baboseira inacreditável. E eles são muitíssimo curtos e cheios de cortes malfeitos porque todas as partes realmente picantes foram censuradas para distribuição nos hotéis. Bem, eu estava esperando que os dinamarqueses fossem mais atrevidos, mas não estava preparada para pornografia pesada, que foi com o que me deparei. Liguei na metade do filme e havia dois homens e uma mulher nus na cama juntos. Ambos os homens estavam com ereções enormes e um deles estava sendo chupado com voracidade pela menina, como se a vida dela dependesse daquilo, enquanto o outro a pegava por trás, sabe, posição de cachorrinho. Não podia acreditar nos meus...

Como? Ah. Sinto muito, mas eu não estava falando com a senhora. Bem, não posso fazer nada se sua audição é muito aguçada. Se não quer escutar a conversa privada dos outros, por que não põe esses fones de ouvido e vai ouvir o rádio?

Hmmmpf! Que descarada. Digo, sinto muito pela histerectomia dela e tudo o mais, mas não precisava ser tão melindrosa. Eu não estava falando tão alto, estava? Ah, então tá, Hetty, vou aproximar minha cadeira da cama e murmurar no seu ouvido, fica melhor? Então havia essas três pessoas no filme, se chupando e transando como loucas e depois de uns dez minutos todos tiveram os orgasmos mais incríveis – não, de fato, tiveram, Hetty, falando sério. Pelo menos os homens sim, porque mostraram o pau com sêmen espirrando para todo lado. A garota esfregava nas bochechas como se fosse loção para a pele. Está passando bem, querida? Está um pouco pálida. A hora? São... deus meu, são três e meia. Preciso sair logo, mas vou só terminar a história. Bem, o filme seguiu no mesmo estilo. A cena seguinte mostrava duas garotas nuas, uma negra e a outra branca, se alternando em lamber uma à outra, mas não eram lésbicas de verdade, porque os dois homens da cena anterior espiaram as duas pela janela e entraram, e aquilo virou uma orgia. Bem, não me importo em relatar que àquela altura eu estava bem molhada de excitação e num calorão só dos pés à cabeça. Nunca antes sentira um tesão daqueles na vida. Eu estava *fora* de mim. Teria transado com *qualquer um* naquele momento, ainda mais o roteirista inglês limpinho do quarto ao lado que me trouxera, eu pensava, até Copenhague especificamente para esse propósito. Decidi que só podia ser a timidez que o estava segurando. Deveria ligar para o quarto dele e contar sobre o vídeo fantástico que eu descobrira na tevê do hotel e convidá-lo a vir assistir comigo. Imaginei que alguns minutos de exposição ao filme sentado do meu lado, comigo de camisola sem nada por baixo, logo resolveria a timidez dele. Talvez seja bom explicar que àquela altura eu já esvaziara a meia garrafa de champa e estava me sentindo bem inconsequente, além de todo aquele tesão. Ele demorou bastante para atender o telefone, então falei que esperava que não o tivesse acordado. Ele disse que não, que estava assistindo televisão e que precisou baixar o volume antes de atender o telefone. Só que ele não chegara a baixar o suficiente. Reconheci o tilintar da música de boate e os grunhidos e gemidos fracos ao fundo. Não há muito diálogo nesses filmes. Não oferece muito trabalho a um editor de roteiros, imagino. Dei uma risadinha e falei: "Acho que você deve estar assistindo ao mesmo filme que eu". Ele resmungou algo, soando muito constrangido, e eu propus: "Não seria mais divertido se assistíssemos juntos? Por que não vem até o meu quarto?". Houve um silêncio, e ele então falou: "Não acho que seria uma boa ideia", e perguntei: "Por que não?", e ele respondeu: "Eu só acho que não". Bem, ficamos nessa por um tempo, e então fiquei impaciente e disse: "Pelo amor de Deus, o que há de errado com você? Semana passada naquele restaurante italiano você deixou bem óbvio que estava interessado em mim, e agora que estou praticamente me atirando pra cima de você, dá para trás. Para que me trouxe aqui se não quer dormir comigo?". Houve outra pausa, e então ele disse: "Tem razão, foi por isso que chamei você para vir, mas, quando cheguei aqui, descobri que não conseguiria". Perguntei por que não. Respondeu: "Por causa de Kierkegaard". Achei que aquilo era engraçado demais e falei: "Não precisamos contar para ele". Ele disse: "Não, estou falando sério. Talvez na sexta à noite, se você não estivesse tão cansada..." "Está querendo dizer bêbada", falei. "Bem, o que seja", ele disse.

"Mas comecei a explorar a cidade e pensar em Kierkegaard, e, especialmente quando fomos até a sala no museu, foi como se eu sentisse a presença dele, como um espírito ou um anjo bom dizendo: 'Não abuse dessa mocinha'. Ele tinha essa coisa com as mocinhas, sabe?" "Mas estou morrendo de vontade de ser abusada", falei. "Venha me abusar, na posição que você quiser. Olhe para a tela agora. Gostaria disso? Faço isso em você." Não vou contar o que era, querida, pode ficar chocada. "Não sabe o que está dizendo", ele falou. "Vai se arrepender de manhã." "Não, não vou", insisti. "Enfim, por que está assistindo a esse filme imundo se é tão virtuoso? Kierkegaard aprovaria uma coisa dessas?" "É provável que não", ele concordou, "mas não estou fazendo mal a mais ninguém." "Tubby", fui dizendo, usando o meu tom mais sedutor, "eu quero você. Preciso de você. Agora. Venha. Me possua." Ele deu um gemido e disse: "Não posso. Acabo de usar uma das toalhas do banheiro." Levei um ou dois segundos até a ficha cair. Falei: "Bom, espero que jogue no chão, antes que o próximo hóspede acabe ficando com ela", e bati o telefone com raiva. Desliguei a tevê, engoli uma pílula para dormir com um uísque miniatura e apaguei. Quando acordei na manhã seguinte, vi o lado engraçado da coisa, mas Tubby não conseguia me encarar. Deixou um recado na recepção com meu bilhete aéreo, dizendo que voltara ao cemitério para procurar o túmulo de Regine e retornaria em outro voo mais tarde. Então, o que acha dessa história? Ah, esqueci que não pode falar. Não importa, já preciso ir embora mesmo. Ai, querida, comi todas as suas uvas. Escuta, volto amanhã e trago mais. Não? Acha que já vai ter recebido alta? É mesmo? Bem, vou ligar para sua casa, então. Tchau, querida. *Adorei* nossa conversa.

SALLY

....

Antes de começar, dra. Millos, gostaria de estabelecer o propósito desta reunião, para que não haja nenhum mal-entendido. Concordei em vê-la porque quero que Tubby aceite que nosso casamento chegou ao fim. Quero ajudar a senhora a ajudar Tubby a se conformar com esse fato. Não estou interessada em tentar negociar uma reconciliação. Espero que isso tenha ficado claro. Por isso disse na carta que gostaria de conversar sozinha com você. Já passamos do ponto de terapia de casais agora, estamos muito além. Isso é certo. Sim, já tentamos antes – Tubby não lhe contou? Cerca de quatro a cinco anos atrás. Não consigo me lembrar do nome dela. Era alguém do *Relate*. Depois de algumas semanas com nós dois, ela recomendou que Tubby devia fazer psicoterapia para tratar da depressão. Ele lhe contou sobre *isso*, suponho? Sim, dr. Wilson. Bem, se tratou com ele por uns seis meses e pareceu melhorar por um tempo. Nosso relacionamento melhorou, não nos demos ao trabalho de retornar ao *Relate*. Mas em um ano ele estava pior do que nunca. Decidi que ele nunca seria diferente, e que era melhor organizar minha vida para que me afetasse menos com os humores dele. Mergulhei no trabalho. Só Deus sabe como não faltavam coisas para fazer. Aulas, pesquisas, tarefas administrativas – comitês, grupos de trabalho, organização de currículo e coisas assim. Meus colegas reclamam da burocracia na educação superior hoje em dia, mas eu gosto muito de ter domínio disso. Preciso encarar o fato de que nunca vou fazer uma pesquisa terrivelmente inovadora, comecei tarde demais, mas sou boa em administração. Minha área é a psicolinguística, aquisição de linguagem em crianças pequenas. Publiquei um ou outro estudo. Ele, é mesmo? Bem, ele não entende uma palavra do assunto, então se impressiona fácil. Não é do tipo realmente intelectual. Digo, tem um ouvido maravilhoso para diálogos, é óbvio, mas não consegue pensar de forma abstrata sobre isso. É tudo intuitivo para ele.

Então mergulhei no trabalho. Não considerei o divórcio naquela fase. Fui criada de maneira bem convencional, meu pai era pároco da Igreja Anglicana e para mim sempre houve certo estigma acompanhando o divórcio. É uma admissão de fracasso, de certa maneira, e não gosto de fracassar em nada que me proponho a fazer. Sei que para outras pessoas – amigos, parentes e até nossos filhos – nosso casamento deve ter dado a impressão de ser muito bem-sucedido. Durou tanto tempo sem turbulências visíveis, e nosso padrão de vida alçou voo com o sucesso de Tubby. Tínhamos uma casa grande em Hollywell, o apartamento de Londres, os dois carros, férias em hotéis de luxo e assim por diante. As crianças passaram pela universidade e se acomodaram felizes à vida adulta. Acho que a maioria das pessoas que conhecemos nos invejava. Teria sido exasperante – *tem* sido exasperante nessas últimas semanas – precisar admitir que as aparências eram uma ilusão. Suponho que eu também tenha me esquivado da amargura e da raiva que parecem inseparáveis do divórcio. Testemunhamos um bocado disso nos nossos amigos. Achava que, se me mantivesse ocupada o tempo todo com o trabalho, poderia suportar o mau humor de Tubby em casa. Costumava trazer trabalho para casa também, como uma proteção extra. Era uma parede atrás da qual eu gostava de me esconder. Achei que contanto que gostássemos de fazer *algumas* coisas juntos, como jogar tênis e golfe, e ainda fizéssemos sexo com alguma regularidade, isso seria suficiente para segurar o casamento. Sim, li um artigo uma vez que me impressionou muito, dizendo que o desmonte dos casamentos nos anos cinquenta – digo, entre casais nos seus cinquenta anos, não na década de 1950 – era quase sempre relacionado à perda de interesse no sexo por parte de um dos parceiros. Então investi muito nisso. Bem, se ele não tomava a iniciativa, eu tomava. Depois de praticar esporte sempre era uma boa hora, quando estávamos os dois nos sentindo bem com o exercício. Pensei que o esporte, o sexo e uma vida confortável seriam suficientes para nos ajudar a atravessar a dificuldade dos cinquenta – era assim que o artigo estava intitulado, agora estou lembrando, "A dificuldade dos cinquenta".

Bem, estava errada. Não era suficiente. A lesão no joelho de Tubby não ajudou, claro. Isso nos separou na parte do esporte – ele não podia competir mais comigo – e deu uma boa esfriada no sexo. Não se arriscava por semanas, ou meses depois da cirurgia, e mesmo então parecia sempre mais preocupado em proteger o joelho do que em aproveitar o momento. Então, quando ficou evidente que a operação não fora um sucesso, ele caiu em uma depressão ainda mais profunda. Nesse último ano, ficou impossível conviver com ele, está num egocentrismo completo, não escuta uma palavra do que ninguém diz para ele. Bem, suponho que deve escutar seu agente e o produtor e assim por diante, mal conseguiria ser funcional se não fosse assim, mas não escutava nada que *eu* falasse para ele. Não faz ideia do quanto é irritante quando a gente passa minutos falando com alguém, com ele assentindo e emitindo ruídos fáticos, para então você perceber que ele não absorveu uma única palavra do que foi dito. Você se sente uma idiota. É como se estivesse dando uma aula enquanto escreve no quadro-negro e, quando se vira, descobre que todo mundo saiu da sala sem fazer barulho e você está falando sozinha por sabe-se lá quanto tempo. A última gota foi quando eu falei que Jane telefonou para contar que estava grávida – Jane é nossa filha – e que ela e o companheiro decidiram se casar, e ele apenas grunhiu: "Ah, é? Que bom", e seguiu lendo o maldito Kierkegaard. E você mal vai conseguir acreditar, mas até quando tomei coragem para dizer que pra mim chegava, que queria me separar dele, não escutou o que eu estava dizendo no primeiro momento.

Ah, receio não poder levar essa história de Kierkegaard a sério. Já lhe disse que Tubby não é do tipo intelectual. É só uma fase, algo para impressionar os outros. Talvez a mim. Talvez a si mesmo. Um expediente para dignificar suas depressões insignificantes como uma angústia existencialista. Não, eu mesma não li nada, mas sei mais ou menos do que ele trata. Meu pai costumava citá-lo de vez em quando nos sermões. Hoje não mais, mas claro que precisávamos frequentar quando éramos crianças, todos os domingos, de manhã e à noite. Acho que é por isso que considero a obsessão de Tubby por Kierkegaard tão absurda. Tubby teve uma criação totalmente laica, não conhece absolutamente nada sobre religião, enquanto eu atravessei o miolo da coisa toda e emergi do outro lado. Foi doloroso, posso lhe dizer. Por anos escondi do meu pai que eu já não acreditava mais. Acho que isso partiu o coração dele quando finalmente me abri. Talvez tenha esperado demais para dizer a ele como me sentia de verdade, assim como fiz com Tubby em relação a nosso casamento.

Bem, poderia dizer que isso não é da sua conta, não é mesmo? Mas não, não há uma outra pessoa. Imagino que Tubby esteja despejando suas fantasias paranoicas em cima de você. Sabe sobre essa desconfiança ridícula que ele tem do meu professor de tênis? Pobre daquele homem, já não consigo olhá-lo nos olhos, muito menos fazer alguma aula. Realmente não sei por que Tubby perdeu as estribeiras de ciúmes. Bem, quer dizer, até entendo, foi porque ele simplesmente não podia aceitar que o problema no nosso casamento era ele próprio. Precisava ser culpa de outra pessoa, minha ou de algum amante fantasma meu. Teria sido muito melhor para todos os envolvidos se ele fosse capaz de encarar os fatos com calma. Tudo que eu queria era uma separação amigável e um acordo financeiro razoável. É culpa dele que isso tenha se intensificado ao ponto de uma batalha, com advogados e injunções e vidas separadas na mesma casa e por aí vai. Ele ainda poderia evitar um monte de dores desnecessárias e de gastos se ao menos concordasse com o divórcio e em fazer um acordo justo. Não, ele não está. Está no apartamento de Londres, imagino. Não sei, não o vi nas últimas semanas. As contas continuam chegando em casa, para o gás e a eletricidade e assim por diante, e eu as repasso para ele, mas ele não as paga, então tive de pagar algumas eu mesma para evitar que os serviços fossem cortados, o que não é justo. Ele, mesquinhamente, retirou a maior parte do dinheiro de nossa conta conjunta no dia seguinte ao que saí de casa, e todas as contas de poupança estão só no nome dele, então estou tendo que pagar todas as minhas despesas tirando do meu salário mensal, incluindo os honorários do advogado. Estou batalhando muito para conseguir dar conta.

Não, não o odeio, apesar do jeito como vem se comportando. Sinto pena. Mas não há mais nada que possa fazer por ele. Precisa se esforçar para sua própria salvação. Preciso estudar minhas próprias necessidades. Não sou uma mulher de coração duro. Tubby finge que sou, mas não sou. Não tem sido fácil para mim toda essa função com os advogados e tal. Mas, já que dei o primeiro passo, agora preciso ir até o fim. Essa é a minha última chance de construir uma vida independente para mim. Ainda tenho idade para fazê-lo, acho. Poucos anos mais nova que Tubby, sim.

Foi há tanto tempo. Éramos outras pessoas, realmente. Eu fazia estágio de professora em uma escola em Leeds, e ele apareceu um dia com um grupo de teatro que fazia turnê nas escolas. Cinco jovenzinhos que queriam ser atores mas não conseguiam o registro profissional formaram uma companhia com pouco dinheiro e estavam viajando pelo país em um furgão velho, arrastando um trailer cheio de objetos de cena. Faziam versões empobrecidas de Shakespeare para escolas secundárias e dramatizavam contos de fadas para os pequenos. Não eram muito bons, para ser sincera, mas compensavam no entusiasmo aquilo que lhes faltava em termos técnicos. Depois que fizeram a apresentação no salão da escola e as crianças foram para casa, nós os chamamos para a sala dos professores para tomar chá com biscoitos. Achei que eram muito boêmios e aventureiros. Minha própria vida sempre fora tão respeitável e resguardada em comparação à deles. Estudei inglês na Royal Holloway, uma faculdade para mulheres na Universidade de Londres, ilhada no cinturão da bolsa de valores de Surrey. Meus pais faziam questão que eu estudasse em uma faculdade que não fosse mista se não fosse morar em casa, e não passei nos exames de admissão para Oxbridge; então era ou Royal Holloway ou Universidade de Leeds. Estava determinada a sair de casa, mas voltei para fazer minha pós-graduação em Educação em Leeds, para economizar. Escolhi educação fundamental – não eram muitos dos graduandos que optavam por esse caminho – porque eu não tinha interesse em tentar controlar as minúcias da reforma educacional do governo que vinha substituindo o ensino ginasial nos moldes que eu mesma havia cursado. Naqueles tempos, eu vestia twin-sets em tons pastéis, saias plissadas até a panturrilha, sapatos comportados e mal usava maquiagem. Aqueles jovens atores usavam suéteres escuros e rústicos cheios de buracos, tinham cabelos compridos e sebosos e fumavam muito. Eram três rapazes e duas moças e todos dormiam juntos no furgão a maior parte do tempo, Tubby me contou, para economizar. Uma noite, estacionou em cima de um morro e não puxou o freio de mão até o fim, e o veículo começou a deslizar morro abaixo até bater numa delegacia de polícia. Ele contou a história de um jeito tão hilário que me fez rir alto. Foi isso que me atraiu nele de início, acho – o jeito com que ele conseguia me fazer rir de forma espontânea, alegre. Rir em casa acabava sendo algo que era restringido educadamente ou – entre os irmãos – usado como deboche ou com sarcasmo. Com Tubby, eu ria sem nem mesmo perceber que estava rindo. Se fosse tentar resumir o que deu errado com nosso casamento nos últimos anos – o motivo de eu não estar tirando nada dali, nenhuma felicidade, nenhuma alegria de viver –, diria que era porque ele não me fazia mais rir. Irônico, de fato, não é, quando se pensa que todas as semanas ele faz milhões de pessoas rirem com o programa da tevê. Menos eu, receio. Acho o seriado totalmente sem graça.

Enfim, naquele primeiro dia, ele, muito atrevido, pediu meu número de telefone, e eu, bem inconsequente, dei o número para ele. Encontrei com ele várias vezes enquanto ele e os amigos estavam na região de Leeds, à noite, em bares. Bares! Eu mal sabia como era um bar na vida antes de conhecer Tubby. Não o convidei para ir à minha casa. Sabia que meus pais não aprovariam, embora jamais fossem admitir o motivo – porque ele era desleixado, com educação inferior e tinha sotaque *cockney*. Imagino que saiba que ele abandonou o colégio com dezesseis anos? Bem, ele fez isso, com apenas alguns certificados básicos de escolaridade. Conseguiu entrar no ginásio depois de prestar o exame, mas nunca se encaixou, ficava sempre entre os últimos da classe. Não sei – uma combinação de temperamento, maus professores e falta de apoio em casa, imagino. Os pais dele eram da classe trabalhadora – muito decentes, mas sem muita consciência educacional. Enfim, Tubby abandonou o colégio assim que pôde e foi trabalhar como office boy para um empresário de teatro, foi assim que ficou interessado no palco. Depois de servir o Exército, foi cursar uma escola de teatro e tentou a vida como ator. Foi aí que o conheci. Ele fazia todos os papéis cômicos do repertório da trupe do furgão e escrevia os roteiros para as adaptações que eles faziam dos contos de fadas. Descobriu com o tempo que se saía melhor escrevendo do que atuando. Mantivemos contato depois que a trupe deixou Yorkshire. Naquele verão, fui até Edimburgo – onde estavam apresentando um espetáculo no Festival – o Fringe, claro – e distribuía filipetas e os programas, sem contar aos meus pais o que eu andava fazendo. Então, bem contrária aos desejos deles, me inscrevi para meu primeiro emprego como professora em Londres, sabendo que Tubby estava baseado lá. A companhia do furgão acabara, e ele estava fazendo bicos em empregos temporários de escritório e escrevendo piadas para comediantes de stand-up nas horas vagas. Começamos a namorar a sério. Eventualmente, precisei levá-lo para conhecer minha família um fim de semana. Sabia que seria complicado, e foi.

Meu pai tinha uma igreja nos arredores de Leeds que havia décadas decaía mais e mais. A igreja era enorme, neogótica, de tijolos vermelhos enegrecidos. Não lembro de um dia estar cheia. Fora construída em cima de um morro pelos industriais e comerciantes que viviam nos grandes casarões de pedra que a cercavam, com vista para suas fábricas e depósitos e as ruas com os chalés dos trabalhadores no pé do morro. Ainda restavam alguns moradores que eram proprietários dos imóveis, profissionais de classe média, quando meu pai assumiu a paróquia, mas a maioria das mansões fora convertida em prédios de apartamentos ou ocupada por grandes famílias asiáticas nos anos 50. Meu pai era um homem honesto e bem-intencionado, que lia o *Guardian* quando ainda se chamava *Manchester Guardian*, e fazia o que podia para que a igreja respondesse às necessidades da cidade, mas nossa região nunca pareceu se interessar muito por nada, fora os casamentos, batizados e funerais. Minha mãe o apoiava com lealdade, economizando para criar os filhos em um estilo respeitável de classe média no salário nada adequado do meu pai. Éramos quatro, dois meninos e duas meninas. Eu era a segunda mais velha. Todos frequentávamos escolas separadas de meninos e meninas na nossa área, mas crescemos em uma espécie de bolha cultural, isolados das vidas de nossos colegas. Não tínhamos televisão, em parte porque meu pai desaprovava, mas também porque não tínhamos condições de comprar uma. Ir ao cinema era uma coisa tão especial que a intensidade da experiência costumava me incomodar, e chegava a temer a ideia quando criança. Tínhamos um gramofone, mas só para discos clássicos. Todos aprendemos a tocar instrumentos musicais, embora ninguém tivesse qualquer talento verdadeiro, e às vezes a família inteira se sentava para tentar tocar uma partitura de música de câmara, resultando em um barulho que fazia todos os cães das redondezas latirem. Éramos abstêmios – de novo, tanto pela economia quanto por princípios. E éramos fãs de argumentação. A principal diversão da família era competir e ganhar uns dos outros nas nossas conversas, especialmente durante as refeições.

Tubby ficava totalmente perplexo com isso. Não estava sequer acostumado a fazer refeições em família. Era muito raro que se sentasse à mesa com a mãe, o pai e o irmão, exceto no almoço de domingo e em outros dias especiais e feriados. Quando morava em casa, ele, o pai e o irmão comiam separados e em horários diferentes, e separados também da sra. Passmore. Quando chegavam à noite, do trabalho ou da escola, ela perguntava o que queriam, e então cozinhava e os servia à mesa, como se fosse uma garçonete, enquanto eles comiam com um jornal ou livro apoiado contra o galheteiro. Não consegui acreditar quando visitei pela primeira vez a família dele.

Ele achou nossa vida doméstica igualmente bizarra, "tão arcaica quanto *The Forsyte Saga*", ele disse uma vez: sentando-se para comer *en famille* de duas a três vezes ao dia, fazendo orações antes e depois das refeições, com guardanapos de tecido, que você precisava ajeitar no seu porta-guardanapo no fim de cada refeição para economizar nas lavagens, e com talheres de verdade, não importa o quanto fossem gastos e manchados, colheres de sopa para sopa e facas de peixe e garfos para peixe e por aí vai. Nossa comida era bem horrível, e nunca era o suficiente quando ficava boa, mas era servida com a devida cerimônia e decoro. Pobre Tubby, ficou à deriva no primeiro fim de semana. Começou a comer antes que todos fossem servidos, usou a colher de sobremesa para comer a sopa, e a de sopa para a sobremesa e cometeu todo tipo de *faux pas* que fazia meus irmãos mais novos abafarem o riso na manga das roupas. Mas o que mais o chocou foram os golpes precisos das conversas enquanto comíamos. Não que fosse um debate de verdade. Meu pai achava que estava nos encorajando a pensar por nós mesmos, mas de fato havia limites muito rígidos no que era permitido dizer. Não se podia argumentar contra a existência de Deus, por exemplo, ou discutir a verdade do cristianismo ou a indissolubilidade do casamento. Nós, os filhos, logo nos adequamos às restrições, e as conversas domésticas se tornaram uma competição por pontos, cujo objetivo era desmoralizar os irmãos aos olhos da família. Se usasse uma palavra da maneira errada ou cometesse um erro factual, os outros caíam em cima na hora, como uma torre de tijolos. Tubby não conseguia lidar com isso de jeito nenhum. Claro, ele usou isso muito mais tarde em *O pessoal da casa ao lado*. Os Springfield e os Davis são essencialmente inspirados na família dele e na minha, *mutatis mutandis*. Os Springfield são seculares, mas a mistura de intelectualidade com competitividade, seu esnobismo e preconceitos não reconhecidos, tudo isso remete à primeira impressão que Tubby teve da minha família, enquanto os Davis são uma versão mais barulhenta, um tanto sentimentalizada, da família dele, com toques adicionais inspirados em seu tio Bert e sua tia Molly. Suponho que seja por isso que nunca me afeiçoei ao programa. Mexe em muitas memórias dolorosas. Nossa festa de casamento foi especialmente pavorosa, com os dois conjuntos de parentes com total incompatibilidade provocando e irritando uns aos outros.

Por que me casei com ele? Achei que estava apaixonada. Bem, talvez estivesse. O que é o amor, exceto o pensamento de estarmos imersos nele? Estava desejosa por me rebelar contra meus pais sem saber como conduzir isso. Casar com Tubby era uma forma de afirmar minha independência. E estávamos ambos desesperados por sexo – estou falando dos apetites normais da juventude –, mas eu não era rebelde o suficiente para sonhar em experimentar isso fora do casamento. E então Tubby também tinha um charme inegável naquela época. Ele tinha fé em si mesmo, em seu dom, e me fez compartilhar daquela fé. Mas, acima de tudo, ele era uma companhia divertida. Ele me fazia rir.

TRÊS

Terça-feira, 25 de maio. Os plátanos do lado de fora da minha janela estão com folhas: folhas bem apáticas, anêmicas, sem qualquer floração visível, bem diferentes das velas cremosas e fálicas das castanheiras do lado de fora do meu quarto de estudos em Hollywell. Também não há nenhum esquilo saltitando por esses galhos, o que não chega a ser uma surpresa. Eu deveria estar agradecido – eu *sou* grato – por existirem árvores que ainda crescem por aqui, considerando a poluição do centro de Londres. Há um atalho estreito e inexpressivo entre Brewer Street e Regent Street chamado de Air Street, que sempre me faz sorrir quando leio o nome na placa. Sorrir sem rir, porque está invariavelmente asfixiado com trânsito bombeando fumaças cancerígenas pelos escapamentos na atmosfera, e ninguém abriria a boca se pudesse evitar. Air Street. Não sei como foi que ganhou esse nome, mas daria para ganhar uma fortuna vendendo ar engarrafado por aqui.

Agora que estou morando de forma permanente no apartamento, acho claustrofóbico. Sinto falta do cheiro de ar limpo de Hollywell, sinto falta dos esquilos brincando de pega-pega no jardim, sinto falta do silêncio diurno daquelas ruas suburbanas onde o ruído mais alto nessa época do ano é o rugido distante de algum cortador de grama ou o *poque poque* de uma partida de tênis. Mas não podia suportar mais o desgaste de seguir dividindo a casa com Sally. Passando por ela em um silêncio inflexível nas escadas ou no corredor; trocando bilhetinhos concisos e acusatórios (*"Se precisa deixar a roupa de molho, por favor, remova-a antes de chegar minha vez de usar a área de serviço." "Como fui eu que comprei a última garrafa de detergente para a lava-louças, quem sabe você poderia repor da próxima vez."*); me escondendo quando ela abria a porta da frente para um vizinho ou alguém de algum serviço, para que não fôssemos obrigados a falar um com o outro na frente deles; pegando o telefone para fazer uma chamada e largando na mesma hora, como se fosse uma batata quente, porque Sally já estava na linha, e então ficar tentado a apertar o botão de monitoramento para escutar a conversa... A pessoa que inventou essa farsa das "vidas separadas" tinha tendências sádicas – ou um senso de humor deturpado. Quando descrevi a situação para Jake, ele disse: "Sabe, aí está uma ótima ideia para uma sitcom". Desde então não falei mais com ele.

    É estranho voltar a escrever este diário. Há uma boa lacuna nele. Depois de Sally largar a bomba naquela noite (o que é, ou seria, uma bomba, a propósito? E como é que se faz para largar uma sem explodir a si mesmo no processo? Seria uma granada, um morteiro, ou era algum tipo primitivo de explosivo aéreo que eles arremessavam dos cockpits abertos nos velhos biplanos? O dicionário não ajuda muito aqui) – depois de Sally invadir minha sala de estudos na sexta à noite e anunciar que queria uma separação, fiquei aborrecido demais para conseguir escrever qualquer coisa, nem mesmo um diário, durante semanas. Estava fora de mim de ciúme, raiva e autopiedade. (Agora, eis aí um *belo* clichê para você, "fora de mim": como se estivesse tão tomado de sentimentos negativos que separo a mente do corpo, rompendo a conexão entre as partes, e uma se torna incapaz de dar voz à dor da outra.) Só conseguia pensar em como me vingar de Sally: obstruindo a questão do dinheiro; tentando rastrear e expor o amante que eu tinha certeza que existia; e eu mesmo tendo um caso com outra pessoa. Não sei de onde tirei que essa última ideia a deixaria chateada. Em todo caso, mesmo se tivesse êxito, não poderia deixar que Sally descobrisse, senão, nesse caso, ela poderia dar entrada em um divórcio rápido por motivo de adultério. Quando tento desenrolar e esmiuçar os meandros das minhas motivações naquele momento, concluo que estava tentando compensar os flertes perdidos.

    O fator mais doloroso na declaração de independência unilateral de Sally era, evidentemente, a rejeição que sentia de mim como pessoa e a sentença implícita de que nossos trinta anos juntos, ou boa parte deles, haviam sido inúteis, sem sentido, no tocante a ela. Depois que ela saiu de casa, sentei-me no piso da sala de estar com todos os nossos álbuns de família, cujas fotos eu não olhava há anos, espalhados ao meu redor, e virava as páginas com lágrimas escorrendo pela face. A comoção insuportável daqueles instantâneos! Sally e as crianças sorrindo para a lente nas cadeiras da varanda, carrinhos de bebê, balanços, castelos de areia, piscinas de inflar, piscinas de verdade, selins de bicicleta, selas de cavalos, conveses de balsas de travessia do canal e pátios dos chalés franceses. Os meninos aos poucos ficando maiores e mais fortes ano após ano, Sally ficando mais magra no rosto e com o cabelo mais grisalho, mas sempre com aparência saudável e feliz. Sim, feliz. Com certeza a câmera não mentiria? Choraminguei, sequei as lágrimas e assoei o nariz, examinando de perto as revelações coloridas da Kodak, para ver se conseguia discernir no rosto de Sally qualquer sinal de desafeto vindouro. Mas seus olhos eram pequenos demais, não conseguia enxergar dentro deles, que são o único lugar onde a pessoa não consegue disfarçar o que está pensando, talvez fora tudo uma ilusão, nosso "casamento feliz", um sorriso para a câmera.

Uma vez que se começa a duvidar do próprio casamento, começa a se duvidar de sua compreensão da realidade. Achei que conhecesse Sally – e de repente descobri que não. Então quem sabe eu não conheça a mim mesmo. Talvez eu não saiba de nada. Essa foi uma conclusão tão vertiginosa que a evitei e me refugiei na raiva. Demonizei Sally. O fim de nosso casamento era culpa dela. Qualquer grau de verdade que exista em suas reclamações sobre meu egocentrismo, mau humor, distração etc. etc. (e confesso que minha desatenção à notícia da gravidez de Jane foi um lapso constrangedor), elas não constituíam motivos para me deixar. Precisava haver outra razão, leia-se, outro homem. Havia muitos exemplos de adultério em nosso círculo de conhecidos para apoiar essa hipótese. E nosso estilo de vida, depois de nossos filhos saírem de casa, teria facilitado muito para Sally se quisesse manter outro relacionamento, comigo em Londres dois dias por semana e a vida profissional dela sendo um mistério para mim. O que me enfureceu em especial era que eu mesmo não tirara vantagem da situação. Porém, "fúria" não é bem a palavra. Desgosto, ou *chagrin*, como Amy diria, fica melhor – tem aquela qualidade de ressentimento refreado, que faz ranger os dentes, do tipo "você vai se arrepender pelo que fez", que me domina. Estava desgostoso com a noção de todas as mulheres que eu tão facilmente poderia ter tido no decorrer da minha vida profissional, ainda mais nos últimos anos, se não houvesse resolvido ser fiel a Sally: atrizes, assistentes de produção, meninas da publicidade e secretárias – todas suscetíveis ao maná de um escritor de sucesso. Freud dizia, pelo menos Amy uma vez me contou, que todos os escritores são movidos por três ambições: a fama, o dinheiro e o amor das mulheres (ou dos homens, presumo, conforme seja o caso, embora não creio que Freud tenha levado em consideração as autoras mulheres ou os gays). Confesso ter perseguido as duas primeiras ambições, mas, por escrúpulos, me abstive da terceira por uma questão de princípios. E qual foi minha recompensa? Ser jogado para escanteio quando acabou minha serventia, quando meus poderes sexuais estavam minguando.

Aquele último pensamento me deixou em pânico. Quantos anos me restariam para compensar as oportunidades perdidas no passado? Relembrei o que escrevera no diário poucas semanas antes: "*Não vai saber que é a última trepada enquanto ela está acontecendo, e, quando chegar o momento de descobrir, provavelmente não vai lembrar como foi*". Tentei me lembrar de quando eu e Sally fizéramos amor pela última vez e não consegui. Revisei o diário e encontrei um registro no sábado, 27 de fevereiro. Não havia nenhum detalhe, exceto que Sally parecera surpresa quando eu tomei a iniciativa e concordara de forma bem apática. Ler aquilo alimentou minhas desconfianças. Folheei até encontrar minha conversa com os rapazes no clube de tênis: "*É melhor ficar de olho na patroa, Tubby... Bom, em outras coisas também, já me disseram... Ele com certeza tem pegada...*". A solução para o mistério explodiu na minha cabeça como um sinalizador. Brett Sutton, é claro! As aulas de tênis, as novas roupas esportivas, a decisão súbita de pintar o cabelo... Tudo se encaixava. Minha cabeça se tornou uma sala de cinema de pornografia barata, projetando imagens tétricas de Sally nua no sofá da sala de primeiros socorros do clube, jogando a cabeça para trás em êxtase enquanto Brett Sutton a empalava com seu pau enorme.

Descobri que estava enganado quanto a Brett Sutton. Mas a necessidade de eu próprio transar assim que possível – por vingança, por compensação, por tranquilidade – tornou-se uma preocupação devastadora. Naturalmente, primeiro pensei em Amy. Há alguns anos nosso relacionamento vinha tendo todas as marcas de um caso – o sigilo e a regularidade de nossos encontros, os jantares em restaurantes discretos, os telefonemas dissimulados, a troca de confidências – tudo, exceto pela relação sexual em si. Havia me abstido de cruzar aquele limiar por conta de uma lealdade indevida a Sally. Agora não havia razão moral para me conter. Assim me convenci naquele momento logo depois da explosão da bomba. O que eu não considerei foi *a*) se eu realmente desejava Amy e (*b*) se ela me desejava. Descobrimos em Tenerife que a resposta para ambas as questões era "não".

....

Quarta-feira, 26 de maio. Cartas de Jane e Adam chegaram esta manhã. Não tive vontade de abrir – só de reconhecer a letra nos envelopes já me revirou o estômago –, mas não conseguia focar em nada até as ler. As duas eram mensagens curtas perguntando como eu estava e me convidando a visitá-los. Desconfio de algum amável conluio: a coincidência de receber as duas no mesmo dia é gritante.

Visitei cada um em separado, depois de Sally sair de casa, mas antes de ela retornar. Adam e eu almoçamos em Londres um dia, e então fui passar o fim de semana em Swanage com Jane e Gus. Ambas as ocasiões foram desconfortáveis. Para o almoço com Adam, escolhi um restaurante onde eu nunca havia estado antes, assim não seria reconhecido. Acabou que estava cheio, com as mesas muito próximas umas das outras, então Adam e eu não podíamos falar à vontade, mesmo quando queríamos, e precisamos nos comunicar em uma espécie de código elíptico. Se alguém *estivesse* escutando, é provável que pensasse que estávamos falando de um jantar que dera errado, e não do rompimento de um casamento de trinta anos. No entanto, preferi o almoço ao fim de semana em Swanage, onde Gus, com todo o tato, ficava deixando Jane e eu a sós para podermos ter uma conversa de coração aberto, quando nenhum de nós de fato queria fazer isso porque nunca havíamos tido uma antes e não sabíamos como proceder. A relação de Jane comigo sempre fora do tipo pegação de pé bem-humorada, me censurando por formas de consumo que não eram corretas em termos ambientais, como água mineral engarrafada, clipes de papel coloridos e estantes de madeira de lei, ou por piadas sexistas em *O pessoal da casa ao lado*. Era uma brincadeira que fazíamos, em parte para diversão alheia. Não parecíamos ter uma rotina de conversas íntimas.

No domingo à tarde, Jane e eu levamos o cachorro para passear pela praia em forma de meia-lua, trocando observações desconexas sobre o tempo, a maré, o pessoal do windsurf na baía. O bebê deve nascer em outubro, ao que tudo indica. Perguntei como ela estava se sentindo em relação à gravidez, e falou que já terminara o período dos enjoos matinais, graças a Deus; mas o tópico também esmoreceu, talvez porque estivesse relacionado de maneira desconfortável em nossas cabeças com a briga derradeira entre mim e Sally. Então, no caminho de volta, quando estávamos quase chegando à casa, Jane perguntou de repente: "Por que não dá para a mamãe aquilo que ela quer? Ainda teria o suficiente para se manter, não teria?". Falei que era uma questão de princípios. Não aceitava que Sally pudesse me abandonar só por achar difícil conviver comigo e ainda esperar que eu fosse sustentá-la no padrão de vida ao qual se acostumara. Jane inquiriu: "Quer dizer que ela estava sendo paga para aguentar seu mau humor?". Falei: "Não, claro que não". Mas, de certa forma, suponho que Jane esteja certa, embora eu não colocaria as coisas daquela maneira. Jane é uma garota esperta. Sugeriu: "Acho que todo aquele dinheiro que você ganhou com *O pessoal da casa ao lado* teve um efeito negativo nos dois. Você parece se preocupar mais do que quando era duro. E a mamãe ficou enciumada". Nunca havia pensado nisso antes, que Sally pudesse ter ciúme do meu sucesso.

Embora tanto Jane quanto Adam tentassem se manter imparciais, senti que na intimidade estavam os dois do "lado" de Sally, então não procurei por eles de novo depois daqueles dois encontros. Também porque eu estava planejando levar Amy para Tenerife e receoso de que fossem descobrir e contar para Sally.

Tenerife foi com certeza uma escolha desastrosa, mas sinceramente a empreitada toda já estava condenada antes mesmo de começar. Enquanto eu mantinha Amy às escuras, e nunca tentava nenhum contato mais íntimo do que um beijo amigável ou ficar abraçadinho, eu a investia de certo glamour, o glamour daquilo que é proibido, renunciado. Uma vez que a vi nua na cama, ela era só uma senhorinha rechonchuda com pernas bem cabeludas que eu não reparara antes porque ela sempre usava meia-calça. Ela também tinha um corpo no qual nitidamente faltava tônus muscular. Não conseguia evitar a comparação desfavorável do físico dela com o de Sally e refletir que algo parecia ter dado muito errado na minha estratégia. Que diabos eu estava fazendo naquele quarto escroto de hotel em um resort asqueroso com uma mulher consideravelmente menos desejável que a esposa perdida, de quem eu estava tentando me vingar? Não foi uma surpresa que Tenerife tenha sido um desastre erótico. Assim que voltei – de fato até mesmo antes –, comecei a revisar a minha lista mental de mulheres conhecidas à procura de uma parceira provável, mais jovem e mais atraente do que Amy. Pensei em Louise.

Em poucos dias, estava voando de novo, a caminho de Los Angeles. Outro fiasco. Na verdade, duplo fiasco, contando o encontro com Stella que Louise me arranjou depois de estraçalhar com minhas esperanças. Que esperanças. Eu sabia, honestamente, até mesmo na hora de reservar o voo para L.A. (retorno em aberto, classe executiva; custou uma fortuna, mas queria chegar inteiro), que a probabilidade de Louise ainda estar descompromissada e disponível tantos anos depois era remota ao extremo e decidi desconsiderar essa noção porque não podia suportar a ideia do fracasso. Foi como Kierkegaard retornando a Copenhague um ano depois de romper o noivado, imaginando, todo afetuoso, que Regine ainda estaria descomprometida e sofrendo por ele, e então descobrindo que ela estava noiva de Schlegel. A atração por Louise foi precisamente porque ela era alguém com quem eu poderia ter ficado no passado, mas, por idiotice, neguei a mim mesmo por perversidade. Foi o encanto da Repetição, a ideia de Louise se oferecer para mim de novo, tornando a posse duplamente doce, que me impeliu a viajar todos aqueles milhares de quilômetros.

Stella, por outro lado, era apenas uma aventura em potencial. Tinha um dia e uma noite livres antes do próximo voo disponível de volta a Londres, então, quando Louise me ligou na manhã seguinte à nossa saída em Venice para dizer que tinha uma amiga que estava querendo muito me conhecer, concordei. Marquei com ela no lobby do Beverly Wilshire e a levei para jantar no restaurante do hotel, que era ridiculamente caro. Ela pareceu bem atraente à primeira vista, loira, magra e arrumada a ponto de brilhar. Pisquei com o esplendor ofuscante dos dentes, o brilho dos cabelos, o esmalte de unhas e as bijuterias elegantes. Mas os sorrisos duravam uma fração de segundo além do que seria natural, e a pele do rosto tinha uma firmeza embaixo da base da maquiagem que sugeria ter sido repuxada. Ela não fez rodeios, dizendo já durante as margaritas de aperitivo: "Louise me falou que temos muita coisa em comum: ambos fomos traídos e ambos estamos a fim de transar, certo?". Eu gargalhei sem graça e perguntei no que ela trabalhava. Descobri que é dona de uma butique em Rodeo Drive na qual Louise faz compras às vezes. Quando nos sentamos, ela me assustou ao perguntar se eu já fora testado para HIV. Falei que não, não parecera necessário porque sempre havia sido fiel à minha esposa. "Foi o que Louise me contou", disse Stella. "E sua esposa? Ela também sempre foi fiel a você?" Falei que agora acreditava que havia sido e perguntei o que gostaria de comer. "Vou pedir uma salada Caesar e um filé mignon, bem malpassado. Não se incomoda que eu lhe faça essas perguntas, Tubby?" "Ah, não", eu disse todo educado. "Na minha experiência é melhor começar já tirando essas dúvidas do caminho. Assim podemos relaxar. E desde que sua esposa foi embora? Esteve com mais alguém?" "Só uma vez", falei. "Uma antiga amiga." "Usou camisinha, claro?" "Ah, sim, claro", menti. Na verdade Amy usara um diafragma. Acho que Stella percebeu que eu estava mentindo. "Tem alguma com você?", perguntou, quando trouxeram a salada Caesar. "Bem, não *aqui* comigo", respondi. "Eu quis dizer no seu quarto." "Bem, pode ser que tenha alguma no frigobar", brinquei, "parecem ter de tudo lá." "Não importa, tenho algumas na bolsa", Stella disse sem nem ao menos um sorriso. Quando ela começou a falar em luvas de látex e proteção para sexo oral na hora do filé mignon, entrei em pânico. Se estava tão preocupada assim com sexo seguro, pensei comigo, deve ter motivos para estar. Pela primeira vez na minha vida, simulei um transtorno agudo interno da articulação do joelho, me contorcendo na cadeira em, embora seja eu dizendo, uma imitação muito convincente de uma dor insuportável. Os clientes das outras mesas ficaram bastante preocupados. O maître fez um sinal aos garçons, e dois deles me carregaram até o lobby. Desculpei-me com Stella, pedi licença e me recolhi sozinho para a cama. Stella perguntou se podia me ligar no dia seguinte, mas no dia seguinte eu estava no primeiro avião de LAX para Heathrow.

Foi em algum lugar sobrevoando a calota polar que Samantha surgiu na minha visão interior como uma promessa sexual. Por que não pensara nela antes? Era jovem, desejável, e fizera de tudo para cultivar minha amizade. Além do mais, exalava saúde, higiene e era extremamente inteligente. Não dava para imaginar Samantha se arriscando com sexo inseguro. Sim, ela era, claro, minha melhor chance de provar a mim mesmo que eu ainda era um homem. Mal podia esperar para desembarcar em Heathrow. Com os olhos injetados, sujo e com a barba por fazer, pulei no táxi e fui direto ao estúdio, onde sabia que poderia encontrar Samantha durante os ensaios.

Não era de admirar que minha primeira tentativa desajeitada de sedução tenha fracassado, em especial com a signora

Gabrielli fazendo de tudo para ferrar a história. Mas quando, poucos dias depois, Ollie sugeriu me designar um editor de roteiros para trabalhar comigo, vi minha oportunidade e insisti no nome de Samantha. Ela entendeu muito bem o tamanho do favor que eu lhe fiz, e estava nitidamente preparada para pagar no estilo tradicional do showbiz. Meu erro fatal, fatal pelo ponto de vista do galanteio, digo, foi usar Copenhague como palco dessa sedução, tentando matar dois coelhos com uma só cajadada: combinando um pouco de pesquisa sobre Kierkegaard com a trepada ilícita há muito desejada e há muito frustrada, em um hotel de luxo distante, mas não inconveniente em termos de distância, de qualquer lugar onde eu pudesse ser reconhecido. Deveria saber que as duas missões não dariam certo juntas. Deveria ter considerado o possível efeito de percorrer as calçadas que Kierkegaard percorreu um século e meio atrás, vendo as árvores de verdade, as praças, as construções, que antes não passavam de nomes no papel, Nytorv, Nørregade, Borgerdydskole, e examinando a memorabilia simples e emocionante de S.K. no Bymuseum: os cachimbos, a bolsa, a lupa e o estojo que Regine fizera para ela; a cruel caricatura no *Corsair* e o retrato de Regine, bonita, de seios fartos e com um sorriso prestes a se abrir nos lábios, claro que pintada em seus dias felizes antes de Kierkegaard romper o noivado. E então me parar diante da própria escrivaninha de Kierkegaard e escrever ali! Tive a sensação mais extraordinária de que ele estava presente de algum jeito na sala, pairando sobre meu ombro.

Por consequência, me peguei com uma relutância curiosa e constrangedora em perseguir o objetivo amoroso da viagem e, quando a linda Samantha, desavergonhadamente, me ofereceu todas as delícias de seu corpo suntuoso, não consegui tirar vantagem daquilo. Algo me impedia, e não era o medo da impotência, ou de agravar a lesão do joelho. Chame de consciência. Chame de Kierkegaard. Tornaram-se uma e a mesma coisa. Acho que Kierkegaard é o homem magro dentro de mim que vem lutando para emergir, e em Copenhague ele finalmente o fez.

Kierkegaard diz em algum lugar de seus *Diários*, quando descobriu que Regine estava noiva de Schlegel e percebeu que a perdera de forma irrevogável: "minha sensação foi a seguinte: ou se atira em desesperada dissipação ou em uma religiosidade absoluta". Minha frenética odisseia sexual idiótica após Sally ter me abandonado tentando desesperadamente dormir com alguém, seja Amy, Louise, Stella ou Samantha, foi minha tentativa de dissipação desesperada. Mas, quando isso fracassou, a religião não era uma alternativa viável para mim. Tudo que podia fazer como alívio era me masturbar e escrever. Na verdade, isso era tudo que Kierkegaard podia fazer por um bom tempo – escrever. (Talvez ele também se masturbasse, não me surpreenderia tanto assim.) São apenas os livros posteriores, os que assinou com seu próprio nome, que podem ser descritos como "absolutamente religiosos", e para ser sincero eu os acho brochantes. Os títulos já são brochantes: a maioria é chamada de *Discursos Edificantes*. As obras dos chamados pseudônimos, em especial as que escreveu logo após o término com Regine, usando nomes de Victor Eremitus, Constantine Constantius, Johannes de Silentio e outros codinomes pitorescos, são muito diferentes e muito mais interessantes: um esforço para aceitar sua experiência, aceitar as consequências de suas escolhas, tratando do assunto de forma oblíqua, indireta, através da ficção, disfarçado atrás de máscaras. Foi o mesmo impulso que me fez escrever os monólogos, suponho. Monólogos dramáticos, acho que são chamados, porque são dirigidos a alguém cujas falas são apenas implícitas. Lembro esse tanto das aulas de literatura inglesa. Precisávamos decorar um de Browning. "A minha última duquesa":

> Ali está a minha última duquesa, pintada na parede
> Parecendo estar viva. Digo
> Agora que a obra é uma maravilha...

O duque é um marido louco de ciúme, que, vamos descobrir, matou a esposa. Eu nunca teria matado Sally, claro, mas houve vezes em que cheguei perto de bater nela.

Foi ideia de Alexandra, de certa forma, embora ela não tivesse noção da torrente de palavras que a sugestão liberaria, ou a forma que tomariam. Fui me encontrar com ela em estado de baço desespero cerca de uma semana depois de ter voltado de Copenhague. Havia renunciado à dissipação, mas ainda me sentia deprimido. Era como a economia. No dia em que retornei da Dinamarca (no último voo – demorei horas para encontrar o túmulo de Regine, uma lápide chata, patética, bastante encoberta pela vegetação, mas no final das contas seu real monumento são as obras de Kierkegaard), o governo anunciou que a recessão havia oficialmente terminado, mas ninguém podia notar a diferença. A produção podia estar aumentando no ritmo de 0,2 por cento, mas havia ainda milhões de pessoas desempregadas e centenas de milhares enredadas em equidade negativa.

Fiquei escondido no apartamento. Não queria sair caso fosse reconhecido. Vivia com o pavor de encontrar alguém que eu conhecesse. (Qualquer um, exceto Grahame, claro. Quando me sinto com uma solidão insuportável, eu o convido para subir e tomar uma xícara de chá ou chocolate e um bate-papo. Está sempre lá durante a noite, das nove em diante, e às vezes durante o dia também. Ele se tornou uma espécie de inquilino fixo.) Eu tinha certeza de que todos os meus amigos e conhecidos estavam pensando e falando de mim o tempo todo, rindo e fazendo troça da charge do jornal *Public Interest*. Quando fui a Rummidge para ver Alexandra, viajei de classe comum e usei meu Ray-Ban, esperando que os inspetores de bilhetes não me reconhecessem. Estava certo de que eles liam *Public Interest* também.

Perguntei a Alexandra sobre Prozac. Ela pareceu surpresa. "Pensei que fosse contrário a terapias com medicamento", afirmou. "Isso é para ser algo totalmente novo", falei. "Não viciante. Sem efeitos colaterais. Nos Estados Unidos até as pessoas que não estão deprimidas estão tomando porque faz com que se sintam tão bem." Alexandra sabia tudo de Prozac, claro, e me deu uma explicação técnica de como se entendia seu funcionamento, tudo sobre neurotransmissores e recaptação de inibidores de serotonina. Não consegui acompanhar de fato. Falei que já estava um pouco devagar na recaptação, e mal precisava de algo mais inibidor nesse sentido, mas aparentemente não foi nada disso que ela falou.

Alexandra vê o Prozac com certa desconfiança. "Não é verdade que não há efeitos colaterais", foi dizendo. "Até os defensores admitem que inibe a capacidade do paciente de atingir o orgasmo." "Bem, já estou sofrendo desse efeito", falei, "então posso por bem tomar o remédio." Alexandra riu, expondo seus dentes grandes no sorriso mais aberto que já vi nela. Apressada, realinhou a expressão do rosto. "Há relatos não confirmados de efeitos colaterais mais sérios", ela disse. "Pacientes alucinando, tentando se mutilar. Tem até um assassino alegando que matou por influência do Prozac." "Minha amiga não comentou nada disso", aleguei. "Contou que faz você se sentir mais do que bem." Alexandra me olhou em silêncio por um momento com seus grandes e doces olhos castanhos. "Vou te receitar Prozac se é isso que quer", falou. "Mas precisa entender o que isso envolve. Agora não estou falando dos efeitos colaterais, estou falando dos *efeitos*. Essas novas medicações SRI alteram a personalidade das pessoas. Agem na mente como um cirurgião plástico age no corpo. O Prozac pode lhe devolver sua autoestima, mas você não será o mesmo." Pensei por um instante. "O que mais você sugere?", perguntei.

Alexandra sugeriu que eu escrevesse exatamente o que achava que os outros estavam dizendo e pensando de mim, na intimidade ou em conversas. Reconheci a estratégia, claro. Ela acreditava que não era a *realidade* das opiniões dos outros, mas meu *medo* do que essas opiniões poderiam ser que estava me deixando infeliz. Assim que foquei na questão – *o que de fato as outras pessoas pensam de mim?* – e me forcei a responder explicitamente, então em vez de projetar minha falta de autoestima nos outros, permitindo que isso ricocheteasse de volta para mim, seria forçado a reconhecer que as outras pessoas de fato não me abominavam e desprezavam, mas respeitavam, compreendiam e até gostavam de mim. No entanto, não funcionou muito nessa linha.

Sendo o tipo de escritor que sou, não consegui apenas resumir os pontos de vista de outras pessoas sobre mim, precisei deixar que expressassem seus pensamentos em suas próprias palavras. E o que elas disseram não era elogioso. "Você vem sendo muito duro consigo mesmo", Alexandra afirmou, quando afinal viu o que eu escrevera. Demorei algumas semanas – me deixei levar um pouco – e apenas enviei o material para ela na semana passada, um pacote bem volumoso. Fui até Rummidge ontem para o veredito. "São muito engraçados, muito rigorosos", ela disse, folheando os maços de A4 com um sorriso retrospectivo em seus lábios pálidos e não pintados, "mas tem sido muito duro consigo." Dei de ombros e falei que tentara me ver de maneira verdadeira a partir do ponto de vista dos outros. "Mas deve ter inventado um monte dessas coisas." Não tanto assim, falei.

    Precisei usar um pouco a imaginação, óbvio. Nunca vi o depoimento de Brett Sutton para a polícia, por exemplo, mas eu mesmo tive de dar um, e me deram uma cópia para levar para casa, então sabia como era o formato, e não era difícil adivinhar qual teria sido a versão dos acontecimentos segundo Brett Sutton. E, embora Amy fosse muito sigilosa sobre as sessões dela com Karl Kiss, sabia que ela estivera fazendo boletins diários sobre a evolução do nosso relacionamento depois da notícia bombástica de Sally, e tive muitas oportunidades de estudar a maneira como ela pensa e fala. A maioria das coisas que diz a Karl no monólogo ela já me contou em algum momento, como a lembrança da mãe dela cortando cenouras na cozinha enquanto falava para a filha sobre os fatos da vida, ou o sonho sobre a charge do *Public Interest* comigo no lugar de Vulcano e Saul como Marte. A parte sobre os problemas de encanamento no hotel de Playa de las Americas foi uma extrapolação por tê-la ouvido puxando a descarga do sanitário sem parar quando estava no banheiro. O final foi um pouco amarradinho demais, talvez, mas não resisti. Amy voltou à Inglaterra toda animada, com uma disposição bem assertiva, dizendo que daria a Karl seu "*congé*", mas depois eu soube que ela voltara à análise. Não tenho visto Amy muito ultimamente. Fizemos a tentativa de nos encontrar para jantar uma ou duas vezes, mas não conseguimos retomar o ar de amizade de antes. Memórias constrangedoras de Tenerife ficavam atrapalhando.

    Se Louise de fato descreveu nosso reencontro para Stella em tamanho detalhe eu não faço ideia, mas o que quer que tenha lhe dito deve ter sido por telefone. Louise pode ter deixado de fumar, beber e usar drogas (fora o Prozac), mas é completamente viciada no telefone. Manteve seu diminuto japonês portátil ao lado do prato no restaurante de Venice durante toda a refeição e ficava interrompendo minhas confidências tristes para receber e fazer chamadas sobre o filme dela. Ollie não foi difícil. Devo ter ficado preso com ele em um bar uma centena de vezes. Tomei algumas liberdades com Samantha. Ela mencionou – agora não recordo o contexto – que tinha uma amiga que estava sofrendo com dentes de siso que estavam impactados, mas a visita ao hospital foi pura invenção minha. Gostei da ideia de uma ouvinte cativa indefesa, sem poder falar, incapaz de interromper o fluxo da recapitulação, em voz alta, daquele fim de semana de suposta safadeza em Copenhaguen. É uma garota esperta, Samantha, mas sensibilidade não é seu forte.

    A parte mais difícil de escrever foi a de Sally. Não mostrei para Alexandra porque achei que podia pensar que estava tomando uma liberdade de envolvê-la na história. Sei que convidou Sally para vir falar com ela, pois me perguntou se eu fazia alguma objeção (falei que não). E acredito que Sally tenha concordado, mas Alexandra nunca me contou o que ela disse, então supus que fosse desanimador. Foi quase fisicamente doloroso reviver o rompimento pelos olhos de Sally. É por isso que o monólogo muda de tom na metade, passando de uma conversa com Alexandra para se tornar uma corrente de memórias sobre nosso namoro. Mas isso foi doloroso também, relembrar aqueles tempos de esperança, promessa e boas risadas. A coisa mais tenebrosa que Sally me disse no decorrer daquele fim de semana longo e infernal de discussões, súplicas e recriminações antes de ela ir embora, o momento em que eu soube, de fato entendi, no meu coração, que eu a perdera, foi quando ela disse: "Você não me faz mais rir".

....

Quinta-feira, 27 de maio, 10h. Levei o dia todo para escrever o registro de ontem. Trabalhei sem nenhum intervalo, exceto por cinco minutos, quando dei uma escapulida até uma franquia da

Pret A Manger para buscar um sanduíche de camarão com abacate, que comi na mesa enquanto escrevia. Precisava recuperar o atraso de muita coisa.

    Terminei por volta das sete, me sentindo cansado, faminto e sedento. Meu joelho estava me pondo em apuros também: ficar sentado em uma única posição por longos períodos não lhe faz bem. (O que é "apuro"? Eu me pergunto. O dicionário diz que é um "*aperfeiçoamento, um retoque*", o que não soa adequado no meu caso. Deve ter algo mais a ver com apurativo, algo que depura, que é purificante, um aperto que leva ao aprimoramento.) Saí para esticar as pernas e me reabastecer. A noite estava quente. Os jovens pareciam enxames em torno da estação de metrô de Leicester Square, como sempre fazem naquela hora do dia, não importa a estação do ano. Borbulham pelas saídas do metrô como uma fonte subterrânea irreprimível, se derramam nas calçadas e ficam parados do lado de fora da boate Hippodrome, com suas roupas casuais e frívolas e um ar de ansiedade e expectativa. Pelo que estão esperando? Não acho que a maioria saiba responder se alguém lhe perguntar. Alguma aventura, algum encontro, alguma transformação milagrosa em suas vidas comuns. Alguns poucos, claro, marcaram um encontro. Vejo os rostos se iluminarem quando enxergam o namorado ou a namorada se aproximando. Eles se abraçam, alheios ao gordinho careca de jaqueta de couro que passa caminhando com a mão no bolso, e se retiram, com os braços na cintura um do outro, para algum restaurante, cinema ou bar, pulsando com rock amplificado. Eu costumava marcar com Sally nessa esquina quando estávamos namorando. Hoje em dia, compro uma edição do *Standard* para ler enquanto janto no restaurante chinês em Lisle Street.

    O problema em comer sozinho, bem, um dos problemas, enfim, é que a gente tende a pedir comida demais e ingerir rápido demais. Quando voltei do restaurante, estufado e arrotando, eram só 20h30 e ainda estava claro. Mas Grahame já estava se acomodando para passar a noite na entrada. Convidei-o para assistir ao segundo tempo da final da Liga dos Campeões entre Milan e Marseille. Marseille ganhou por 1 x 0. Foi uma boa partida, embora seja difícil se engajar muito em uma partida sem um time britânico envolvido. Lembro quando o Manchester United venceu a Liga dos Campeões com George Best no time. Delirante. Perguntei a Grahame se ele lembrava, mas claro que não era nem nascido.

Grahame tem sorte de continuar ocupando a entrada. Herr Bohl, o executivo suíço que é dono do apartamento número 5 e reside ali ocasionalmente, objetou à presença dele e se propôs a chamar a política para mandar expulsá-lo. Apelei a Bohl para que o deixasse ficar argumentando que ele mantinha a entrada bem limpa e impedia os passantes de jogarem lixo e bêbados de usarem o ponto como mictório noturno, o que eles costumavam fazer com frequência e em grande volume. Esse apelo habilidoso à obsessão suíça com a higiene deu resultado. Herr Bohl teve de admitir que o odor da entrada estava consideravelmente mais agradável desde que Grahame passou a ocupá-la e retirou sua ameaça de chamar a polícia.

Colaborou para meu argumento o fato de que o próprio Grahame sempre parece limpo e não fede nem um pouco. Isso me intrigou por um bom tempo até que um dia me arrisquei a perguntar como ele conseguia essa façanha. Deu um sorriso maroto e disse que me contaria um segredo. No dia seguinte, me levou a um lugar em Trafalgar Square, apenas uma porta na parede com uma fechadura eletrônica em frente à qual eu devo ter passado centenas de vezes sem reparar. Grahame digitou uma sequência de números, e a tranca apitou e se abriu. Lá dentro havia um labirinto subterrâneo de salas oferecendo comida, jogos, banhos e uma lavanderia. É um tipo de refúgio para os jovens sem teto. Tem até roupões lá, assim, se a pessoa tem apenas uma muda de roupa, pode se sentar e aguardar enquanto ela é lavada e seca. Aquilo me lembrou um pouco do lounge da Pullman na estação de Euston. Enviei uma doação para a caridade que administra o lugar outro dia. Saber que isso existe me deixa um pouco menos culpado em saber que Grahame está dormindo na entrada. O rico em seu castelo, e o pobre no portão...

Na realidade, não há motivo para eu me sentir culpado de jeito nenhum. Grahame escolheu morar na rua. Admite-se que entre um conjunto de opções bastante vis, mas é provavelmente a melhor vida que ele já teve – com certeza a mais independente. "Sou mestre do meu destino", ele disse com ar solene dia desses. Era uma dessas frases que vira em algum lugar e memorizara, sem saber o autor. Procurei no meu dicionário de citações. Vem de um poema de W.E. Henley:

> Não importa quão estreito seja o portão,
> Quão carregado de punições seja o pergaminho,
> Sou mestre do meu destino:
> Sou o capitão da minha alma.

Quisera eu.

11h15. Jake acaba de me ligar. Escutei quando deixou uma mensagem na secretária eletrônica sem tirar o fone do gancho ou retornar a ligação. Estava tentando me atrair para um almoço no Groucho. Está ficando nervoso porque estamos nos aproximando da data-limite, depois da qual a Heartland pode exercer seu direito de empregar outro autor. Bem, que façam isso. Estou muito mais interessado em Søren e Regine do que em Priscilla e Edward hoje em dia, mas sei que Ollie Silvers não tem intenção alguma de produzir um programa sobre Kierkegaard, não importa o quanto de esforço eu dedique a *O pessoal da casa ao lado*, então por que devo me dar ao trabalho?

Grahame ficou bem impressionado quando descobriu que eu era um roteirista de televisão, mas, quando falei o nome do programa, disse: "Ah, esse", em um tom nitidamente depreciativo. Achei que foi um pouco desaforado, em especial por ele estar bebendo do meu chá e se empanturrando com bolo de cenoura do Pret A Manger naquela hora. "É legal, acho", ele disse, "para quem gosta desse tipo de coisa." Pressionei para que explicasse por que ele mesmo, obviamente, não gostava. "Bem, não é real, é?", falou. "Digo, a cada semana tem alguma grande briga em uma das casas, mas tudo sempre se resolve no final do programa e todo mundo fica de bem de novo. Nada nunca muda. Ninguém fica magoado de verdade. Ninguém bate em ninguém. Nenhum dos filhos foge de casa." "Alice fugiu uma vez", assinalei. "É, por dez minutos", retrucou. Ele quis dizer dez minutos de programa, mas não discuti. Entendi o ponto de vista dele.

14h15. Fui almoçar em um pub e quando voltei havia uma mensagem de Samantha na secretária: teve uma ideia para resolver o problema Debbie-Priscilla que quer debater comigo. Disse que estaria de volta no escritório pelas três, o que pareceu indicar um almoço bem despreocupado, mas me deu tempo de deixar uma mensagem para *ela*, pedindo para anotar a ideia em um papel e enviar por correio. Só me comunico por mensagem de voz ou carta hoje em dia. Isso me permite controlar a pauta de todas as discussões e evitar a famigerada pergunta: "*Como você está?*". Caso às vezes me sinta muito solitário, telefono para o serviço de bankline e confiro o saldo nas minhas várias contas bancárias com a moça cuja voz gravada nos guia pelos procedimentos de códigos digitais. Ela tem uma voz bem simpática e não pergunta como estamos. Embora, se você cometer um erro, ela diga: "*Sinto muito, parece haver algum problema*". É a pura verdade, docinho, digo eu.

"Só quando escrevo me sinto bem. Então esqueço todos os aborrecimentos da vida – todo o sofrimento, ali estou envolvido em pensamentos e me sinto feliz" – do diário de Kierkegaard, 1847. Enquanto escrevia os monólogos, eu estava – não exatamente feliz, mas ocupado, absorto, interessado. Era como se estivesse trabalhando em um roteiro. Tinha uma tarefa a cumprir e sentia alguma satisfação em completá-la. Agora que terminei a tarefa e atualizei meu diário um tanto, estou irrequieto, nervoso, pouco à vontade, incapaz de me acomodar em algo. Não tenho propósito ou objetivo, fora o de dificultar ao máximo que Sally ponha as mãos no meu dinheiro, e meu coração não está mais nisso na verdade. Preciso me deslocar até Rummidge para falar com meu advogado amanhã. Poderia instruí-lo a jogar a toalha, acordar o divórcio o mais rápido possível e dar a Sally o que ela quer. Mas isso me faria sentir melhor? Não. É outro exemplo de é isso ou aquilo. Não importa o que eu faça, estou fadado a me arrepender. *Se aceitar o divórcio, você vai se arrepender, se não aceitar o divórcio, vai se arrepender. Divorciando-se ou não, você vai se arrepender de ambos.*

Talvez ainda tenha esperança de que Sally e eu consigamos voltar, de que possa retomar minha antiga vida, de que tudo será como antes. Talvez, apesar de todos os meus ataques e lágrimas e tramas para me vingar – ou por causa deles –, eu não tenha abdicado do casamento. B diz a A: "Para que verdadeiramente se abdique, é preciso querer de verdade, mas quando alguém quer de verdade abdicar, é porque já superou realmente; quando alguém escolheu abandonar a causa de verdade, escolheu aquilo que a abdicação escolhe, ou seja, a si mesmo em sua eterna validez". Suponho que se possa dizer que escolhi a mim mesmo quando declinei a oferta de Alexandra de me colocar no Prozac, mas não percebi isso como um ato de afirmação existencial na hora. Parecia mais um criminoso que foi preso, estendendo os braços para colocarem as algemas.

17h30 De repente pensei que, como estou subindo para Rummidge amanhã, poderia muito bem tentar encaixar alguma terapia. Dei alguns telefonemas. Roland estava lotado, mas Dudley conseguiu me encaixar em uma consulta à tarde. Não tentei a srta. Wu. Não a vejo desde aquela sexta-feira em que Sally deu a notícia bombástica. Não tive vontade. Nada a ver com a srta. Wu. Uma associação de ideias: a acupuntura e minha vida desmoronando.

21h30. Jantei em um restaurante indiano hoje e voltei para casa por volta das nove, temperando a poluição metropolitana com peidos explosivos e aromáticos. Grahame disse que um homem havia tocado minha campainha. Pela descrição, adivinhei que era Jake. "Amigo seu, é?", Grahame inquiriu. "Mais ou menos", falei. "Ele perguntou se eu havia visto você ultimamente. Não fez uma descrição muito elogiosa." Naturalmente perguntei qual havia sido. "Mais para gordo, careca, de ombros curvados."

O último epíteto me balançou um pouco. Nunca havia pensado em mim como especialmente de ombros curvados. Deve ser o efeito da depressão. Nossos sentimentos mudam nossa aparência. Não acho que seja apenas o acidente de infância que tenha deixado curva a espinha de Kierkegaard. "O que disse a ele?", perguntei. "Não disse nada", respondeu Grahame. "Que bom", falei. "Fez bem."

....

Sexta-feira, 28 de maio, 19h45 Acabo de retornar de Rummidge. Fui de carro só para movimentar o ricomóvel: guardo o carro em uma garagem perto de King's Cross e quase nunca o tiro de lá. Não que fosse possível aproveitar muito a estrada hoje. Estava com uma epidemia de cones, parecia escarlatina, e o contrafluxo entre os entroncamentos nove e onze estava causando um engarrafamento de oito quilômetros. Tudo indica que um carro com reboque entrou em um caminhão na contramão. Então cheguei atrasado para minha consulta com Dennis Shorthouse. Ele é o especialista em divórcio e litígios familiares para a firma que me representa, Dobson McKitterick. Nunca havia tratado com ele até acontecer essa briga com Sally. É alto, grisalho, com um físico avantajado e o rosto enrugado e bicudo, e raramente sai de trás da mesa, que chega a ser esquisita de tão organizada. Do mesmo modo que alguns médicos se mantêm limpos e arrumados de um jeito sobrenatural, como que para repelir uma infecção, assim Shorthouse parece usar sua escrivaninha, como algum tipo de *cordon sanitaire* para manter a desgraça de seus clientes a uma distância segura. Tem uma bandeja de entrada e outra de saída, ambas sempre vazias, um mata-borrão impecável e um relógio digital, discretamente enviesado para a cadeira do cliente, como um taxímetro, assim você pode ver o quando os conselhos dele estão lhe custando.

Ele recebera uma carta dos advogados de Sally, ameaçando um processo de divórcio com base em comportamento despropositado. "Como você sabe, adultério e comportamento despropositado são os únicos fundamentos para concessão de divórcio imediato", ele falou. Perguntei o que constituía esse comportamento despropositado. "Uma ótima pergunta", disse, juntando as pontas dos dedos e inclinando-se para a frente sobre a escrivaninha. Lançou-se em uma longa dissertação, mas receio que meus pensamentos tenham ido para outro lugar, e subitamente percebi que ele havia ficado em silêncio e olhava para mim cheio de expectativa. "Sinto muito, pode repetir, por favor?", pedi. O sorriso dele se tornou um pouco forçado. "Repetir qual parte?", perguntou. "Só a última", falei, sem fazer a menor ideia de por quanto tempo ele esteve discursando. "Perguntei sobre que tipo de comportamento despropositado a sra. Passmore seria passível de reclamar se estivesse sob juramento". Pensei por um momento. "Não escutar quando ela estivesse falando conta?", perguntei. "Pode ser", explicou. "Dependeria do juiz." Fiquei com a impressão de que, se o próprio Shorthouse estivesse me julgando, eu não teria muita chance. "Alguma vez abusou fisicamente de sua esposa?", perguntou. "Deus meu, não", respondi. "E bebedeiras, agressões verbais, ataques de ciúme, acusações falsas, esse tipo de coisa?" "Só depois que ela me abandonou", falei. "Para todos os efeitos, não escutei você afirmar isso", declarou. Fez uma pausa por um momento antes de resumir: "Não creio que a sra. Passmore vá arriscar entrar com uma petição de comportamento despropositado. Ela não se qualificaria para auxílio legal, e, caso perdesse, as custas do processo seriam bem consideráveis. Também retornaria ao ponto inicial em relação ao divórcio. Está usando essa ameaça para pressioná-lo a cooperar. Não acho que precise se preocupar com isso". Shorthouse sorriu orgulhoso, óbvio que satisfeito com a análise que fizera. "Está dizendo que ela não vai conseguir o divórcio?", perguntei. "Ah, eventualmente, óbvio que sim, com base no desmoronamento irreparável do casamento. É uma questão de quanto tempo você vai deixá-la esperando." "E de quanto quero gastar para você atrasar as coisas?", perguntei. "É por aí", disse, consultando o relógio. Mandei que continuasse atrasando.

Então fui me consultar com Dudley. Ao estacionar do lado de fora da casa, lembrei ansioso de todas as ocasiões prévias em que eu o visitara sem nenhuma reclamação mais séria do que um mal-estar geral indefinido. Um jato de estrutura larga trovejou no céu ao mesmo tempo em que toquei a campainha, me fazendo encolher e tapar as orelhas. Dudley me disse que era um novo horário de voo para Nova York. "Vai ser útil para você, não é, na sua linha de trabalho?", comentou, "não vai mais precisar se deslocar até Heathrow." Dudley tem uma noção bem exagerada do glamour na vida de um roteirista de tevê. Contei que, de qualquer modo, estava morando em Londres e expliquei o motivo da mudança. "Não suponho que tenha um óleo essencial para colapso conjugal, tem?", perguntei. "Posso lhe dar algo para o estresse", ofereceu. Perguntei se podia fazer algo pelo meu joelho, que andava aprontando comigo na estrada. Ele digitou coisas no computador e disse que tentaria lavanda, supostamente boa para dores, contusões *e* estresse. Tirou um vidrinho do grande estojo revestido de cobre onde guarda os óleos essenciais e me convidou a sentir o aroma.

Não creio que Dudley tenha alguma vez usado lavanda comigo, porque cheirar aquilo despertou a memória mais extraordinária e vívida – de Maureen Kavanagh, minha primeira namorada. Ela vem entrando e saindo dos meus pensamentos desde que comecei este diário, como uma figura indistinta que se vê ao longe na entrada da floresta, movendo-se entre as árvores, deslizando nas sombras. O aroma da lavanda a puxou para a luz – a lavanda e Kierkegaard. Anotei em algum lugar poucas semanas atrás que o símbolo para o duplo *aa* no dinamarquês moderno, o *a* único com um círculo em cima, me lembrava de algo que não conseguia discernir na hora. Bem, era a caligrafia de Maureen. Ela costumava fazer os pingos dos *i's* daquele jeito, com um pequeno círculo, em lugar do ponto, como uma trilha de bolhas sobre o traçado de sua letra grande e arredondada. Não sei de onde ela tirou a ideia. Costumávamos escrever um ao outro mesmo que nos víssemos todas as manhãs no ponto do bonde, só pela emoção de receber cartas. Eu costumava escrever cartas de amor bem apaixonadas, e ela enviava de volta uns bilhetes tímidos de uma banalidade decepcionante: "Fiz os deveres depois do chá, então ajudei mamãe a passar roupa. Escutou Tony Hancock no rádio? Estávamos tendo ataques de riso". Ela usava um papel de carta malva da Woolworths que era perfumado com lavanda. Aquela lufada do frasco de Dudley me trouxe tudo à memória – não só a letra, mas Maureen em sua total especificidade. Maureen. Meu primeiro amor. Meu primeiro seio.

Havia uma carta de Samantha na caixa do correio quando cheguei, com sua ideia para retirar o papel de Debbie de *O pessoal da casa ao lado*: no último episódio, Priscilla é derrubada da bicicleta por um caminhão e morre na hora, mas retorna como um fantasma que só Edward consegue ver e o impele a encontrar outra parceira. Não é exatamente original, mas tem suas possibilidades. Precisamos admitir que a garota é esperta. Caso eu estivesse com uma disposição diferente, poderia ter elaborado mais a ideia. Mas tudo em que consigo pensar no momento é Maureen. Sinto uma necessidade irresistível se apossando de mim de escrever sobre ela.

Maureen
Um livro de memórias

A PRIMEIRA VEZ QUE ME APERCEBI da existência de Maureen Kavanagh foi quando eu tinha quinze anos, embora tenha demorado quase um ano até eu conseguir falar com ela e descobrir seu nome. Costumava vê-la todos os dias de manhã, quando esperava pelo bonde que fazia a primeira parte das três pernas entediantes do trajeto até minha escola. Estudava na Lambeth Merchants', uma escola secundária pública na qual, empurrado por um bem-intencionado jovem diretor de escola, tive o azar de ser aceito depois do exame de admissão. Digo azar porque agora acredito que teria sido mais feliz, e, portanto, aprendido mais, em algum estabelecimento menos prestigioso e pretensioso. Eu tinha a inteligência nata, mas não o apoio social e cultural para me beneficiar com a educação oferecida na Lambeth Merchants'. Era uma fundação antiga que tinha um orgulho obsessivo de sua história e tradição. Aceitava alunos pagantes, bem como a nata dos exames de admissão, e se baseava no modelo da escola pública inglesa com suas "casas" (embora sem internato), uma capela, um hino escolar com palavras em latim e inúmeros rituais e privilégios misteriosos. Os prédios eram de tijolo vermelho neogótico e cobertos de fuligem, equipados com torres e ameias, com vitrais na capela e no principal salão de assembleia. Os professores usavam togas. Nunca me encaixei e nunca me saí bem em termos acadêmicos, definhando na rabeira da minha classe pela maior parte de minha carreira estudantil. Minha mãe e meu pai eram incapazes de me ajudar com os deveres e cediam à minha tendência de me poupar deles. Passava a maioria das noites ouvindo programas de comédia no rádio (meus clássicos eram *ITMA*, *Much Binding in the Marsh*, *Take It From Here* e *The Goon Show*, não o *Aeneid* e *David Copperfield*) ou jogando futebol e críquete na rua com meus companheiros da moderna escola secundária do bairro. O esporte era encorajado na Lambeth Merchants' – até davam "bonés" honoríficos para quem representasse a escola –, mas o esporte de inverno era rúgbi, que eu abominava, e o críquete da escola era jogado com tal pompa e circunstância que eu achava um tédio. O único sucesso que obtive na escola foi como ator cômico na peça anual. Fora isso, me faziam sentir um total idiota tosco. Eu me tornei o palhaço da sala e o alvo perene do sarcasmo dos mestres. Apanhava com frequência. Ansiava por deixar a escola assim que prestasse os exames de O-Level, nos quais não tinha esperança de passar.

Maureen frequentava a escola do convento Sagrado Coração, em Greenwich, também uma cortesia dos exames de admissão Eleven-Plus. Ela tinha um trajeto igualmente desajeitado partindo de Hatchford, onde ambos morávamos, mas na direção oposta. Hatchford, suponho, fora uma cidade desejável próxima de Londres quando foi construída ao final do século XIX, bem onde a planície do Tâmisa se encontra com as primeiras colinas Surrey, mas quase integrava a paisagem suburbana decadente quando a gente nasceu. Maureen morava no topo de um dos morros, no andar de baixo de um casarão vitoriano que fora dividido em apartamentos. A família dela habitava o porão e o andar térreo. Nós morávamos em uma casinha de uma longa fileira geminada em Albert Street, uma das ruas que sai da principal no pé do morro, onde os bondes passavam. Meu pai era motorista de bonde.

Era um trabalho duro. Ele tinha de ficar de pé por oito horas ou mais na direção, em uma plataforma com um lado exposto às intempéries, e era necessária certa dose de força bruta para ativar os freios. No inverno, chegava do trabalho, gelado e abatido, e se acocorava sobre o fogo feito com carvão na sala, mal conseguindo falar até que tivesse descongelado. Havia um tipo mais moderno de bonde, aerodinâmico e completamente fechado, que eu via de vez em quando em outras partes de Londres, mas meu pai sempre trabalhou nos antigos bondes escangalhados de antes da guerra, abertos nas duas pontas, que guinchavam, chacoalhavam e gemiam ao se sacudirem de um ponto a outro. Aqueles bondes vermelhos, de dois andares, com um único farol brilhando em meio ao fog como um olho embaçado, com suas sinetas ressoando, os acabamentos em cobre e assentos de madeira polida pela fricção de inúmeras mãos e traseiros, seus andares superiores fedendo a fumaça de cigarro e vômito, seus motoristas surdos, de rostos acinzentados, e as condutoras alegres de luvinhas, estão inseparavelmente ligados às minhas memórias de infância e adolescência.

    Todos os dias da semana eu pegava meu primeiro bonde no entroncamento de Hatchford Five Ways a caminho da escola. Costumava não esperar no próprio ponto, mas na esquina, um pouco antes, em frente a uma floricultura, de onde podia avistar o bonde assim que surgia fazendo a curva ao longe na avenida principal, bamboleando nos trilhos feito um galeão no mar. Ajustando meu ângulo de visão em apenas trinta graus, também conseguia enxergar o longo declive reto de Beecher's Road. Maureen sempre aparecia lá no alto da rua no mesmo horário, cinco minutos para as oito, e levava três minutos para descer. Passava por mim, atravessava a rua e caminhava alguns metros para esperar o bonde que ia na direção contrária. Eu a observava com ousadia quando ela estava distante, e de forma dissimulada quando vinha se aproximando, aparentando estar atento à chegada do meu bonde. Depois que ela passava, eu andava até o ponto e ficava vigiando enquanto ela esperava o dela, de costas para mim do outro lado da rua. Às vezes, logo que ela chegava à esquina, eu arriscava olhar para o lado, em um tédio ou impaciência fingida com a demora do bonde, e olhava de relance para ela, como que por acidente. Em geral, ela tinha os olhos baixos, mas uma vez olhou direto para mim e nossos olhares se cruzaram. Corou em um tom carmesim e desviou o foco rapidamente para a calçada enquanto caminhava. Acho que levei uns cinco minutos para voltar a respirar depois disso.

    Isso seguiu por meses. Quiçá um ano. Não sabia nem quem era nem coisa alguma a respeito dela, apenas que estava apaixonado. Ela era linda. Suponho que um observador menos impressionável ou mais blasé poderia tê-la descrito como "bonitinha" ou "bem-apessoada" em lugar de linda, considerando que tinha o pescoço um pouco curto ou a cintura um pouco grossa demais para se qualificar aos mais altos elogios, mas, para mim, ela era linda. Até mesmo em seu uniforme escolar – um chapéu que lembrava uma fôrma de pudim, gabardine e jardineira plissada, tudo em um tom deprimente de azul-marinho – ela era linda. Usava o chapéu em uma posição despachada, ou talvez fosse o volume dos cabelos avermelhados que o empurrava para trás na cabeça, com a aba emoldurando aquele rosto em forma de coração e de parar o coração: os olhos grandes e castanhos, um nariz pequeno e ajeitadinho, a boca generosa, o queixo com covinhas. Como descrever a beleza em palavras? É inútil, como fazer modificações em um retrato falado. Seus cabelos eram compridos e ondulados, puxados para trás das orelhas e amarrados por uma presilha na nuca, em uma espécie de crina solta que caía até a metade das costas. Ela vestia a capa de chuva desabotoada, balançando aberta na frente, com as mangas dobradas para expor o punho da blusa branca, e o cinto amarrado atrás. Descobri mais tarde que ela e suas colegas de aula passavam horas sem fim maquinando essas modificações mínimas no uniforme, tentando burlar os regulamentos repressores das freiras. Ela levava os livros em uma espécie de sacola de compras, que lhe dava um ar de mulher mais madura, e, por comparação, fazia minha bolsa de couro grande parecer infantil.

A lembrança dela era meu último pensamento antes de cair no sono à noite e o primeiro quando acordava de manhã. Raramente acontecia, mas, caso ela se atrasasse para aparecer no topo de Beecher's Road, eu deixava passar meu bonde sem embarcar e arcava com as consequências de chegar atrasado na escola (duas bengaladas) para não ficar sem minha dose diária da imagem dela. Era a mais pura e altruísta devoção romântica. Era Dante e Beatriz com um toque suburbano. Ninguém sabia do meu segredo, e nem a tortura teria arrancado aquilo de mim. Na época, estava passando pelo vulcão hormonal natural da adolescência, inundado e esbofeteado pelas mudanças e sensações corporais que não podia controlar nem identificar – ereções e poluções noturnas, pelos brotando no corpo e todo o resto. Não havia aula de educação sexual na Lambeth Merchants', e minha mãe e meu pai, com o profundo e repressor puritanismo da respeitável classe trabalhadora, nunca tocaram no assunto. Claro que as usuais piadas sujas e histórias contando vantagem circulavam no pátio da escola e eram ilustradas nas paredes dos sanitários, mas era difícil extrair informações básicas daqueles que aparentavam ter conhecimento sem revelar uma ignorância humilhante. Um dia um garoto em quem eu confiava me explicou os fatos da vida quando voltávamos de uma visita ilícita de horário de almoço a uma barraquinha de comida – "quando sua piça fica dura, você enfia no buraco da menina e esporra dentro dela" –, mas esse ato, embora ardente de contemplar, parecia feio e desasseado, não algo que desejava associar ao anjo que descia diariamente do topo de Beecher's Road para receber minha muda adoração.

É claro que desejava falar com ela e pensava sem parar em maneiras possíveis de iniciar uma conversa. O método mais simples, pensei, seria sorrir e dizer oi um dia de manhã enquanto ela passasse. Afinal, não éramos completos estranhos – era uma coisa bastante normal de se dizer a alguém que a gente encontra com regularidade na rua, mesmo quando não se sabe o nome da pessoa. O pior que poderia acontecer seria ela me ignorar e passar reto sem responder à minha saudação. Ah, mas esse pior era terrível de se considerar. O que eu faria na manhã *seguinte*? E todas as manhãs depois disso? Contanto que eu não a abordasse, ela não podia me rejeitar, e meu amor estava seguro mesmo que não correspondido. Passei muitas horas fantasiando formas mais dramáticas e irresistíveis de conhecê-la – por exemplo, puxando-a pelo braço para salvá-la de uma morte certa quando estivesse prestes a se atravessar na frente do bonde, ou defendendo-a de um ataque de parte de algum bandido pronto para assaltar ou estuprar. Mas ela sempre demonstrava uma cautela e sensatez admiráveis ao atravessar a rua, e faltavam bandidos nas calçadas de Hatchford às oito da manhã (afinal, era 1951, quando a palavra "assalto" era desconhecida, e, mesmo à noite, mulheres desacompanhadas se sentiam seguras nas avenidas bem-iluminadas de Londres).

O evento que finalmente nos uniu foi menos heroico que esses enredos imaginários, mas pareceu quase milagroso para mim na hora, como se uma divindade compassiva, ciente de meu desejo incapaz de se expressar para conhecer a garota, finalmente tivesse perdido a paciência, erguido a menina no ar e atirado-a no chão aos meus pés. Ela apareceu atrasada no alto de Beecher's Road naquele dia, e pude constatar que se apressava descendo o morro. De quando em vez, dava uma corrida – aquela corrida tão bonitinha que as meninas fazem, mexendo as pernas basicamente dos joelhos para baixo, levantando os calcanhares em ângulo atrás – e então, sobrecarregada com sua pesada bolsa de livros, desacelerava para um passo de caminhada rápida para dar um tempo. Naquele estado afobado e agitado, ela parecia mais linda do que seu normal. O chapéu estava fora da cabeça, preso pela tira fina de elástico em volta do pescoço, suas longas madeixas balançavam de um lado para outro, e a energia da caminhada fazia seus peitos se moverem de uma maneira emocionante embaixo da blusa branca da jardineira. Fiquei olhando direto para ela por mais tempo que de costume, até onde ousei; mas enfim, para evitar passar a impressão de estar encarando com grosseria, precisei desviar o olhar e passar ao fingimento de estar observando a avenida, à espera do bonde – que de fato, nesse momento, estava bem próximo.

Ouvi um grito, e, de repente, lá estava ela, esparramada aos meus pés com os livros espalhados por toda a calçada. Disparando em outra daquelas corridas, prendera a ponta do sapato na borda de uma pedra mal assentada, tropeçara e caíra, derrubando a bolsa ao tentar amortecer a queda. Ela se pôs de pé em um instante, antes que eu pudesse estender a mão para auxiliá-la, mas consegui ajudar a recolher os livros e falar com ela. "Você está bem?" "Arrã", resmungou, chupando os nós ralados dos dedos. "Idiota." O último epíteto era claramente dirigido a si mesma, ou possivelmente à pedra da calçada, não a mim. Ela enrubesceu furiosa. Meu bonde passou, suas rodas rangendo e guinchando nos trilhos sulcados ao dobrar a esquina. "Esse é seu bonde", ela falou. "Não importa", respondi, pleno de êxtase com o que estava subentendido naquele comentário – que ela estivera observando meus movimentos com a mesma atenção com que eu observara os dela nos últimos meses. Com cuidado, recolhi um monte de folhas de ofício que caíram de uma pasta, cobertas com uma escrita de caligrafia grande e arredondada, os *is* encimados com pequenos círculos em vez de pingos, e as devolvi para a dona. "Obrigada", murmurou, enfiando-as na bolsa, e correu embora, mancando um pouco.

Chegou ao ponto bem na hora de embarcar em seu bonde habitual – eu a vi surgir no topo da escada do andar superior quando ele passou na minha frente momentos depois. Meu próprio bonde fora embora sem mim, mas não me importei. *Eu havia falado com ela!* Quase tocara nela. Quase me bati por não ter sido rápido o suficiente para ajudá-la a se levantar do chão – mas tudo bem: um contato fora feito, palavras foram trocadas, e lhe fiz um pequeno favor ao apanhar os livros e papéis. Daquele momento em diante, poderia sorrir e dizer oi todas as manhãs quando ela passasse por mim. Enquanto eu contemplava essa emocionante possibilidade, algo brilhante me chamou a atenção no meio-fio: era o clipe na tampa de uma caneta Biro, que, óbvio, caíra da bolsa dela. Apanhei-a exultante e guardei-a no bolso interno, junto do meu coração.

As canetas esferográficas ainda eram novidade naqueles tempos e um absurdo de caras, então sabia que a garota ficaria feliz em recuperar a sua. Dormi com ela embaixo do meu travesseiro (estava vazando e deixou manchas azuis no lençol e na fronha, pelas quais fui amargamente repreendido por minha mãe e levei um cascudo do meu pai) e tomei minha posição de costume diante da florista na manhã seguinte, cinco minutos antes do usual, para me certificar de não me desencontrar da dona da caneta. Ela própria estava um pouco adiantada em fazer sua aparição no topo de Beecher's Road e desceu o declive devagar, com uma espécie de determinação um pouco constrangida, colocando um pé depois do outro com cuidado, olhando para o calçamento – não apenas, eu tinha certeza, para evitar tropeçar de novo, mas porque sabia que eu estava observando, esperando por ela. Foram minutos tensos, extremamente carregados, que transcorreram enquanto ela descia o morro na minha direção. Era como aquela tomada maravilhosa ao final de *O terceiro homem*, quando a namorada de Harry Lime caminha em direção a Holly Martins ao longo da avenida no cemitério congelado, exceto que ela passa direto por ele sem ao menos olhá-lo, e essa garota não faria a mesma coisa porque eu tinha um pretexto impecável para pará-la e falar com ela.

Ao se aproximar, fingiu interesse em um bando de estorninhos dando voltas e mergulhos no céu acima da padaria cooperativa, mas, quando estava a poucos metros de distância, me olhou e deu um sorriso tímido de reconhecimento. "Ahm, acho que deixou cair isto aqui ontem", lasquei, passando a mão na Biro do meu bolso e a oferecendo para ela. Seu rosto se iluminou de alegria. "Ah, muito obrigada", disse, parando e apanhando a caneta. "Pensei ter perdido. Voltei aqui ontem à tarde e procurei, mas não consegui achar." "Não, bem, estava comigo", falei, e nós dois rimos sem graça. Quando ela riu, a ponta do nariz se contorceu e enrugou como a de um coelho. "Bem, obrigada, mais uma vez", disse, seguindo adiante. "Se soubesse onde você mora, poderia ter levado lá", falei desesperado, tentando segurá-la. "Tudo bem", ela disse, voltando um pouco para trás, "contanto que eu tenha recuperado. Não teria coragem de contar para minha mãe se a perdesse." Ela me presenteou com outro sorriso delicioso de enrugar o nariz, me deu as costas e desapareceu na esquina. Eu ainda não sabia seu nome.

Não demorou muito para eu descobrir, no entanto. Todas as manhãs, depois de sua queda providencial aos meus pés, eu sorria e dizia oi quando ela passava, e ela corava, sorria e respondia ao oi. Logo acrescentei à saudação algum comentário ensaiado sobre o tempo ou uma pergunta sobre o desempenho da esferográfica ou uma reclamação sobre o atraso do meu bonde, o que convidava a uma reposta por parte dela, e um dia ela se demorou na esquina da florista para uma conversa decente de alguns minutos. Perguntei qual era seu nome. "Maureen." "O meu é Laurence." "Podem me virar agora", ela disse e riu com minha expressão de perplexidade. "Não conhece a história de São Lourenço?" Balancei a cabeça. "Ele foi martirizado queimado vivo sobre um braseiro ardente", explicou. "Ele disse: 'Podem me virar agora, este lado já está bem assado'." "Quando foi isso?", perguntei, fazendo uma careta compreensiva. "Não sei com certeza", afirmou. "No tempo dos romanos, acho."

A anedota grotesca e um pouco doentia, contada como se não fosse nada perturbadora, foi a primeira indicação que tive de que Maureen era católica, o que foi confirmado no dia seguinte quando me contou o nome da escola que frequentava. Eu havia reparado no coração bordado em linha vermelha e dourada no emblema do blazer, porém sem perceber seu significado religioso. "Representa o Sagrado Coração de Jesus", explicou, fazendo uma leve inclinação automática com a cabeça ao pronunciar o Santo Nome. Essas alusões devotadas a braseiros e corações, com suas associações despropositadas a cozinhas e vísceras, me deixaram um pouco desconfortável, lembrando as ameaças da sra. Turner de que me lavaria no sangue do Cordeiro na infância, mas não me impediram de procurar fazer de Maureen a minha namorada.

Eu nunca tivera uma namorada antes e estava inseguro sobre como começar, mas sabia que os casais com frequência iam ao cinema durante a corte, pois já havia dividido a fila com eles do lado de fora do Odeon local e os observara se enroscando nas fileiras de trás. Um dia, quando Maureen se demorava em frente à florista, tomei coragem de perguntar se veria um filme comigo no fim de semana seguinte. Corou e pareceu ao mesmo tempo animada e apreensiva. "Não sei. Vou ter de pedir para minha mãe e meu pai", falou.

Na manhã seguinte, apareceu no alto de Beecher's Road acompanhada de um homem enorme, com pelo menos um metro e oitenta e, ao menos me pareceu, largo como nossa casa. Sabia que devia ser o pai de Maureen, sobre o qual ela me contara ser capataz de uma construtora local, e vi sua aproximação com alarme. Sentia mais medo de uma cena pública de humilhação do que de um ataque físico. Maureen sentia o mesmo, pois pude ver que arrastava os pés e levava a cabeça baixa e amuada. Ao chegarem mais perto, fixei o olhar na longa perspectiva da via principal com seus trilhos brilhantes diminuindo até o infinito e torci, mesmo sem muita esperança, para que o sr. Kavanagh estivesse apenas acompanhando a filha e me ignorasse se eu não tentasse cumprimentá-la. Não tive essa sorte. Uma figura imensa em uma jaqueta curta azul-marinho se avultou sobre mim.

– É você o jovem patife que vem assediando minha filha? – perguntou com forte sotaque irlandês.

– Hein? – falei, ganhando tempo. Olhei para Maureen, mas ela desviou o rosto. Estava vermelha e aparentava ter chorado.

– Papai! – murmurou suplicante.

A jovem assistente de avental, arrumando as flores nos baldes em frente à loja, fez uma pausa no trabalho para apreciar a cena.

O sr. Kavanagh me cutucou no peito com um indicador imenso, córneo, calejado e duro como um cassetete de policial.

– Minha filha é uma moça respeitável. Não quero que fique falando com sujeitos estranhos pelas esquinas, entendeu?

Assenti.

– Que bom que entende, então. Já para a escola.

Esse último comentário era dirigido a Maureen, que saiu encolhida com uma última olhada desesperada e constrangida para mim. A atenção do sr. Kavanagh pareceu ter sido capturada pelo meu blazer colegial, um traje vistoso em carmim com botões prateados, que eu odiava, e ele apertou os olhos para examinar o brasão rebuscado com seu slogan em latim no bolso do peito.

– Que escola é essa que você frequenta?

Respondi, e ele ficou impressionado, mesmo a contragosto.

– Veja lá como se comporta ou vou entregar você para seu diretor – ameaçou. Deu meia-volta e subiu de novo o morro. Fiquei no mesmo lugar, olhando para a avenida até avistar meu bonde e minha pulsação voltar ao normal.

Claro que esse incidente só serviu para me aproximar de Maureen. Nós dois nos tornamos um par de amantes incompreendidos, desafiando a proibição do pai contra qualquer contato posterior. Continuamos a trocar algumas palavras todas as manhãs, embora eu agora, por prudência, me posicionasse logo depois da esquina, longe da vista de qualquer um que inspecionasse o entroncamento lá de cima de Beecher's Road. No devido tempo, Maureen persuadiu a mãe a me deixar fazer uma visita em um sábado à tarde, quando o pai estava fora fazendo hora extra, para que ela pudesse ver por si mesma que eu não era o arruaceiro de esquina que imaginaram quando ela pediu pela primeira vez se poderia ir ao cinema comigo. "Vá vestindo seu blazer do uniforme", Maureen aconselhou com muita perspicácia. Então, para espanto dos meus pais e desgosto dos amigos, perdi uma partida importante em Charlton, vesti o blazer que normalmente jamais usava nos fins de semana e subi a longa colina até a casa de Maureen. A sra. Kavanagh me serviu uma xícara de chá e uma fatia de pão de bicarbonato feito em casa na sua enorme, escura e caótica cozinha no porão, e fazia arrotar um bebê sobre o ombro enquanto me avaliava. Era uma mulher charmosa, nos seus quarenta, que engordara por conta da gravidez. Tinha os cabelos longos da filha, mas estavam ficando grisalhos e eram presos em um coque desarrumado na nuca. Assim como o marido, falava com um sotaque típico irlandês, embora Maureen e seus irmãos tivessem o mesmo sotaque do sul de Londres que eu tinha. Maureen era a mais velha e a menina dos olhos dos pais. Sua bolsa de estudos para o convento do Sagrado Coração era motivo de orgulho especial, e o fato de que eu era um menino de escola secundária obviamente contou a meu favor. Contra mim havia o fato de eu *ser* menino e não ser católico; portanto, uma ameaça inerente à virtude de Maureen. "Parece ser um rapazote decente", disse a sra. Kavanagh, "mas o pai dela acha que Maureen é muito nova para andar por aí vagabundeando com os meninos, e eu também. Ela tem lição de casa para fazer." "Não é todas as noites, mãe", Maureen protestou. "Já tem o Encontro de Jovens aos domingos", disse a sra. Kavanagh, "é socialização suficiente na sua idade."

Perguntei se eu poderia fazer parte do clube.

– É o grupo de jovens da paróquia – disse a sra. Kavanagh.
– Precisa ser católico.
– Não, não precisa, mãe – disse Maureen. – O padre Jerome disse que quem não é católico pode participar se estiver interessado na Igreja – Maureen me olhou e enrubesceu.
– Estou muito interessado – falei apressado.
– É mesmo? – a sra. Kavanagh me examinou com ar cético, mas sabia que fora driblada. – Bem, se o padre Jerome diz que tudo bem, suponho que esteja tudo bem.

Nem preciso dizer que não tinha nenhum interesse genuíno no catolicismo, nem mesmo em qualquer tipo de religião. Meus pais não eram frequentadores de igreja e celebravam o dia de descanso apenas no detalhe de proibir a mim e meu irmão de brincarmos na rua aos domingos. A Lambeth Merchants' era nominalmente anglicana, mas as preces e os hinos nas assembleias matinais e cerimônias ocasionais na capela pareciam fazer parte da incessante celebração do patrimônio cultural da escola em lugar da expressão de qualquer ideia moral ou teológica. Que algumas pessoas, como Maureen e a família, se submetessem voluntariamente a tal pasmaceira todos os domingos de manhã quando poderiam estar desfrutando de dormir até mais tarde era incompreensível para mim. Mesmo assim, estava preparado para fingir um educado interesse naquela religião se esse era o preço para estar em sua companhia.

No domingo seguinte à noite, apareci, conforme combinado com Maureen, diante da igreja Católica Romana mais próxima, um prédio amplo em tijolos vermelhos com uma estátua bem alta da Virgem Maria na frente. Ela tinha os braços estendidos e uma inscrição entalhada no plinto dizendo: "SOU A IMACULADA CONCEIÇÃO". Uma missa estava acontecendo lá dentro, e fiquei à espreita no pórtico escutando aqueles hinos desconhecidos e zumbidos de preces, minhas narinas coçavam com o forte cheiro adocicado que pensei ser do incenso. De repente, houve um clamor estridente de sinos, e espiei pela entrada, olhando do alto para o corredor que levava até o altar.

Era uma imagem e tanto, flamejante, com dúzias de velas finas acesas. O padre, vestido em uma batina pesada bordada em branco e dourado, levantava algo que reluzia e cintilava com a luz refletida, um disco branco em um estojo de vidro com raios dourados irradiando em todas as direções do contorno como uma explosão solar. Ele segurava a base daquela coisa envolvida em uma echarpe bordada que ele levava sobre os ombros, como se fosse quente demais ao toque ou radioativa. Todas as pessoas, e havia um número surpreendente delas, estavam de joelhos com a cabeça curvada. Maureen me explicou eventualmente que o disco branco era uma hóstia consagrada, que eles acreditavam ser o corpo verdadeiro e o sangue de Jesus, mas para mim a história toda parecia mais pagã do que cristã. A cantoria soava estranha também. Em vez dos hinos animados com que estava acostumado na escola ("To be a Pilgrim" era meu favorito), eles cantavam hinos lentos, que lembravam endechas, os quais eu não conseguia compreender porque eram em latim, que nunca foi das minhas melhores matérias. No entanto, tinha de admitir haver certa atmosfera naquela missa que não se alcançava na capela da escola.

O que gostei nos católicos desde o início é que não havia aquela atitude de estar acima dos outros. Quando a congregação vinha saindo da igreja, eles poderiam muito bem estar saindo do cinema ou até de um bar, pela forma com que se cumprimentavam, gracejavam e conversavam, oferecendo cigarros uns aos outros. Maureen saiu acompanhada da mãe, as duas tinham a cabeça coberta por um lenço. A sra. Kavanagh começou a falar com outra mulher de chapéu. Maureen me enxergou e veio até mim, sorrindo. "Então encontrou o caminho?", ela me saudou. "E se seu pai nos pega conversando?", perguntei nervoso. "Ah, ele nunca vem na bênção", ela falou, desamarrando o lenço e sacudindo os cabelos. "Graças ao Senhor." A natureza paradoxal desse comentário não fez sentido para mim, e, de todo jeito, minha atenção estava totalmente absorvida pelo cabelo dela. Não havia ainda visto as madeixas sem estarem presas, abrindo-se num leque de ondas brilhantes sobre seus ombros. Ela parecia mais linda do que nunca. Ciente de meu olhar, corou e disse que precisava me apresentar ao padre Jerome. A sra. Kavanagh parecia ter sumido.

O padre Jerome era o mais jovem dos dois padres que coordenavam a paróquia, embora não fosse exatamente jovem. Não se parecia em nada com nosso capelão da escola ou qualquer outro clérigo que eu um dia conhecera. Não se parecia nem mesmo consigo próprio no altar – pois havia sido ele quem acabara de presidir a missa. Era um dublinense esquelético, grisalho, com dedos manchados de nicotina e um corte de barbear no queixo, que parecia ter estancado com um fragmento de papel higiênico. Vestia uma batina preta longa que descia até os sapatos gastos, com bolsos fundos onde guardava os materiais para enrolar seus cigarros. Um deles, ele acendeu com uma demonstração pirotécnica de chama e fagulhas. "Então quer participar do nosso encontro de jovens, não é, rapazinho?", perguntou, espanando farelos de tabaco incandescentes da batina. "Sim, por favor, sir", pedi. "Então é melhor aprender a me chamar de padre em vez de sir." "Sim, sir, digo, padre", gaguejei. Padre Jerome sorriu, revelando uma falha desconcertante em seus dentes manchados e irregulares. Fez algumas outras perguntas sobre onde eu morava e onde estudava. O nome Lambeth Merchants' teve seu efeito usual, e me tornei um membro probatório do grupo de jovens da paróquia Imaculada Conceição.

Uma das primeiras coisas que Maureen precisou fazer foi explicar o nome da igreja. Presumi que aludisse ao fato de Maria ser virgem quando teve Jesus. Mas, não, aparentemente significava que a própria Maria fora concebida "sem a mácula do pecado original". Achei a linguagem do catolicismo muito estranha, em especial o modo com que usavam certas palavras em suas devoções, tais como "virgem", "concebido", "ventre", que teriam sido consideradas beirando a indecência em uma conversa normal, sem sombra de dúvida, na minha casa. Mal pude acreditar nos meus ouvidos quando Maureen me disse que precisava ir à Missa de Ano-Novo por ser a Solenidade da Circuncisão. "A solenidade do *quê*?" "Da circuncisão." "Circuncisão de quem?" "Do Nosso Senhor, é claro. Quando ele era bebê. Nossa Senhora e São José o levaram até o templo e ele foi circuncidado. Era como o batizado dos judeus." Ri incrédulo. "Você sabe o que *é* uma circuncisão?" Maureen corou e riu, repuxando o nariz. "Claro." "E é o que, então?" "Não vou dizer." "Você não sabe de verdade." "Sei, sim." "Aposto que não sabe." Insisti em meu interrogatório lúbrico até ela falar que era "cortar um pouco da pele da ponta do pipi do bebê", naquela altura o meu pipi estava de pé dentro da calça cinza de flanela, como um bastão de corrida de revezamento. Estávamos voltando a pé para casa depois do encontro social do grupo de jovens no domingo naquele momento, por sorte eu estava usando uma capa de chuva.

O grupo de jovens se reunia duas vezes por semana na creche junto da igreja: nas quartas para jogos, basicamente pingue-pongue, e aos domingos para um encontro "social". Este consistia em dançar ao som de discos rodados no gramofone e partilhar de sanduíches e suco de laranja ou chá, preparados por grupos de meninas que se organizavam seguindo uma lista. Aos meninos cabia empilhar as mesinhas das crianças nas laterais da sala no começo da noite e recolocá-las nas fileiras ao final. Usávamos duas salas de aula que eram separadas por uma divisória retrátil. O piso era de tacos de madeiras gastos e sem polimento, as paredes eram cobertas de pinturas infantis e cartazes didáticos, e a iluminação era utilitária e desmaiada. O gramofone era um portátil com uma única caixa de som, e os discos eram de uma coleção de 78 rotações, todos arranhados. Mas, para mim, recém emergindo da crisálida da infância, o grupo de jovens era um lugar de prazeres excitantes e sofisticados.

Aprendi a dançar com uma senhora matronal da paróquia que aparecia nas noites dos jogos (quando Maureen raramente tinha permissão dos pais) e dava aulas grátis. Descobri que eu era surpreendentemente bom naquilo. "Segure firme sua parceira!", era a exclamação constante da sra. Gaynor, uma que eu ficava feliz em obedecer, ainda mais quando Maureen era minha parceira nos domingos à noite. Desnecessário dizer que eu dançava praticamente só com ela, mas o protocolo do grupo proibia parcerias exclusivas, e eu era uma opção bastante popular quando era hora de as moças "tirarem para dançar", por causa da elegância dos meus passos. Era, claro, dança de salão – *quickstep*, foxtrote e valsa –, com alguns estilos antigos misturados para dar variedade. Dançávamos as versões originais de Victor Sylvester, entremeadas com os sucessos de Nat King Cole, Frankie Laine, Guy Mitchell e outros vocalistas da época. "Twelfth Street Rag", de Pee Wee Hunt, era uma das favoritas, mas dançar swing não era permitido – era expressamente proibido pelo padre Jerome – e o twist individual, as abaixadinhas e o balanço, que se chama de dança hoje em dia, estava para nascer, aguardando seu surgimento nos anos 60. Quando hoje espio uma discoteca ou casa noturna frequentada por jovens, fico pasmo com o contraste entre o erotismo do ambiente – a iluminação baixa e artificial, a batida orgástica da música, as roupas apertadas e provocantes – e o empobrecimento tátil da dança em si. Suponho que tenham tanto contato físico depois que não sentem falta dele na pista de dança, mas, para nós, era o contrário. Dançar significava que, mesmo em um grupo de jovens da igreja, você realmente tinha permissão de segurar uma garota nos braços em público, talvez uma garota que você nem conhecia antes de convidá-la para dançar, sentir as coxas dela roçando nas suas, embaixo daquelas anáguas farfalhantes, sentir o calor do peito dela contra o seu, inspirar o aroma atrás das orelhas dela ou o cheiro do xampu do cabelo recém-lavado quando tocava sua bochecha. Evidente que precisava fingir que esse não era o objetivo, tinha de conversar sobre o tempo ou a música ou qualquer coisa enquanto conduzia a parceira pelo salão, mas a licença para sensações físicas era considerável. Imagine um coquetel onde todos os convidados estivessem se masturbando enquanto se preocupavam ostensivamente em bebericar vinho branco e debater os lançamentos literários e as peças em cartaz, e então vai ter alguma noção do que eram as reuniões dançantes dos adolescentes no começo dos anos 50.

  Reconhecidamente, padre Jerome fazia de tudo para arrefecer o fogo da luxúria, insistindo em abrir as atividades da noite com um tedioso recital da "Ave Maria", dez vezes seguidas, algo que ele mencionava como "um mistério do rosário sagrado" – era com certeza um mistério para mim o que alguém conseguia aproveitar do zumbido tagarelado de palavras. E ele ficava por perto depois, supervisionando os casais dançando para se certificar de que tudo estivesse correto e decente. Havia de fato uma cláusula nas regras do encontro – era conhecida como a Regra Cinco, e era alvo de piadas levemente picantes entre os participantes – de que sempre deveria haver luz visível entre os pares; mas não era aplicada ou obedecida com severidade. De todo modo, padre Jerome em geral saía (dizia-se que para beber uísque e jogar uíste com alguns comparsas no presbitério) muito antes da última valsa, quando apagávamos algumas das luzes, e os ânimos mais ousados dançavam de rosto colado ou, pelo menos, de peito colado. Naturalmente, eu sempre garantia que Maureen fosse meu par nessa hora. Não era uma dançarina excepcional, e, quando a via emparceirada com outros meninos, ela parecia sem dúvida desajeitada, o que não me incomodava. Ela respondia bem à minha levada firme e ria encantada quando eu saía girando com ela ao final de um disco, fazendo com que suas saias rodassem. Ela tinha duas roupas para o evento social dos domingos à noite: uma saia preta de tafetá usada com diversas blusas, e um vestido branco coberto de rosas que se ajustava bem colado junto ao busto bem desenhado e bem desenvolvido para a idade dela.

Logo fui aceito pelos outros membros do grupo, principalmente depois que me juntei ao time de futebol, que jogava nos domingos à tarde contra outras paróquias do sul de Londres, algumas com nomes tão bizarros quanto a nossa, então os placares podiam ser: "Imaculada Conceição 2, Precioso Sangue 1", ou "Perpétuo Socorro 3, Quarenta Mártires 0". Eu jogava como meia-direita, tão bem que ganhamos o campeonato da liga naquela temporada. Eu era o artilheiro, com 26 gols. O técnico de um time rival descobriu que eu não era católico e registrou uma queixa oficial de que eu não deveria ter recebido permissão para jogar na liga. Por um tempo, parecia que o troféu poderia ser confiscado de nós, mas, depois de ameaçarmos sair da liga, nos deixaram ficar com ele.

Jogávamos em campos acidentados e inclinados em parques públicos, viajando de ônibus ou bonde e nos trocando em cabanas úmidas e sombrias com um vaso sanitário e uma pia de água fria quando dávamos sorte, mas nunca tinham banheira ou chuveiros. A lama secava nos meus joelhos a caminho de casa, e, sentado na banheira mais tarde, eu esticava as pernas devagar na água e fazia de conta que meus joelhos eram duas ilhas vulcânicas afundando no oceano. Quando eles desapareciam, meu pênis intumescido despontava na água quente e nebulosa como uma maldosa serpente marinha, enquanto eu pensava em Maureen, que deveria estar lavando os cabelos na mesma hora, em preparação para o encontro social do domingo à noite. Ela me contara que em geral fazia isso enquanto estava na banheira porque era difícil enxaguar os longos cabelos se curvando sobre a pia. Eu a imaginava sentada na água quente e espumosa, enchendo uma jarra esmaltada na torneira e derramando sobre a cabeça, fazendo com que as longas madeixas grudassem na curva dos seios, como a imagem de uma sereia que eu tinha visto uma vez.

    Maureen e algumas das outras meninas do grupo costumavam assistir às partidas do domingo à tarde para nos apoiar. Quando eu marcava um gol, olhava para ela nas laterais enquanto corria de volta para o meio de campo, com uma postura modesta e contida que imitava a de Charlie Vaughan, o centroavante do Charlton Athletic, e recebia seu sorriso de adoração. Lembro-me de um gol em especial, que marquei com uma cabeçada espetacular, acho que foi na partida contra Nossa Senhora do Perpétuo Socorro, em Brickley, a paróquia vizinha, e, portanto, quase um clássico local. O gol foi pura casualidade, porque nunca fui um grande cabeceador. Foi uma jogada de dois nos últimos minutos do jogo, quando recebi a bola de um tiro de meta do goleiro, driblei alguns adversários e passei a bola para nosso lateral direito. O nome dele era Jenkins – Jenksy, nós o chamávamos: um garoto pequeno, prematuramente encarquilhado, corcunda, que fumava um Woobine não só antes e depois de cada partida, mas também no intervalo, e era conhecido por implorar uma tragada do cigarro de algum espectador em alguma calmaria durante o jogo.

Apesar das aparências, era de uma agilidade surpreendente, em especial quando descia o morro, como era o caso nessa ocasião. Ele desceu rapidinho pela lateral em direção ao escanteio e fez um cruzamento, como de costume, sem olhar, ansioso para se livrar da bola antes que o zagueiro adversário chegasse junto e o apertasse na marcação. Cheguei à pequena área caindo, bem na hora em que a bola se atravessou na minha frente na altura da cintura. Lancei o corpo para o alto e, por pura sorte, acertei bem no meio da testa. Ela entrou na rede como um foguete antes que o goleiro conseguisse se mexer. O fato de que o gol tinha *rede* (não eram muitos dos campinhos onde jogávamos que eram dotados de tais refinamentos) deixou tudo ainda mais satisfatório. Os adversários ficaram boquiabertos. Meus companheiros de time me levantaram e me deram tapinhas nas costas. Maureen e as outras meninas da Imaculada Conceição estavam pulando para cima e para baixo nas laterais, torcendo como doidas. Não sei se cheguei a experimentar um momento tão exultante desde então. Foi naquela noite, depois de acompanhar Maureen até em casa após a reunião dançante, que toquei no seio dela pela primeira vez, pelo lado de fora da blusa.

  Isso deve ter sido um ano depois de ter falado com ela pela primeira vez. Fomos avançando devagar na intimidade física e em graus infinitesimais por vários motivos: minha inexperiência, a inocência de Maureen e a vigilância desconfiada dos pais dela. O sr. e a sra. Kavanagh eram muito rígidos, mesmo para os padrões da época. Não podiam impedir que nos encontrássemos no grupo de jovens e mal podiam fazer objeção a que eu a acompanhasse até em casa depois, mas proibiam-na de sair comigo sozinha, para o cinema ou qualquer outro lugar. Nos sábados à noite ela tinha de cuidar dos irmãos menores enquanto os pais iam ao Clube Irlandês em Peckham, mas não tinha permissão de me receber em casa enquanto eles estivessem ausentes nem de me visitar na minha casa. Continuamos a nos encontrar todas as manhãs no ponto do bonde, claro (exceto que era agora um ponto de ônibus: os bondes de Londres estavam sendo substituídos aos poucos, e os trilhos, arrancados e asfaltados por cima – meu pai foi transferido para uma função administrativa no almoxarifado e não reclamou), e deixávamos nossas respectivas casas bem cedo para ter mais tempo de conversar. Eu tinha o hábito de entregar cartas de amor para Maureen, para ler no trajeto até a escola – ela me pediu para nunca enviá-las porque os pais acabariam interceptando uma hora ou outra. Pedi para que enviasse as dela para mim, porque parecia mais maduro receber correspondência particular, ainda mais em envelopes cor de malva cheirando a lavanda, deixando meu irmão mais novo com ataques de curiosidade frustrada. Era pequeno o risco de que meus pais fossem bisbilhotar o conteúdo, que de todo jeito era totalmente inócuo. As cartas eram escritas em papel de carta malva, com aroma de lavanda, em uma escrita grande e arredondada, com os pequenos círculos sobre os *is*. Refletindo bem, acho que ela se inspirou nos anúncios das canetas Biro. Ela costumava ser repreendida por isso na escola. Fora nossos breves encontros matinais no ponto, podíamos nos encontrar apenas no contexto das atividades do grupo de jovens – os eventos sociais, as noites de jogos, as partidas de futebol e passeios ocasionais no cinturão verde de Kent e Surrey nos meses de verão.

Talvez essas restrições nos ajudassem a nos manter devotos um do outro por tanto tempo. Nunca tínhamos tempo de nos entediarmos com nossa companhia e, ao desafiar a desaprovação dos pais de Maureen, sentíamos como se estivéssemos representando algum drama profundamente romântico. Nat King Cole disse tudo em "Too Young", rolando as vogais por toda a boca como se fossem doces cozidos sobre um fundo musical de cordas melosas e lastimosos acordes de piano:

> Tentam nos dizer que somos jovens demais,
> Jovens demais para nos apaixonar.
> Dizem que o amor é uma palavra,
> Uma palavra da qual ouvimos falar
> Mas não temos como entender o significado.
> E, no entanto, não somos jovens demais para saber
> Que este amor vai durar embora os anos passem...

Era nossa canção favorita, e sempre me certificava de que Maureen fosse meu par quando alguém a colocava na vitrola.

Quase a única chance que tínhamos de estar a sós era quando eu a acompanhava até em casa depois das reuniões dançantes do domingo à noite. Primeiro, desajeitado e inseguro de como me comportar naquela situação nova, eu costumava andar com a mão no bolso, a um metro de distância dela, mas em uma noite fria, para meu intenso deleite, ela se aproximou para se aquecer e enganchou o braço no meu. Eu me enchi de orgulho e possessividade. Agora ela era minha namorada de verdade. Ela tagarelava pendurada em mim como um canário na gaiola – falava das pessoas do grupo de jovens, dos amigos e professores da escola, da família, com sua imensa rede de parentescos na Irlanda e até na América. Maureen estava sempre transbordando com novidades, fofocas, anedotas, toda vez que nos encontrávamos. Eram assuntos triviais, mas encantadores para mim. Tentava esquecer minha própria escola quando estava fora de lá, e minha família parecia menos interessante que a dela, então ficava contente em deixar que ela cuidasse mais da conversa. Mas, de vez em quando, ela perguntava sobre meus pais e a minha infância e adorava quando eu repetia por quanto tempo eu fiquei esperando, todas as manhãs, no entroncamento de Hatchford Five Ways, sem ousar falar com ela.

Mesmo depois de ela pegar no meu braço a caminho de casa, semanas se passaram antes que eu me aventurasse a lhe dar um beijo de boa noite na frente da casa dela. Foi um beijo desengonçado, atrapalhado, metade na boca, metade na bochecha, que a pegou de surpresa, mas foi retribuído com afeto. Ela se desvencilhou imediatamente com um "boa-noite" murmurado e subiu correndo os degraus da porta da frente, mas, na manhã seguinte no ponto do bonde, havia um brilho maravilhado em seus olhos, uma nova suavidade no sorriso, e eu soube que o beijo havia sido tão memorável para ela como fora para mim.

Precisei aprender a beijar da mesma forma que precisei aprender a dançar. Em nossa casa dominada pelo sexo masculino havia quase um tabu quanto a qualquer tipo de toque, enquanto na família de Maureen, ela me contou, era costume das crianças, até mesmo dos meninos, darem um beijo de boa noite nos pais. Isso era muito diferente de me beijar, claro, mas explicava a naturalidade com que Maureen levantou o rosto para encontrar o meu, o quanto ela se sentia confortável e relaxada nos meus braços. Ah, o enlevo daqueles primeiros abraços! O que é tão especial nos beijos da adolescência? Suponho que nos deem uma noção intuitiva de como será o sexo, os lábios da garota e a boca sendo como a pele secreta e íntima de seu corpo: rosada, molhada, macia. Com certeza o que costumávamos chamar de beijo de língua, enfiando a língua um na boca do outro, era uma espécie de coito gestual. Mas demorou um bom tempo antes que Maureen e eu chegássemos até mesmo nisso. Por muitos meses, parecia inebriante o suficiente simplesmente nos beijarmos, enroscados nos braços um do outro, lábios nos lábios, de olhos fechados, prendendo a respiração por vários minutos.

 Costumávamos fazer isso nas sombras da área do porão da casa dela, suportando o cheiro das lixeiras ali perto por questão de privacidade. Ficávamos lá parados em qualquer condição climática. Se estivesse chovendo, ela segurava a sombrinha sobre nós dois ao nos abraçarmos. No frio, eu desabotoava as presilhas do meu casaco de marinheiro (uma orgulhosa nova aquisição para usar nos finais de semana) e abria a frente da capa de chuva dela para formar uma barraca e puxá-la mais perto. Uma noite, descobri que o vestido de rosas estava com um botão faltando nas costas e escorreguei minha mão pelo vão, sentindo a pele dela entre as omoplatas. Ela estremeceu e abriu os lábios um pouco mais ao apertá-los contra os meus. Semanas mais tarde, encontrei o caminho pela frente da blusa e acariciei a barriga dela por cima de uma anágua lisa de cetim. E assim foi. Centímetro por centímetro eu expandia minha exploração de seu corpo, um território virgem em todos os sentidos. Maureen era macia e dócil em meus braços, querendo ser amada, adorando ser acariciada, mas bem sem consciência sexual. Ela deve ter sentido com frequência meu pênis ereto contra a roupa quando nos abraçávamos, mas nunca comentou nem deu sinal de estar constrangida por isso. Talvez achasse que pipis crescidos ficavam duros feito osso de forma permanente. As ereções eram um problema mais para mim. Quando tínhamos de nos despedir (era perigoso nos demorarmos na área por mais de dez ou quinze minutos, pois o sr. Kavanagh sabia o horário em que terminavam as reuniões dançantes e às vezes saía na varanda para olhar a rua, enquanto nos encolhíamos, meio temerosos, meio achando graça, logo abaixo dele), eu esperava até que Maureen subisse os degraus e entrasse em casa antes de ir embora caminhando torto e levemente curvado para a frente, como um homem em cima de um par de pernas de pau.

Suponho que ela deva ter experimentado seus próprios sintomas de excitação sexual, mas duvido que os reconhecesse como tal. Tinha uma mente naturalmente pura, pura sem ser pudica. Piadas sujas a deixavam genuinamente sem entender. Falava em querer se casar e ter filhos quando crescesse, mas não parecia conectar isso com a sexualidade. No entanto, amava ser beijada e abraçada. Ronronava nos meus braços feito um gatinho. Tal sensualidade e inocência dificilmente poderiam coexistir nos dias de hoje, acredito, quando os adolescentes são expostos a tantas informações e imagens sexuais. Sem contar os vídeos de leve pornografia e as revistas disponíveis em qualquer locadora de vídeo ou banca de jornal – um filme médio, com censura para quinze anos, contém hoje cenas e diálogos que teriam feito metade da plateia ejacular nas calças quarenta nos atrás e mandado os produtores e distribuidores para a prisão. Não admira que os garotos de hoje queiram fazer sexo o mais cedo possível. Fico me perguntando se eles sequer se preocupam em beijar agora, antes de arrancarem as roupas e pularem na cama.

Eu tinha o espírito menos puro que o de Maureen, mas não detinha muito conhecimento. Embora desfrutasse de vagas fantasias de estar transando com ela, ainda mais logo antes de cair no sono, e tivesse poluções noturnas com frequência como resultado disso, não nutria intenção de seduzi-la, e com certeza teria sido uma trapalhada e tanto se tentasse. Não estava de olho em nada além de tocar seus seios nus. Mas foi uma espécie de sedução uma vez que atingi meu objetivo.

Havia chegado ao ponto de colocar a mão em concha em um dos seios, com delicadeza, por dentro da blusa, enquanto nos beijávamos, sentindo a costura do sutiã como se fosse braile na ponta dos dedos, quando seus escrúpulos católicos entraram em ação. Em retrospecto, é surpreendente que não tenha acontecido antes. O catalisador foi um "retiro" da escola – um nome engraçado me pareceu, pois o evento ela descreveu como três dias de sermões, devoções e períodos de silêncio compulsório, embora a associação militar com a ideia de "retirada" tenha sido adequada ao efeito imediato que aquilo teve no nosso relacionamento. Foi uma Dunquerque da carne. O padre convidado que coordenou o retiro (Maureen o descreveu como grande e de barba grisalha, igual às imagens de Deus Pai, com um olhar penetrante que parecia enxergar dentro da sua alma) discursara para as meninas de quinze anos na presença de uma madre superiora, de ar bem severo, que só balançava o queixo, sobre o assunto da Pureza Sagrada, e as deixou apavoradas com as terríveis consequências de dessacralizarem seus Templos do Espírito Santo, que era como ele designava seus corpos. "Se alguma menina aqui", ele trovejava, e Maureen alegava que ele olhava diretamente para ela ao falar, "provocar um menino a cometer o pecado da impureza de pensamento, palavra ou ação, pela forma de se vestir ou se comportar, ela é tão culpada daquele pecado quanto ele. Mais culpada, porque o macho de nossa espécie tem menos capacidade de controlar seus desejos licenciosos do que a fêmea." Depois disso, as meninas precisaram se confessar, e ele arrancou delas os detalhes das tais liberdades que haviam permitido aos meninos tomar com seus Templos do Espírito Santo. Hoje em dia me parece muito óbvio que era um velho tarado que se deliciava em bisbilhotar os sentimentos e experiências sexuais de meninas adolescentes vulneráveis, fazendo-as chorar. Certamente fez Maureen chorar. E a mim também, quando ela me falou que eu não deveria encostar "naquele lugar" nunca mais.

    Se há um elemento da religião católica acima de todos os outros que me determinou a permanecer protestante ou ateu (não sabia bem no que realmente acreditava) foi a confissão. De tempos em tempos, Maureen se esforçava para aumentar meu interesse pela fé dela, e eu sabia, sem que precisassem me dizer, que seu desejo mais caro era ser a agente da minha conversão. Considerei prudente fazer aparições ocasionais nas bênçãos de domingo à noite, para deixá-la feliz e justificar minha participação no grupo de jovens, mas mantinha distância da missa depois de algumas tentativas. Era basicamente em latim (uma disciplina que dificultava muito a minha vida na escola até que consegui abandoná-la e substituir por aula de arte) murmurado em um volume inaudível por um padre de costas, e parecia entediar o resto da congregação quase tanto quanto me entediava, já que muitos deles estavam recitando seus rosários enquanto a cerimônia prosseguia – embora, Deus é testemunha, o rosário fosse ainda mais chato e, infelizmente, era uma parte oficial da cerimônia da bênção. Não admira que os católicos saíssem da igreja tão animados depois desses cultos, falando e rindo e abrindo carteiras de cigarro: era de puro alívio depois da quase insuportável monotonia lá dentro. A única exceção era a Missa do Galo no Natal, que era alegrada pela apresentação de canções natalinas e pela emoção de ficar na rua até mais tarde. Outros aspectos da religião católica, como as pinturas e esculturas assustadoramente realistas da crucificação dentro da igreja, os andares de canaletas para velas votivas, não comer carne às sextas-feiras, abandonar os doces durante a quaresma, rezar para Santo Antônio quando se perdia alguma coisa, e a aquisição de "indulgências" como um tipo de apólice de seguro para a vida após a morte, pareciam meras superstições exóticas. Mas a confissão era outra história.

Um dia, quando estávamos na igreja sozinhos por algum motivo – acho que Maureen estava acendendo uma vela para algum tipo de "intenção", minha conversão, talvez –, espiei dentro de uma das casinhas confessionais construída apoiada na parede lateral. De um lado ficava uma porta com o nome do padre escrito nela; do outro, uma cortina. Puxei a cortina e vi o genuflexório acolchoado e o quadradinho de tela de arame, parecendo uma tampa de sopeira esticada, através do qual você sussurrava seus pecados para o padre.

Só a ideia já me dava arrepios. É irônico realmente, considerando o quanto me tornei dependente de psicoterapia mais tarde na minha vida, mas na adolescência nada é mais repugnante do que a ideia de compartilhar seus segredos mais íntimos e pensamentos mais embaraçosos com algum adulto.

Maureen tentou me livrar do preconceito. Educação Religiosa era sua matéria favorita na escola. Ela conseguiu frequentar o convento e conquistar seu espaço lá dentro por meio de trabalho árduo, e não por seu brilho natural, e a decoreba típica da E.R. era adequada às suas habilidades. "Não é para o padre que você está contando, é para Deus." "Por que não contar direto a Deus, então, quando estou orando?" "Porque não seria um sacramento." Das profundezas de minha teologia, grunhi, com ceticismo. "De todo modo", Maureen prosseguiu, "o padre não sabe quem você é. É escuro." "Suponhamos que reconheça a voz?", perguntei. Maureen admitiu que em geral evitava se confessar com padre Jerome por esse motivo, mas insistiu que, mesmo que o padre reconhecesse sua voz, não tinha permissão de deixar transparecer isso, e em circunstância alguma revelaria o que você confessou para ninguém mais, por conta do sigilo da confissão. "Mesmo se você cometer um assassinato?" Mesmo assim, ela me garantiu, embora houvesse um porém: "Ele não poderia lhe dar absolvição, a menos que você prometesse se entregar". E o que era a absolvição, indaguei, pronunciando "abolvição" por engano e fazendo Maureen rir antes de se lançar em uma longa ladainha sobre perdão, graça, penitência, purgatório e punições temporais, que fez tanto sentido quanto se ela tivesse recitado as regras de bridge. Perguntei uma vez, logo no início do namoro, que pecados ela confessava e, o que não era surpresa, ela não quis me contar. Mas contou sobre a confissão que fez no retiro da escola e como o padre havia dito que era pecado que tocasse nela do jeito que eu estava fazendo e que não deveria fazer mais isso e que a fim de não dar "oportunidade para o pecado" não deveríamos mais descer àquela área e ficar abraçadinhos quando eu a acompanhasse até em casa, mas apenas dar um aperto de mão ou talvez trocar um único beijo casto.

Desanimado com o rumo dos acontecimentos, concentrei todos os meus recursos em reverter tudo. Protestei, argumentei, adulei; fui eloquente, fui patético, fui ardiloso. E, evidente, no final, venci. O menino sempre vence essas batalhas se a menina não consegue suportar a ideia de perdê-lo, e Maureen não conseguia. Sem dúvida ela me dera seu coração porque fui o primeiro a pedir. Mas também eu era bem bonito naquela fase da vida. Não havia ainda adquirido o apelido de Tubby e ainda tinha cabelos – cabelos lindíssimos e loiros, para dizer a verdade, que penteava para trás em uma onda levantada petrificada com brilhantina. Também eu era o melhor dançarino do grupo de jovens e a estrela do time de futebol. Essas coisas importam às menininhas mais do que os resultados nos exames e perspectivas de carreiras futuras. Ambos fizemos nossos exames do colegial naquele ano. Maureen obteve cinco notas mínimas, o suficiente para prosseguir para o ano seguinte; eu fui reprovado em tudo, exceto em Literatura Inglesa e Arte, e abandonei a escola para ir trabalhar no escritório de um grande empresário teatral no West End, depois de responder a um anúncio no *Evening Standard*. Não passava de um contínuo glorificado, para ser sincero, franqueando correspondências, levando-as até o correio, buscando sanduíches para a equipe e assim por diante, mas algo do glamour do ramo passou para mim. Atores e atrizes famosos passavam pelo nosso escritório bagunçado em cima de um teatro na Shaftesbury Avenue a caminho do santuário do chefe e sorriam e diziam alguma coisa para mim enquanto eu tirava seus casacos ou lhes servia uma xícara de café. Logo aprendi a linguagem do show business e respondia a suas emoções febris, os altos e baixos dos sucessos e dos fiascos. Imagino que Maureen reconheceu que eu estava amadurecendo rapidamente nesse meio sofisticado e corria o risco de me afastar dela. Às vezes me davam ingressos de cortesia para os espetáculos, mas não havia esperança de que o sr. e a sra. Kavanagh deixassem ela ir comigo. Não nos víamos mais todas as manhãs no ponto do bonde porque agora eu pegava um trem da Southern Electric na estação Hatchford até Charing Cross. Nossos encontros de domingo e nossas caminhadas para casa na saída dos bailinhos do grupo de jovens, portanto, foram se tornando ainda mais especiais. Ela não podia me negar beijos por muito tempo. Eu a persuadi até as sombras ao pé da escadaria da área e, aos poucos, fui recuperando terreno até o estado de intimidade que existia antes entre nós.

Não sei que pacto ela fez com Deus na consciência dela – achei prudente não perguntar. Sabia que se confessava uma vez por mês e comungava todas as semanas, e que seus pais ficavam desconfiados se ela desviasse da rotina; e sabia, porque ela me explicara um dia, que não se obtinha absolvição por um pecado a menos que se prometesse não fazer de novo, e que engolir a hóstia consagrada em um estado de pecado era outro pecado, pior que o primeiro. Havia alguma diferença entre pecadões e pecadinhos em que ela pode ter encontrado uma brecha. Os pecadões eram chamados de pecados mortais. Não lembro como se chamavam os pequenininhos, mas você podia participar da comunhão sem ser absolvido por esses. Tenho muito receio, no entanto, de que a pobre moça pensasse que tocar nos seios fosse um pecado mortal e acreditasse que estava correndo um sério risco de ir para o inferno caso morresse de repente.

Seu aspecto e sua expressão se alteraram sutilmente nesse período, embora é provável que eu fosse o único a registrar a mudança. Perdeu um pouco de sua exuberância habitual. Havia uma espécie de abstração em seu olhar, uma palidez no sorriso. Até a aparência sofreu: a pele perdeu o viço, um vermelhão de espinhas irrompia de vez em quando em torno da boca. Porém, mais significativo de tudo, ela me dava mais liberdades do que antes, como se houvesse abandonado qualquer esperança de ser boazinha, ou, conforme ela teria dito, de estar em um estado de graça, e maiores defesas de sua modéstia eram, portanto, sem sentido. Quando, em uma noite quente de setembro, eu desabotoei a blusa e desprendi, com infinito cuidado e delicadeza, como um ladrão que arromba uma fechadura, o gancho da argola que prendia o sutiã, não encontrei resistência, nem ela emitiu uma só palavra de protesto. Apenas ficou lá, parada no escuro, ao lado das lixeiras, passiva e tremendo um pouco, como um cordeiro sendo levado ao sacrifício. Não estava usando combinação. Prendendo a respiração, com delicadeza libertei um dos seios, o esquerdo, do bojo. Ele deslizou na minha mão como uma fruta madura. Meu Deus! Nunca senti nada parecido, nem antes nem depois, como aquela primeira apalpada no seio jovem de Maureen – tão macio, tão lisinho, tão tenro, tão firme, tão elástico, tão misterioso em seu desafio à gravidade. Levantei o peito um centímetro e senti seu peso em minha palma curva, então baixei a mão com suavidade de novo, até encaixar a forma no côncavo, sem apoiar. Que o seio ainda permanecesse pendurado lá, orgulhoso e firme, parecia um fenômeno tão milagroso quanto a própria Terra flutuando no espaço. Tomei o peso outra vez e apertei-o de leve enquanto descansava na minha palma como um querubim despido. Não sei por quanto tempo ficamos lá parados no escuro, sem falar, mal respirando, até ela murmurar: "Preciso ir", pondo as mãos atrás das costas para prender o sutiã e desaparecendo nos degraus.

Daquela noite em diante nossas sessões de beijos invariavelmente incorporavam minhas apalpadelas nos seios dela por baixo da roupa. Era o clímax do ritual, como um padre erguendo o ostensório reluzente na cerimônia da Bênção. Aprendi os contornos dos seios tão bem que poderia tê-los moldado em gesso de olhos vendados. Eram quase hemisférios perfeitos encimados por pequenos mamilos pontudos, que enrijeciam com meu toque como pequenas ereções. Como desejava vê-los além de tocá-los, e chupar e encostar o nariz, enterrar minha cabeça no vale quente entre os dois! Estava também começando a ter desígnios a respeito da metade de baixo de sua anatomia, e a entreter com licenciosidade a possibilidade de enfiar as mãos dentro de sua calcinha. É óbvio que nada disso poderia ser realizado decentemente de pé no frio úmido da área do porão. De um jeito ou de outro, eu precisava inventar uma forma de ficar a sós com ela em um lugar fechado. Estava fritando os miolos atrás de um estratagema, quando sofri um súbito e inesperado revés. Ao acompanhá-la até em casa uma noite, parou de repente embaixo de um poste de iluminação a certa distância de onde morava e disse, me olhando com sinceridade e enrolando o cabelo nos dedos, que os beijos e tudo o mais que estava acontecendo precisavam parar. Tudo por causa do auto de Natal do grupo de jovens.

    A ideia da peça viera de Bede Harrington, o presidente do comitê do clube. Eu nunca havia ouvido falar de ninguém chamado Bede antes e, quando o conheci, perguntei, com toda a inocência, se seu nome era escrito da mesma forma que B-e-a-d, como uma conta de rosário. Ele logo pensou que eu estava tirando onda e me informou, com firmeza, que Bede era o nome de um antigo santo britânico, um monge conhecido como o Venerável Bede. O próprio Bede Harrington gozava de uma boa parcela de veneração na paróquia, especialmente entre os membros adultos, era um ou dois anos mais velho que eu e Maureen e tinha uma carreira acadêmica brilhante no St. Aloysius, o colégio local católico. Na época sobre a qual estou escrevendo, ele era presidente de classe no último ano e recém conseguira uma vaga em Oxford para estudar – ou, como ele gostava de dizer, exibindo a profundidade de seu conhecimento, "ler" – Letras no ano seguinte. Era alto, com um rosto alongado, magro e pálido, sua palidez realçada pelos óculos de armação pesada em tartaruga e pelos cabelos grossos e negros que pareciam repartidos no lugar errado, já que estavam sempre de pé ou caindo nos olhos. Apesar de suas conquistas intelectuais, Bede Harrington carecia das conquistas mais valorizadas no grupo de jovens. Não dançava e não jogava futebol, nem mesmo praticava qualquer outro esporte. Sempre fora dispensado dos jogos na escola por conta de sua miopia e alegava simplesmente não ter interesse em dançar. Acredito que estivesse na verdade muito interessado nas oportunidades que a atividade oferecia em termos de contato físico com as meninas, mas sabia que, com seus braços e pernas desengonçados, sem coordenação e com seus pés enormes, era provável que não fosse muito bom nisso e não poderia suportar passar vexame enquanto aprendia. Bede Harrington precisava se sobressair em tudo que fazia. Então deixou sua marca no grupo de jovens ao ser eleito presidente do comitê e passando a mandar em todo mundo. Editava um jornalzinho do encontro, um documento borrado, mimeografado, escrito em grande parte por ele próprio, e forçava sobre os participantes relutantes alguns eventos ocasionais de natureza intelectual, como debates e jogos de perguntas, em que ele podia se sobressair. Durante as reuniões dançantes aos domingos, ele era visto em conversas sérias com padre Jerome, franzindo a testa ao conferir os gastos do clube, ou sentado sozinho sobre uma cadeira inclinada, com as mãos nos bolsos e as longas pernas esticadas, inspecionando o tropel, que dava passos e giros, com um sorriso tênue e superior, como um diretor de escola tolerando os passatempos infantis de seus pupilos. Porém, havia um desejo ansioso em seus olhos, e às vezes me parecia que eles se demoravam com uma cobiça especial sobre Maureen, quando ela balançava ao ritmo da música em meus braços.

O auto de Natal era um exemplo típico da autopromoção de Bede Harrington. Ele não só escreveu o script como também dirigiu, atuou, projetou o cenário, selecionou a música e fez quase tudo relativo à peça, exceto costurar os figurinos, uma tarefa delegada a sua embevecida mãe e suas desafortunadas irmãs. A peça seria apresentada na creche em três noites durante a semana antes do Natal e, mais uma vez, em um asilo de idosos coordenado pelas freiras, apenas uma noite, no dia 6 de janeiro, a festa da Epifania – "a décima segunda noite", como ele informou, com ar pedante, durante os primeiros testes.

Eles aconteceram em uma reunião de quarta à noite do grupo no início de novembro. Fui junto para manter meu olhar de proprietário sobre Maureen. Bede Harrington a chamara para um canto no domingo anterior, enquanto eu dançava com outra pessoa, e conseguiu que ela prometesse fazer o teste para o papel de Virgem Maria. Ela ficou lisonjeada e emocionada com a ideia, e, como não consegui persuadi-la a desistir, achei melhor me unir a ela. Bede ficou surpreso e não muito contente em me ver no dia dos testes. "Não achei que fosse seu tipo de coisa", disse. "E, para ser franco, não sei se seria correto ter um não católico no auto de Natal da paróquia. Vou ter de falar com o padre Jerome."

Não era surpresa que Bede havia reservado o papel de José para si mesmo. Ousaria dizer que ele teria também feito o papel de anjo Gabriel e dos Três Reis Magos se fosse viável. Maureen logo foi confirmada no papel de Maria. Folheei uma cópia do script mimeografado à procura de um papel adequado para mim. "Que tal o de Herodes?", sugeri. "Certamente não é preciso ser católico para fazer o papel dele?"

"Pode tentar, se quiser", Bede disse de má vontade.

Fiz a cena em que Herodes percebe que os Três Reis Magos não vão retornar para contar onde encontraram o Messias bebê, como ele hipocritamente havia pedido que fizessem, fingindo desejar lhe prestar homenagem também, e, impiedoso, ordena o massacre de todas as crianças do sexo masculino com menos de dois anos de idade na região de Belém. Como mencionei antes, a interpretação dramática era praticamente a única coisa em que eu me dava bem na escola. Meu teste foi incrível. Fui mais Herodes que Herodes, para cunhar uma frase. Quando terminei, os outros atores aspirantes aplaudiram espontaneamente, e Bede encontrou dificuldade para me negar o papel. Maureen olhava para mim com adoração: não só eu era o melhor dançarino e artilheiro do grupo, era também a estrela. Ela própria não era, para ser honesto, muito boa atriz. A voz era baixa demais, a linguagem corporal era muito tímida para se alçar além da ribalta. (É uma figura de linguagem, claro: não tínhamos ribalta nenhuma. Tudo que tínhamos em termos de iluminação teatral era uma bateria de abajures de escrivaninha com lâmpadas coloridas.) Mas o papel dela exigia principalmente que aparentasse docilidade e uma beleza serena, o que ela era capaz de fazer sem falar ou se movimentar muito.

Eu gostei bastante das primeiras semanas de ensaios. Em particular, me diverti provocando Bede Harrington e minando sua autoridade. Contra-argumentava as direções que ele passava, dava sugestões para melhorar o script, improvisava novas coisas sem parar e o cegava com ciência teatral, abusando dos termos técnicos que aprendera no trabalho e com os quais ele não tinha familiaridade, como "marcação", "caco" e "proscênio". Disse que o título da peça, *The Fruit of the Womb* (uma alusão ao fruto do ventre da "Ave Maria"), me lembrava de "Fruit of the Loom", a confecção que figurava nas etiquetas das regatas que eu usava por baixo das camisas, provocando tanta risada que ele foi obrigado a trocar para *The Story of Christmas*. Eu fazia palhaçadas ultrajantes, lendo a parte de Herodes numa variedade de vozes engraçadas, imitações de Tony Hancock, Bluebottle e padre Jerome, causando ataques de riso no restante do elenco. Bede, nem preciso dizer, respondia a esse comportamento disparatado com pouca elegância e ameaçou me expulsar em determinado ponto, mas recuei e pedi desculpas. Não queria ser dispensado do espetáculo. Não só era bem divertido como me oferecia muitas oportunidades a mais de encontrar Maureen e levá-la para casa, o que o sr. e a sra. Kavanagh não tinham jeito de vetar. E com certeza eu não queria deixá-la desprotegida sujeita ao poder diretorial de Bede Harrington. Reparei que, em seu papel como José, ele aproveitava todas as oportunidades para apoiar Maria, colocando o braço em torno dos ombros dela na jornada até Belém e durante a fuga para o Egito. Ao assistir a performance dele com total atenção, com um sorriso levemente sardônico no rosto, fiquei confiante de que eu o privava de qualquer emoção com esses contatos físicos; e depois, quando levava Maureen a pé para casa, desfrutava dos meus prazeres sensuais ainda mais.

Então Bede sucumbiu, bastante atrasado em termos de idade, à catapora e ficou em casa doente por duas semanas. Mandou avisar que devíamos continuar ensaiando sob a direção de um menino chamado Peter Marello, que estava fazendo o papel do pastor principal. Mas Peter também era capitão do time de futebol e um bom amigo meu. Ele logo acatou minhas opiniões nas questões teatrais, como também fizeram os outros membros do elenco, e me tornei o diretor de elenco de fato. Pensei ter melhorado bastante o espetáculo, mas Bede não ficou muito feliz quando retornou, pontilhado de pústulas desbotadas e cicatrizes, para ver o resultado.

Eu cortara uma recitação tediosa de "A Jornada dos Magos", de T.S. Eliot, que Bede havia dado para um dos Três Reis, e escrevi duas novas cenas suntuosas para Herodes, baseado em memórias das histórias bíblicas da escola dominical e nas lições escolares sobre as Escrituras. Em uma delas, Herodes morria de um jeito horrível, devorado por vermes – isso prometia ser um espetáculo maravilhoso digno do Grand Guignol de Paris, envolvendo o uso de espaguete enlatado em molho de tomate como objeto de cena. A outra era uma espécie de visão do futuro, viajando para a decapitação de João Batista, por Herodes, a pedido de Salomé. Eu persuadira uma garota chamada Josie, a princípio, a fazer a dança dos sete véus usando um collant; ela era uma loira de farmácia muito alegre que trabalhava na Woolworths, usava batom bem vermelho e tinha fama de topar tudo ou ser muito vulgar, dependendo do ponto de vista. Infelizmente, parecia que eu misturara três Herodes diferentes do Novo Testamento, então Bede apagou essas "excrescências", como ele as chamou, sem eu conseguir me defender muito. Mesmo assim, acho que é seguro dizer que o personagem de Herodes figurava de forma mais proeminente em nossa peça de Natal do que em qualquer versão desde as peças do ciclo de Wakefield.*

Já estávamos em meados de dezembro, e padre Jerome, que nos deixara fazendo tudo sozinhos até então, pediu para ver um ensaio. Talvez tenha sido bom que a dança dos sete véus de Salomé houvesse sido cortada, porque mesmo sem ela nossa peça era insuficiente em termos de reverência para o gosto do padre. Para fazer justiça a Bede Harrington, ele tentara escapar da usual série de quadros de devoção religiosa e escrever algo mais moderno, ou, como nós aprenderíamos a dizer na década seguinte, "relevante". Depois da Anunciação, por exemplo, Maria sofria, de parte de seus vizinhos nazarenos, algo na linha do preconceito vivido por mães solteiras na Inglaterra moderna, e a dificuldade de encontrar um quarto na estalagem em Belém adquiriu um viés relacionado à falta de moradias da atualidade. Padre Jerome insistiu na remoção de todo esse material que não constava nas Escrituras. Mas foi o espírito de toda a produção que de fato o deixou perturbado. Era profano demais. "Está mais para uma

---

* As "Wakefield" ou "Towneley Mystery Plays" eram uma série de 32 peças baseadas na Bíblia, escritas no começo do século XV e representadas na cidade de Wakefield, Inglaterra. (N.T.)

pantomima do que para um auto de Natal", falou, mostrando as presas em um sorriso melancólico. "Herodes, por exemplo, coloca a Sagrada Família em segundo plano por completo." Bede olhou para mim com ar reprovador, mas a longa face ficou ainda mais comprida à medida que padre Jerome prosseguia: "Isso não é culpa de Laurence. É um bom ator, dando o melhor de si. O problema é com o resto de vocês. Não há nem metade da espiritualidade que deveria. Apenas pensem sobre do que *trata* essa peça. O Verbo encarnado. Deus descendo do paraíso como um bebê desamparado para viver entre os homens. Pensem no que significava para Maria ser escolhida para ser a Mãe de Deus...", ali olhou inquisitivamente para Maureen, que ficou muito vermelha e baixou os olhos. "Pensem no que significava para São José, responsável pela segurança da Mãe de Deus e seu bebê. Pensem no que significava para os pastores, pobres sujeitos sem esperanças, cujas vidas eram apenas pouca coisa melhor do que a dos animais que tratavam, quando o Anjo do Senhor apareceu dizendo: 'Trago uma mensagem de boas novas para todos os povos, é que hoje nasceu um salvador, que é Cristo Senhor'. Vocês precisam *se tornar* essas pessoas. Não é suficiente que *representem* o papel. Precisam *orar* o papel. Deveriam começar todos os ensaios com uma prece."

Padre Jerome continuou mais um tempo nesse mesmo veio. De certa forma, foi um discurso impressionante, digno de Stanislavsky. Ele transformou completamente a atmosfera dos nossos ensaios, que passou a frequentar com regularidade a partir daquele dia. O elenco encarava seus papéis com uma seriedade e dedicação renovadas. Padre Jerome os convencera de que deveriam buscar inspiração em sua própria vida espiritual, e, se não tivessem uma vida espiritual, era melhor que encontrassem uma. Isso, claro, foi uma péssima notícia pra mim no tocante à minha relação com Maureen. Depois dessa homilia pública, percebi que o padre a chamou de lado para uma conversa séria. Havia algo ameaçadoramente penitente na postura dela, sentada ao lado do padre com o olhar baixo, as mãos unidas no colo, assentindo em silêncio enquanto ouvia. Como era de se esperar, no caminho de casa naquela noite, me parou na esquina da rua e disse: "Está tarde, Laurence. É melhor eu entrar direto. Vamos nos dar boa noite." "Mas não podemos nos beijar direito aqui", falei. Ela ficou em silêncio por um instante, enrolando e desenrolando a mecha do cabelo no dedo. "Não acho que devemos nos beijar mais", falou. "Não como a gente costumava. Não enquanto eu sou a Nossa Senhora."

Talvez padre Jerome tenha observado que Maureen e eu éramos muito íntimos. Talvez tenha suspeitado que eu a estivesse desviando nas questões do departamento do Templo do Espírito Santo. Não sei, mas com certeza ele fez um estrago na consciência dela naquela noite. Disse que era um privilégio extraordinário para qualquer moça retratar a Mãe de Deus. Lembrou-a de que seu próprio nome era uma versão irlandesa de "Maria". Mencionou como os pais dela deveriam estar felizes e orgulhosos de que fora escolhida para o papel e como ela deveria se esforçar para ser digna dele, em pensamentos, palavras e ações. Enquanto Maureen reproduzia essas palavras parafraseando num murmúrio, tentei rir para desacreditar seu efeito, mas não deu certo. Então tentei uma persuasão racional, segurando as mãos dela e olhando com sinceridade no fundo de seus olhos, também em vão. Então experimentei ficar aborrecido. "Boa noite então", falei, enfiando as mãos nos bolsos da capa de chuva. "Pode me beijar uma vez", Maureen disse com ar miserável e o rosto erguido azulado embaixo da luz da rua. "Só uma? Valendo a Regra Cinco?", zombei. "Não faz assim", pediu, com o lábio tremulando, os olhos se enchendo de lágrimas. "Ah, vê se cresce, Maureen", dei meia-volta e fui embora.

Passei uma noite miserável, inquieta, e, na manhã seguinte, estava atrasado para o trabalho porque, em vez de tomar meu trem de costume, fiquei parado na esquina de Hatchford Five Ways à espera de Maureen. Pude ver sua silhueta se enrijecer com súbito constrangimento, mesmo ainda a cem metros de distância, assim que me reconheceu. Claro que passara uma noite horrenda também – o rosto estava pálido e as pálpebras inchadas. Antes mesmo de eu enunciar meu pedido de desculpas, já estávamos quase reconciliados, e ela foi para a escola com um passo saltitante e um sorriso no rosto.

    Eu estava confiante de que, assim como antes, gradualmente venceria seus escrúpulos. Estava enganado. Não era mais uma questão da consciência privada de Maureen. Estava convencida de que ficar de amasso comigo enquanto representava a Virgem Maria seria uma espécie de sacrilégio, que poderia atrair a ira divina não apenas sobre ela, mas sobre a peça em si e todos os envolvidos. Ela ainda me amava, lhe causava uma angústia verdadeira recusar meus abraços, mas estava determinada a permanecer pura durante a produção. De fato, ela fizera um juramento depois de se confessar (para o velho padre Malachi, o padre da paróquia) e tomar a comunhão no fim de semana seguinte à intervenção do padre Jerome.

    Se eu tivesse qualquer senso de tato, teria me resignado à situação e esperado a minha hora. Mas eu era jovem, arrogante e egoísta. Não apreciava a ideia de um Natal e um Ano-Novo castos, uma época em que, ao meu parecer, as pessoas teriam direito de esperar um grau maior, e não menor, de licenciosidade. O dia 6 de janeiro parecia distante demais. Propus um acordo: nada de amasso antes das primeiras apresentações da peça, mas um relaxamento da regra entre a véspera de Natal e a de Ano-Novo, inclusive. Maureen balançou a cabeça. "Não", murmurou. "Por favor, não barganhe comigo." "Bem, então como vai ser?", insisti com brutalidade. "Em que momento depois da última apresentação vamos voltar ao normal?" "Não sei", ela afirmou, "não tenho certeza de que *era* normal." "Está querendo me dizer que nunca mais a gente vai?", exigi. Então ela se desfez em lágrimas, suspirei e pedi desculpas e fizemos as pazes, por um tempo, até eu não conseguir resistir mais e incomodá-la de novo.

    Durante todo esse tempo, a peça padecia de seus ensaios finais, e, portanto, éramos forçados a estar constantemente na companhia um do outro. Mas os pavios estavam curtos e os nervos, à flor da pele por todo lado, então não creio que alguém do elenco percebeu que Maureen e eu estávamos passando por um momento complicado, à exceção talvez de Josie, que tinha um papel pequeno como esposa do estalajadeiro. Há muito eu já estava ciente de que Josie gostava de mim pela regularidade com que me chamava para dançar quando era a vez de as meninas convidarem e estava ciente também de que ela tinha ciúmes do papel principal de Maureen em *The Story of Christmas*. Fora Herodes, a personagem de Josie era a única presença insensível na peça; nos sentíamos atraídos durante os ensaios por essa circunstância e pela compartilhada indiferença à religiosidade, que tomara conta da montagem e tirara boa parte da graça. Enquanto o restante do elenco recitava o rosário com solenidade no começo de cada ensaio, conduzidos pelo padre Jerome ou por Bede Harrington, eu trocava olhares com ela tentando fazê-la rir. Elogiava seu desempenho nos ensaios e ajudava com suas falas. Nos encontros sociais de domingo à noite, convidei-a para dançar com mais frequência do que antes.

Maureen observou isso, claro. O sofrimento que via em seu olhar me causava uma pontada ocasional de remorso, mas não alterava meus desígnios cruéis de coagir sua virtude despertando seus ciúmes. Talvez inconscientemente eu quisesse que nosso relacionamento terminasse. Estava tentando esmagar algo tanto em mim quanto nela. Na minha cabeça, chamava de infantilidade, burrice e ingenuidade, mas podia ter chamado de inocência. O universo do grupo de jovens da paróquia, que me pareceu tão encantador quando Maureen me apresentou pela primeira vez, então parecia... bem, paroquial, especialmente quando comparado ao mundo que eu encontrava no trabalho. Pelas fofocas do escritório sobre os casos entre atores e atrizes, testes do sofá e festas do meio, entrevi uma noção tétrica e excitante do comportamento sexual adulto, diante do qual os escrúpulos de moça de convento de Maureen com relação a me deixar apalpar suas tetas (como os seios eram grosseiramente tratados no escritório) me pareciam absurdos. Ansiava por perder minha virgindade, e obviamente não seria com Maureen, a menos e não antes que me casasse com ela, uma possibilidade tão remota quanto viajar até a Lua. Eu já observara como era a vida de casado com baixa renda na minha própria casa, e aquilo não me atraía. Aspirava a um estilo de vida mais livre e expansivo, embora não fizesse ideia de que forma aquilo poderia tomar.

A crise veio na noite da última apresentação do auto, logo antes do Natal. Estávamos com a casa cheia. O espetáculo havia sido um sucesso no boca a boca da paróquia e recebido até uma crítica, pequena, mas favorável, no jornal local. A crítica não era assinada, e eu suspeitaria que o próprio Bede Harrington podia tê-la escrito não fosse o fato de o autor ser bastante elogioso com a minha interpretação. Acho que a batalha de vontades que acontecia por trás do pano entre mim e Maureen de fato conferia uma intensidade especial às minhas performances. Meu Herodes era mais contido do que nos primeiros dias de ensaio, porém mais autêntico em sua crueldade. Sentia um frisson emocionante, uma espécie de arrepio coletivo, percorrer a plateia quando eu dava a ordem para o massacre dos inocentes. E havia uma qualidade trágica na Virgem Maria de Maureen, até mesmo na cena da Anunciação – "como se", dizia o crítico anônimo, "ela profetizasse as Sete Tristezas que apunhalariam seu coração nos anos vindouros". (Pensando bem, talvez padre Jerome tenha redigido aquela crítica.)

Não tivemos uma festa do elenco ao final da temporada de três apresentações, mas houve uma certa celebração com chocolate quente, biscoitos e batatinhas organizada pela namorada de Peter Marello, Anne, nossa assistente de palco, depois de tirarmos o figurino, limparmos a maquiagem do rosto e desmancharmos o cenário, guardando tudo para a apresentação final da festa de Epifania. Padre Jerome nos abençoou, parabenizou e partiu. Estávamos exaustos, mas jubilantes e relutantes em dispersar a euforia coletiva indo para casa. Até Maureen estava feliz. Seus pais, irmãos e irmãs haviam retornado para assistir pela segunda vez, e ela ouvira o pai gritando "Bravo!" dos fundos do salão quando fomos receber os aplausos. Eu havia desencorajado meus pais de irem, mas minha mãe assistira na primeira noite e declarara que estava "muito boa, embora um pouco alta demais" (ela se referia à música, em especial à "Cavalgada das Valquírias", que acompanhava a Fuga para o Egito) e meu irmão, que a acompanhara, olhou para mim na manhã seguinte quase que com respeito. Bede Harrington, com a cabeça bastante virada pelo sucesso, estava cheio de planos grandiosos para escrever uma peça sobre a Paixão de Cristo para a Páscoa seguinte. Seria em versos brancos, pelo que me lembro, com papéis falantes para os vários instrumentos da Crucificação – a cruz, os pregos, a coroa de espinhos etc. Com ar magnânimo, ele me ofereceu o papel de açoite sem precisar da formalidade de um teste. Falei que pensaria no assunto.

A conversa se voltou para os vários planos para o Natal, e escolhi aquele momento para anunciar que meu chefe me dera quatro ingressos de cortesia para a montagem da pantomima de *The Babes in the Wood* no teatro Prince of Wales, no dia 26. A ideia era na verdade que eu levasse minha família, mas algum diabinho enfiou na minha cabeça que deveria impressionar os presentes com um gesto de generosidade casual e testar Maureen ao mesmo tempo. Perguntei se Peter e Anne gostariam de acompanhar Maureen e eu. Aceitaram na hora, mas Maureen, como eu previra, disse que os pais não a deixariam. "Como, nem mesmo no Natal?", falei. Ela me encarou com o olhar suplicante para não ser humilhada publicamente. "Sabe como eles são", ela disse. "Que pena", falei, ciente de que Josie ouvia atentamente. "Alguém mais teria interesse?" "Aah, eu vou, adoro pantomima", Josie foi logo dizendo. Acrescentou: "Você não se importa, não é, Maureen?" "Não, não me importo", Maureen sussurrou com a expressão arrasada. Era como se eu tivesse tirado a adaga que usava no cinto de Herodes e enfiado no coração dela.

Houve uma pausa desconfortável por um instante, que acobertei ao relembrar o desastre que quase acontecera com um pano de fundo de palco caindo na cena do berço durante a apresentação, e logo estávamos envolvidos em lembranças barulhentas e hilárias da apresentação inteira. Maureen não participou, e, quando olhei ao redor a procurando, havia desaparecido. Saíra sem se despedir de ninguém. Fui para casa sozinho, chutando, mal-humorado, uma lata vazia de tabaco. Não estava muito orgulhoso de mim, mas consegui de alguma forma culpar Maureen por "estragar o Natal". Não a acompanhei à Missa do Galo como pretendia. O dia de Natal em casa passou com o estupor usual e claustrofóbico. Fiz a excursão até a pantomima no dia seguinte, fingindo para meus pais que eu tinha apenas um ingresso individual e me encontrando com Josie, Peter e Anne na estação Charing Cross. Josie estava vestida com muita vulgaridade e se afogara em perfume barato. Ela teve a ousadia de pedir gim com laranja no intervalo, quase me levando à falência, e ria um riso estridente em cada uma das piadas grosseiras do espetáculo, para constrangimento de Peter e Anne. Depois levei Josie para casa, até o apartamento da família dela, e a abracei em um espaço escuro embaixo das escadas comuns, para onde ela me levou sem qualquer preliminar. Enfiou a língua na minha garganta e tacou minha mão com firmeza em cima de um de seus seios, que estava alojado dentro de um sutiã pontiagudo com arame. Tive poucas dúvidas de que ela teria me permitido ir além, mas não estava inclinado a prosseguir. O perfume dela não disfarçava por completo o odor de perspiração vencida de suas axilas, e eu já estava cansado de sua conversa vazia e risada estridente.

No dia seguinte, recebi uma carta de Maureen, enviada na véspera de Natal, dizendo que achava melhor que não nos víssemos por um tempo, a não ser pela última apresentação da peça. Estava escrita na sua caligrafia arredondada de menina, no papel malva habitual com aroma de lavanda, mas os *is* estavam com pontinhos normais, sem os círculos de bolhas. Não respondi a carta, mas enviei uma para Bede Harrington dizendo que não poderia participar da última apresentação da peça e sugerindo que pedisse a Peter Marello para fazer também o papel de Herodes. Nunca mais voltei ao grupo de jovens e saí do time de futebol. Sentia falta do exercício, e é provável que tenha sido a partir dali que minha cintura começou a se expandir, ainda mais conforme eu ia adquirindo gosto por cerveja. Fiz amizade com um rapaz chamado Nigel que trabalhava na bilheteria do teatro embaixo do nosso escritório, e ele me apresentou para uma série de pubs no Soho. Passávamos um bom tempo juntos, e levei meses para perceber que ele tinha inclinações homossexuais. As garotas do escritório supunham que eu também devia ter, então não avancei muito com elas. Não perdi a virgindade, na verdade, até entrar no Exército, prestando serviço obrigatório, e foi um negócio rápido e sórdido com uma oficial da brigada feminina, encostados na parede de um estacionamento de caminhões.

Avistei Maureen vez ou outra na rua nos meses que se seguiram à produção da peça natalina, ou entrando e saindo do ônibus, mas não falei com ela. Se ela me via, não dava indicação nenhuma. Foi ficando cada vez mais infantilizada e inexperiente aos meus olhos, em sua eterna capa azul-marinho e penteado imutável. Uma vez, logo depois de receber meus papéis do serviço militar, ficamos cara a cara em uma farmácia – eu estava entrando enquanto ela saía. Trocamos algumas palavras desajeitadas. Perguntei sobre a escola. Disse que estava pensando em estudar enfermagem. Perguntou sobre meu trabalho. Contei que acabara de ser convocado e estava torcendo para ser enviado ao exterior para ver mais da vida.

No caso, fui treinado para serviços administrativos e destacado para uma região no Norte da Alemanha, onde as plantações de beterraba se estendiam a perder de vista e era tão frio no inverno que chorei uma vez durante meu plantão na guarda e as lágrimas congelaram nas bochechas. A única alternativa para não morrer de tédio era atuando e escrevendo scripts para esquetes, pantomimas, shows de variedades com os participantes vestidos de drag e outras formas de entretenimento caseiro na base. Quando voltei para a vida civil, estava determinado a seguir carreira em algum ramo do show business. Consegui uma vaga em uma das escolas de teatro de menor prestígio em Londres, com uma pequena bolsa de estudos que eu suplementava trabalhando em um pub à noite. Não via Maureen por Hatchford quando ia visitar meus pais. Topei com Peter Marello uma vez, e ele contou que ela saíra de casa para estudar enfermagem. Isso faz uns 35 anos. Nunca mais a vi ou ouvi falar nela.

Domingo, 6 de junho. Levei uma semana inteira para escrever isso, sem fazer praticamente nada mais. Imprimi as últimas páginas às dez da noite ontem e fui esticar as pernas e comprar os jornais de domingo. Os homens estavam descarregando os exemplares de um furgão e largando-os na calçada em frente à estação de metrô de Leicester Square, como pescadores vendendo a pesca do dia no cais, rasgando os fardos contendo as diferentes seções – notícias, esportes, economia, cultura – e montando, apressados, as edições na hora enquanto os fregueses jogavam o dinheiro. Sempre me divirto em comprar o jornal de amanhã no dia de hoje, uma ilusão de estar espiando o futuro. Na verdade, o que ando fazendo é me atualizar das notícias da semana que passou. Nada mudou muito neste mundão afora. Onze pessoas foram mortas quando os sérvios bósnios jogaram morteiros em um estádio de futebol em Sarajevo. Vinte e cinco soldados das Nações Unidas foram mortos em uma emboscada pelas tropas do general Aidid na Somália. John Major tem os índices de popularidade mais baixos entre todos os primeiros-ministros britânicos desde que começaram a medir isso. Estou quase começando a sentir pena dele. Fico pensando se não é uma artimanha tóri para arrecadar os votos dos que sofrem com baixa autoestima. Não comprei nenhum jornal na semana passada porque não queria me distrair da minha tarefa. Também mal escutei rádio ou assisti televisão. Abri uma exceção para a partida entre Inglaterra e Noruega na última quarta e me arrependi. Quanta humilhação. Perdemos por 2 a 0 de um bando de amadores, e é provável que não entremos na Copa do Mundo por consequência. Deveriam declarar um dia de luto nacional e mandar Graham Taylor para as minas de sal. (Ele provavelmente organizaria sua turma lá em um esquema de 3-5-2 e acabariam todos trombando dentro de campo como o time inglês.) Por conta disso, minha concentração no relato das minhas memórias foi estragada por pelo menos metade do dia. Acho que nunca havia feito nada parecido antes. Talvez esteja me tornando um escritor. Não há nenhum "você" ali, percebi. Em vez de contar a história como faria a um amigo ou alguém em um bar, que é meu jeito normal, estava tentando recuperar a verdade da experiência original para mim mesmo, lutando para encontrar palavras que lhe fariam justiça. Revisei muito. Estou acostumado com isso, claro – escrever roteiros é basicamente reescrever –, mas em resposta ao input de outras pessoas. Desta vez, eu era o único leitor, o único crítico, e revisava conforme escrevia. E fiz algo que não faço desde que comprei minha primeira máquina de escrever elétrica – escrevi os primeiros rascunhos de cada parte à mão. De certo modo, parece mais natural tentar recuperar o passado com uma caneta do que com os dedos a postos sobre um teclado. A caneta é como uma ferramenta, uma ferramenta de corte ou escavação, fatiando até chegar às raízes, cutucando os alicerces da memória. Claro que usei um pouco de licença poética no diálogo. Tudo aconteceu há quarenta anos, e não fiz nenhuma anotação. Mas tenho quase certeza de ter sido fiel às emoções, e isso é o que importa. Porém, não consigo deixar esse texto quieto: sigo apanhando as folhas impressas, relendo, mexendo e revisando, quando deveria estar arrumando o apartamento.

 A cozinha parece uma pocilga, amontoada com pratos sujos e embalagens vazias de comida de tele-entrega, há uma pilha de correspondência que não foi aberta na mesa do café, e a secretária eletrônica parou de receber mensagens porque a fita está cheia. Grahame ficou bem desgostoso com o estado do lugar quando veio assistir à partida da Inglaterra. Ele tem padrões mais elevados de limpeza do que eu – às vezes toma emprestadas minha pá e vassoura para varrer seu quadradinho de piso de mármore na entrada. Temo que os dias de sua ocupação estejam contados. Os dois acadêmicos americanos do apartamento número 4 chegaram para passar as férias de verão, e eles recebem muitas pessoas. É compreensível que façam objeção a manter um vagabundo residente na entrada onde seus convidados que entram e saem devem pisar. Eles me contaram no elevador ontem que vão reclamar para a polícia. Tentei persuadi-los de que Grahame não é um vagabundo qualquer, mas sem forçar muito a barra. Ele não contribui com a própria causa ao se referir a eles desdenhosamente como "bichonas ianques".

Ler e reler essas memórias me deixa com uma sensação esmagadora de perda. Não apenas da perda do amor de Maureen, mas da perda da inocência – dela e minha. No passado, quando me lembrava dela – e não era com muita frequência –, era com certo sorriso interior afetuoso de esguelha: uma boa menina, a primeira namorada, como éramos ingênuos, já é coisa do passado; esse tipo de coisa. Repassando a história de nosso relacionamento em detalhes, percebi *pela primeira vez na vida* a coisa aterradora que eu fizera tantos anos atrás. Parti o coração de uma mocinha, de uma forma insensível, egoísta e arbitrária.

Estou bem ciente, claro, de que não me sentiria assim se não houvesse descoberto recentemente Kierkegaard. É sem dúvida uma história bem kierkegaardiana. Guarda semelhanças com "O diário de um sedutor", e semelhanças com a própria relação de Kierkegaard com Regine. Maureen – Regine: os nomes quase rimam.

Regine se impôs mais do que Maureen, no entanto. Quando K mandou devolver a aliança, ela correu para a hospedaria dele e, não o encontrando em casa, deixou um bilhete implorando para que não a abandonasse, "em nome de Cristo e pela memória de seu falecido pai". Aquele foi um toque inspirado, o falecido pai. Søren estava convencido de que, assim como muitos de seus irmãos, ele morreria antes do pai – parecia haver uma maldição do tipo na família. Então quando o velho homem bateu as botas antes, Søren pensou que em algum sentido místico ele morrera *por* ele. Considerou aquela data como a de sua conversão religiosa. Então o bilhete de Regine realmente o abalou. Mas ele seguiu adiante, apesar de tudo, fingindo ser frio e cínico, partindo o coração da garota, convencido, perversamente, de que ele "poderia ser mais feliz na infelicidade sem ela do que com ela". Acabo de pesquisar esse registro de seu último diálogo:

Tentei convencê-la do contrário. Ela me perguntou: "Você nunca vai se casar?", respondi: "Bem, em dez anos, depois de viver todas as minhas aventuras, vou precisar de uma jovem e bonita senhorita para me rejuvenescer".
– Uma crueldade necessária. Ela disse: "Perdoe-me pelo que fiz com você". Respondi que deveria ser eu a pedir pelo perdão dela. Ela disse: "Me beije". Isso eu fiz, mas sem paixão. Deus tenha piedade!

Aquele "Me beije" foi a última tentativa de Regine. Quando não funcionou, ela desistiu.

Lendo isso, me lembrei mais uma vez de Maureen, levantando seu rosto infeliz, azul sob a iluminação fraca do poste da rua, dizendo: "Você pode me beijar uma vez", e eu dando as costas. Será que cheguei a abraçá-la depois disso ou continuei a desprezar a oferta de um único beijo casto de boa noite? Não guardei sua última carta e não me lembro do que ela disse exatamente, mas as palavras eram bem banais, tenho certeza. Sempre foram. Não é nada do que ela dizia, é da sua presença que eu me lembro: o balanço dos cabelos, o brilho nos olhos, o jeito como enrugava o nariz quando sorria... Queria ter uma fotografia dela à mão. Costumava levar uma foto dela na carteira, uma pequena em preto e branco tirada na Irlanda quando ela tinha quinze anos, escorada contra uma parede de pedra, sorrindo e espremendo os olhos contra o sol, a brisa empurrando a saia de algodão contra as pernas. A foto ficou marcada e com os cantos amassados de tanto manusear, e joguei-a fora depois que terminamos. Lembro-me da facilidade com que se rasgou nos meus dedos, o papel já perdera todo o brilho e viço, e de ver os fragmentos de sua imagem espalhados no fundo da cesta de papel. As únicas outras fotos que tenho dela devem estar em uma caixa de sapato em algum lugar na casa de Holywell, junto a outras lembranças de juventude. Não há muitas delas, porque ninguém tinha câmera naqueles tempos. Tenho algumas fotos tiradas por outros membros do grupo de jovens em um momento qualquer, e uma foto em grupo do elenco da peça natalina. Se conseguisse pegar um horário em que Sally não estivesse em casa, estaria disposto a ir até Hollywell amanhã e ver se as encontro.

18h30. Logo depois de escrever aquela última frase, desligar o computador e arregaçar as mangas em preparação para começar a faxina, tive uma ideia: em vez de procurar no sótão por fotografias de Maureen, por que não tentar encontrar a própria Maureen? Quanto mais eu penso nisso, e quase não pensei em outra coisa a tarde inteira, mais gosto da ideia. É um pouco assustadora, porque não sei como ela vai reagir se eu conseguir rastreá-la, mas é isso que deixa tudo mais excitante. Não faço ideia de onde anda ou do que aconteceu com ela desde a última vez em que nos encontramos na farmácia em Hatchford. Ela pode estar morando no exterior, sei lá. Bem, isso não é problema, eu viajaria até a Nova Zelândia se fosse necessário. Pode ter morrido. Não creio que eu pudesse suportar isso, mas preciso admitir a possibilidade. Câncer. Um acidente de carro. Várias coisas. De certo modo, porém, tenho certeza de que está viva. Casada, provavelmente. Bem, com certeza, uma moça como Maureen, como não teria se casado? Casou-se com um médico, imagino, como a maioria das enfermeiras bonitas, e ficou casada com ele, sendo uma católica devota. A menos que tenha perdido a fé, claro. Isso acontece. Ou pode ter enviuvado.

Ei, preciso ter cuidado para não me perder em fantasias tendenciosas. Provavelmente é uma mulher muito respeitável, um tanto sem graça e bem casada, robusta e de cabelos grisalhos morando um uma casa confortável no interior com cortinas que combinam com as almofadas do sofá de três lugares, bastante interessada nos netos e ansiosa para receber seu passe de trem para idosos, assim poderá visitá-los com mais frequência. Não deve pensar em mim há décadas e não me reconheceria de jeito nenhum se eu aparecesse na soleira da porta. Mesmo assim, é o que vou fazer, aparecer na soleira de sua porta. Se conseguir encontrar o endereço.

....

Segunda-feira, 7 de junho. 16h30. Ufa! Estou exausto, acabado, e meu joelho dói. Voltei a Hatchford hoje. Hatchford Mon Amour.

Tomei o trem em Charing Cross logo depois das nove. Estava viajando no contrafluxo do horário de pico, enfrentando hordas de passageiros com aqueles rostos pálidos de segunda--feira de manhã que serpenteavam pela plataforma da estação e contornavam os quiosques da Tie Rack, Knickerbox e Sockshop antes de serem engolidos pelo buraco do metrô. Meu trem estava quase vazio em sua viagem de retorno aos arredores. Os trens que antes eram da Southern Electric agora se chamam Network Southeast, mas nada essencial mudou na linha, exceto que a presença do grafite dentro dos vagões está mais abundante e colorida, devido ao desenvolvimento da hidrográfica de ponta de feltro. *Vorsprung durch Technik.* Tomei meu lugar no segundo vagão por ser o mais conveniente para descer em Hatchford, ajeitei um espaço para os pés em meio ao lixo jogado no chão e inalei o odor familiar de pó e gordura capilar que vem do estofamento. Um empregado desceu a plataforma batendo as portas com força, a ponto de fazer tremer os dentes na cabeça da gente, e então o motor elétrico gemeu e golpeou sob o piso quando o motorista deu a ignição. O trem partiu com um sobressalto e roncou sobre a ponte de Hungerford, o Tâmisa brilhava ao sol através da treliça de vigas, e então se lançou pelo trajeto entre Waterloo East e London Bridge. De lá, a linha segue reta por quilômetros, e o trem corre na altura dos telhados, passando por oficinas, armazéns, garagens e depósitos de ferro-velho, pátios de escolas, ruas com casas todas emendadas, ocasionalmente avizinhadas pelas torres de prédios de moradia social. Nunca foi um passeio bonito.

    Fazia anos que eu não viajava mais nessa linha e décadas desde que desci em Hatchford pela última vez. Em 1962, meu pai teve um pouco de sorte – a única sorte que deu na vida, na verdade, além de ter conhecido minha mãe: ganhou 20 mil libras em um bolão. Era bastante dinheiro naqueles tempos, o suficiente para se aposentar mais cedo da London Transport e comprar um pequeno bangalô em Middleton-on-Sea, perto de Bognor. Depois que ele e minha mãe se mudaram para lá, nunca mais tive necessidade ou vontade de retornar a Hatchford. Era estranho estar retornando hoje, uma mistura que parecia sonho, entre o familiar e o desconhecido. A princípio fiquei chocado por quase nada haver mudado em torno do Five Ways. Havia algumas fachadas diferentes de lojas e uma nova organização das ruas – a floricultura da esquina virou uma videolocadora, a padaria cooperativa é uma loja gigante de construção, e a rua está sinalizada como um complicado jogo de tabuleiro, com setas, sombreamentos e minirrotatórias – mas os contornos das ruas e construções permanecem essencialmente como eu me lembro. Porém, a sociologia do lugar mudou. As ruas estreitas de fileiras de casas geminadas saindo da avenida principal agora estão ocupadas em sua maioria por famílias caribenhas e asiáticas, segundo descobri ao visitar nossa antiga casa em Albert Street.

As janelas envidraçadas foram arrancadas e substituídas por conjuntos de alumínio lacrado, e uma pequena varanda fora afixada acima da porta da frente, mas, fora isso, era a mesma casa de tijolos cinza-amarelado, com um telhado inclinado e um jardim de frente de um metro de profundidade. A lasca que faltava no parapeito de pedra da janela da frente continua lá, onde um pedaço de estilhaço acertou durante a guerra. Bati na porta e um homem caribenho de cabelos grisalhos abriu uma fresta desconfiado. Expliquei que um dia morara ali e perguntei se podia entrar e dar uma olhada rápida. Ele pareceu inseguro, como se suspeitasse que eu fosse um enxerido ou um pilantra, como era direito dele; mas uma moça que o chamou de pai apareceu por cima de seu ombro, limpando as mãos em um avental, e, gentilmente, me convidou a entrar. O que primeiro me chamou a atenção, fora os aromas de comida apimentada pairando no ar, foi a estreiteza e escuridão do corredor e da escadaria quando a porta se fechou: eu havia me esquecido da ausência de luz dentro de uma casa geminada. Mas a parede entre a sala da frente e a do meio fora derrubada para criar um estar iluminado e com uma proporção agradável. Por que não pensáramos nisso? Passamos a maior parte da vida enfiados na sala de trás, onde era impossível se mover sem tropeçar em alguém ou na mobília. A resposta, claro, era o hábito entranhado de sempre preservar as coisas –

fosse um terno, um aparelho de chá ou uma peça da casa – "para uma necessidade".

A sala de estar aumentada era decorada com jovialidade, ainda que um pouco vulgar, com tons de amarelo, roxo e verde. A tevê estava ligada, e duas menininhas gêmeas, de mais ou menos três anos, estavam sentadas no chão em frente ao aparelho, chupando os polegares e assistindo a um programa de desenho. As duas lareiras foram tapadas com tábuas e tiveram suas molduras arrancadas, e havia radiadores de aquecimento central embaixo das janelas da frente e dos fundos. A peça se parecia tão pouco com o que eu lembrava que não consegui povoá-la de memórias. Espiei o pedacinho de chão que costumávamos dar a dignidade de chamar de "quintal". Boa parte fora calçada e parte do espaço fora coberto com um telhadinho de fibra de vidro transparente. Havia uma churrasqueira em vermelho berrante com rodinhas e um varal em carrossel, em vez da corda frouxa que costumava atravessar de uma ponta a outra, em diagonal, levantada por uma forquilha. A moça me contou que o marido dirigia um ônibus da Routemaster, e me agarrei agradecido a esse fiapo de continuidade com o passado. "Meu pai conduzia o bonde", contei. Mas precisei explicar o que era um bonde. Eles não se ofereceram para me mostrar os quartos, e eu não pedi. Depositei uma moeda de uma libra na mão de cada uma das gêmeas, agradeci sua mãe e seu avô e parti.

Caminhei de volta até Five Ways e então comecei a subir Beecher's Road. Ficou logo aparente que certa quantidade de yuppieficação havia ocorrido nas partes mais altas de Hatchford, provavelmente na explosão imobiliária dos anos 80. Os casarões que foram divididos em apartamentos de aluguel na minha infância haviam, em vários casos, se convertido de volta em uma única propriedade com direito a melhorias, com acabamentos em bronze nas entradas sociais, cestas de flores penduradas nas varandas e arbustos em vasos nas áreas baixas. Pelas janelas da frente, eu via os sinais do estilo de vida da classe AB: tapetes étnicos, pôsteres modernos nas paredes, estantes de freixo negro cheias de livros, abajures angulares, sistemas de som de última geração. Fiquei pensando se havia sido o mesmo destino do número 94 de Treglowan Road, onde a família de Maureen morava. A primeira à esquerda no alto de Beecher's Road, então a primeira à direita e, depois, direita de novo. Teria sido o esforço da subida ou a expectativa nervosa que fez meu coração bater mais rápido enquanto eu me aproximava da última esquina? Era bastante improvável que os pais de Maureen, mesmo se ainda vivos, seguissem morando lá; e, mesmo que morassem, a chance seria de uma em um milhão que ela estivesse visitando os pais hoje. Era o que eu repetia para mim mesmo, tentando acalmar meus batimentos. Mas não estava preparado para o choque que sofri ao dobrar a esquina.

Um dos lados da rua, o lado onde ficava a casa de Maureen, fora demolido e limpo, e, em seu lugar, fora erguido um pequeno condomínio de novas casas individuais. Eram frágeis caixas de tijolos malproporcionadas – tão estreitas que pareciam carretas serradas ao meio – com janelas chumbadas e vigas falsas afixadas nas fachadas, e estavam distribuídas ao longo de um beco redondo chamado Treglowan Close. Não havia um único traço visível da vila vitoriana monumental onde os Kavanagh haviam morado, nem um tijolo, nem uma pedra, nem uma árvore. Calculei que a entrada da propriedade passava em cima do lugar onde um dia fora a casa. A área rebaixada do porão, onde havíamos nos beijado, onde eu tocara nos seios de Maureen, havia sido aterrada e selada embaixo de uma camada de asfalto. Eu me senti roubado, desorientado e com uma raiva nada racional.

A Igreja da Imaculada Conceição, por outro lado, seguia de pé. Na realidade, quase não mudara em nada. A estátua da Virgem Maria seguia em seu pedestal no adro. Lá dentro havia os mesmos bancos de verniz escuro, os confessionários parecendo armários maciços contra a parede, velas votivas pingando estalactites de cera. Havia uma novidade: no ponto que Philip Larkin chamava de ponta sagrada, em frente ao altar esculpido e elevado, que lembro reluzir à luz de velas durante a Bênção, estava uma mesa simples de pedra, e não havia mais o balaústre no pé da escada do altar. Uma senhora de meia-idade de avental estava aspirando o carpete do altar. Ela desligou a máquina e me olhou com ar questionador quando me aproximei. Perguntei se padre Jerome seguia vinculado à paróquia. Ela ouvira esse nome mencionado por alguns fiéis mais antigos, mas achava que ele devia ter saído muito antes de ela própria se mudar para Hatchford. Tinha uma vaga noção de que ele fora enviado à África por sua ordem para trabalhar nas missões. E padre Malachi, presumi, morrera. Ela assentiu e apontou para uma placa na parede em memória dele. Explicou que o responsável atual da paróquia era o padre Dominic e que eu poderia encontrá-lo no presbitério. Lembrei que o presbitério significava a casa onde os padres moravam, a primeira dobrando a esquina da igreja. Um homem de trinta e poucos anos vestindo jeans e um pulôver abriu a porta quando toquei a campainha. Perguntei se o padre Dominic se encontrava. Respondeu: "Sou eu mesmo, pode entrar". Ele me conduziu para uma sala abarrotada de coisas, onde uma tela de computador brilhava esverdeada sobre uma escrivaninha no canto. "Entende de planilhas?", perguntou. Confessei que não. "Estou tentando computadorizar as contas da paróquia", disse, "mas preciso na verdade de Windows para fazer isso direito. No que posso lhe ajudar?"

Quando falei que estava procurando alguém que havia morado na paróquia há quarenta anos, ele balançou a cabeça hesitante. "A ordem que mantinha a paróquia naqueles tempos era bem problemática com seus registros. Se tinham qualquer arquivo sobre os paroquianos, devem ter levado embora quando saíram. Tudo que resta em termos de arquivos são os registros de batizados, primeira comunhão, crismas e casamentos."

Perguntei se podia ver os registros de casamento, e ele me levou até os fundos da igreja, em uma salinha atrás do altar que cheirava a incenso e lustra-móveis, e tirou um livro de couro imenso e retangular de um armário. Comecei pelo ano em que vira Maureen pela última vez e continuei a partir dali. Não demorei muito para encontrar seu nome. No dia 16 de maio de 1959, Maureen Teresa Kavanagh, do número 94 da Treglowan Road, casou-se com Bede Ignatius Harrington, do número 103 de

Hatchford Rise. "Porra!", exclamei sem pensar e pedi desculpas por minha linguagem indecorosa. Padre Dominic não pareceu se incomodar. Perguntei se a família Harrington ainda morava na paróquia. "Não me soa familiar", ele disse. "Preciso conferir meu banco de dados." Voltamos ao presbitério, e ele procurou o nome no computador sem sucesso. Também não havia nenhum Kavanagh na paróquia. "Annie Mahoney pode saber de alguma coisa", falou. "Ela era a governanta do presbitério naqueles tempos. Eu mesmo cuido das minhas coisas – não tenho como pagar uma governanta. Ela mora duas casas adiante. Vai precisar gritar, está bem surda." Agradeci e perguntei se poderia fazer uma contribuição para o fundo de software da paróquia, o que ele recebeu com gratidão.

Annie Mahoney era uma velhinha curvada e encarquilhada vestindo um agasalho verde-claro e tênis Reebok com presilhas de velcro. Ela me explicou que por causa da artrite nos dedos não conseguia mais fechar botões e cadarços. Morava sozinha e obviamente apreciava companhia e a chance de bater um papo. A princípio pensou que eu era o homem da prefeitura que iria reavaliar seu direito ao Auxílio-Domicílio, mas, quando esse equívoco foi resolvido, ela focou sua cabeça na minha investigação sobre a família Kavanagh. Foi um diálogo instigante. Ela se lembrava da família: "Um homem gigante, o sr. Kavanagh, mesmo se o visse apenas uma vez, jamais esqueceria, e a esposa era uma boa pessoa, e tinham cinco filhos lindos, especialmente a mais velha, agora não lembro o nome". "Maureen", respondi. "Isso, Maureen", falou. Lembrava-se do casamento de Maureen, que fora luxuoso para os padrões da paróquia, com o noivo e o padrinho de casaca e dois Rolls-Royces para levar os convidados até a recepção. "Acho que dr. Harrington pagou pelos carros, sempre foi um homem de fazer as coisas bem feitas", Annie relembrou. "Morreu faz cerca de dez anos, que Deus o tenha. Dizem que foi coração." Não sabia de nada sobre a vida de casados de Bede e Maureen, onde moravam ou o que Bede fazia. "Maureen se tornou professora, acho", arriscou. Falei que pensava que ela quisesse ser enfermeira. "Ah, sim, enfermeira, era isso", disse

Annie. "Teria sido uma adorável enfermeira. Uma menina tão doce. Lembro dela como Nossa Senhora na peça de Natal que o clube de jovens montou um ano, com o cabelo caindo sobre os ombros, estava tão linda." Não resisti e perguntei a Annie se lembrava do Herodes da mesma produção, mas não lembrava.

Fui conferir a antiga casa dos Harrington, uma mansão retirada da avenida principal com, segundo me lembrava, uma entrada bem impressionante – dois pilares no portão com globos de pedra do tamanho de bolas de futebol em cima. Agora pertencia a uma clínica odontológica. Os pilares foram removidos e o jardim da frente fora asfaltado para fazer um estacionamento para os sócios e pacientes. Entrei e perguntei à recepcionista se tinha qualquer informação sobre os donos anteriores, mas ela não podia ou não queria me ajudar. Estava cansado e faminto e já mais do que um pouco melancólico, então tomei o trem seguinte para Charing Cross.

Então Bede Harrington é o meu Schlegel. Pois bem, sempre pensei que ele estivesse de olho em Maureen, mas estou um pouco surpreso que ela tenha escolhido se casar com ele. Seria possível *amar* Bede Harrington? (Não *sendo* Bede Harrington, digo.) Não posso fantasiar que tenha sido por estar deprimida por minha causa. Julgando pela data do casamento, ele demorou vários anos para convencê-la, ou para criar coragem de fazer o pedido – então deveria ter tido algum atrativo para ela. Não posso negar que sinto um ciúme absurdo e sem sentido. E estou com mais vontade ainda de encontrá-la. Mas qual seria o próximo passo?

19h06. Depois de imaginar vários planos engenhosos (por ex., encontrar qual agente imobiliário fez a venda do imóvel de Hatchford Rise para os dentistas e ver se conseguia um endereço da sra. Harrington sênior por meio deles), pensei em um expediente mais simples para tentar primeiro: se Bede e Maureen ainda morassem em Londres, estariam provavelmente na lista telefônica, e Harrington não era um nome tão comum. Como era de se esperar, havia apenas dois B.I. Harrington. Um deles, com um endereço em SW19, tinha OBE, a sigla para a Ordem do Império Britânico, depois do nome, que pensei ser bem o tipo de coisa que Bede usaria para se exibir se pudesse, então tentei esse número primeiro. Reconheci a voz na hora. Nossa conversa foi mais ou menos assim:

BEDE: Harrington.
    EU: É o Bede Harrington que costumava morar em Hatchford?
BEDE: (*cauteloso*) Morava lá antigamente, sim.
    EU: Você se casou com Maureen Kavanagh?
BEDE: Sim. Quem está falando?
    EU: Herodes.
BEDE: Pode repetir?
    EU: Laurence Passmore.
BEDE: Perdão, não... Parsons, você disse?
    EU: Passmore. Você lembra. Do grupo de jovens. A peça de Natal. Eu era o Herodes.
    (*Pausa*)
BEDE: Minha nossa.
    EU: Então, como vai?
BEDE: Bem.
    EU: E Maureen?
BEDE: Vai bem, creio.
    EU: Posso falar com ela?
BEDE: Ela não está.
    EU: Ah. E quando volta?
BEDE: Não sei exatamente. Está no exterior.
    EU: Oh... onde?
BEDE: Na Espanha, acho, neste momento.
    EU: Entendo... Há alguma forma de entrar em contato com ela?
BEDE: Não, de fato, não.
    EU: Está viajando de férias?
BEDE: Não exatamente. O que quer com ela?

EU: Apenas gostaria de falar com ela de novo... (*vasculhando o cérebro em busca de um pretexto*)... Estou escrevendo algo sobre aqueles tempos.
BEDE: É escritor?
EU: Sou.
BEDE: Que tipo de escritor?
EU: Televisão, basicamente. Talvez conheça um programa que se chama *O pessoal da casa ao lado*?
BEDE: Receio nunca ter ouvido falar.
EU: Oh.
BEDE: Não assisto muita televisão. Olha, estou ocupado preparando o jantar...
EU: Oh, me desculpe, eu...
BEDE: Se deixar seu número, passo para Maureen quando ela retornar.

Dei meu endereço e telefone. Antes de desligar, perguntei como ele havia conseguido o título de OBE. Explicou: "Presumo que seja por meu trabalho no Currículo Nacional". Parece que ele é um funcionário público de alto escalão na Secretaria de Educação.

Fiquei muito mexido com essa conversa, animado e ao mesmo tempo frustrado. Estou surpreso com o quanto progredi em minha procura por Maureen em um único dia, ainda assim ela segue tentadoramente fora do meu alcance. Queria ter pressionado Bede para me dar mais detalhes de onde ela está e o que está fazendo. Não gosto da ideia de apenas esperar, indefinidamente, por um telefonema dela, sem saber quanto tempo pode levar – dias? Semanas? Meses? – ou se Bede vai mesmo passar minha mensagem para ela quando voltar de onde quer que esteja. "Na Espanha neste momento... não exatamente de férias" – que merda ele quis dizer com isso? Ela está em algum tipo de excursão educativa? Ou em um cruzeiro?

21h35. Liguei de novo para Bede, pedi desculpas por importuná-lo e perguntei se poderíamos nos encontrar. Quando me perguntou para que, elaborei melhor o meu álibi sobre estar escrevendo algo que se passava em Hatchford nos início dos anos 50. Ele foi menos abrupto e desconfiado do que antes – na verdade sua fala parecia um pouco arrastada, como se houvesse bebido um pouco a mais com o jantar. Falei que morava bem perto de Whitehall e perguntei se poderia convidá-lo para almoçar esta semana. Falou que se aposentara no final do ano passado, mas eu poderia visitá-lo em casa se quisesse. SW19 revelou-se ser em Wimbledon. Ansioso, sugeri a manhã seguinte, e, para meu deleite, ele concordou. Antes que ele desligasse, consegui introduzir uma pergunta sobre Maureen: "Uma espécie de excursão é o que ela está fazendo?" "Não", falou, "uma peregrinação." Segue uma católica devota, então. Então tá.

....

Terça, 8 de junho. 14h30. Viajei pela Network Southeast de novo esta manhã, mas, desta vez, de Waterloo, e em um trem mais limpo e mais bonito que o de ontem, adequado a meu destino mais requintado.

Bede e Maureen moram em uma das ruas residenciais arborizadas perto do All England Club. É muito típico de Bede que ele jamais tenha assistido a uma partida de tênis em todo o tempo que mora em Wimbledon e vê os torneios como nada além de um aborrecimento no trânsito. Eu mesmo estive em Wimbledon algumas vezes nos últimos anos como convidado da Heartland (eles dão festas em uma das tendas de aluguel, com champanhe, morangos e ingressos grátis para a quadra principal) e me senti estranho ao perceber que devo ter passado a menos de cem metros de Maureen naquelas ocasiões sem saber. É possível que tenha passado por ela de carro.

A casa é um sobrado grande bastante comum do estilo entreguerras, com um longo quintal nos fundos. Eles se mudaram para lá logo no início da vida de casados, Bede contou, e a ampliaram, construindo em cima da garagem e nos fundos, e também mexendo no sótão para acomodar uma família que crescia, em vez de se mudarem. Têm quatro filhos, todos crescidos e fora de casa agora, pelo que tudo indicava. Bede estava sozinho em casa, que tinha um ar de limpeza e arrumação nada naturais, como se a maioria das peças não houvesse sido perturbada desde a última visita da faxineira. Espiei algumas quando subi para usar o banheiro. Notei que havia duas camas de solteiro no quarto principal, o que me deu uma satisfação boba. A-há, não fazem mais sexo, falei para mim mesmo. O que não é necessariamente verdade, claro.

Bede não mudou muito, exceto que seu cabelo grosso e rebelde está bastante branco, e as bochechas afundaram. Ainda usa os óculos de aro de tartaruga com lentes que parecem fundo de garrafa. Mas, aparentemente, eu mudei muito. Embora tenha chegado no horário combinado, ele me saudou sem muita certeza quando abriu a porta. "Você engordou", disse, quando me identifiquei. "E perdi a maior parte do cabelo", falei. "Sim, você tinha bastante cabelo, não tinha?", falou. Ele me levou até a sala de estar (onde me diverti confirmando que as cortinas combinavam com as almofadas) e me convidou, bastante sem jeito, a me sentar. Estava vestido como um homem que passou boa parte da vida de terno e não sabe muito bem o que vestir na aposentadoria. Estava usando uma jaqueta esportiva de tweed com reforços de couro e uma camisa xadrez com gravata de lã, calças de lã fina e botinas marrom-escuras – roupas bastante pesadas para a época do ano, mesmo que estivesse um dia frio e ventoso.

– Devo-lhe desculpas – falou em seu tom pomposo familiar. – Estava falando com minha filha ao telefone esta manhã, e ela me informou que seu programa – como é mesmo o nome? – é um dos mais assistidos da televisão.

– *O pessoal da casa ao lado*. Sua filha assiste? – perguntei.

– Ela assiste tudo, indiscriminadamente – afirmou. – Não tínhamos televisão quando as crianças eram pequenas; achava que poderia interferir nas lições de casa. O efeito em Teresa foi que ela se tornou completamente viciada assim que saiu de casa e pôde adquirir um aparelho próprio. Cheguei à seguinte conclusão

— ele prosseguiu —, que todos os esforços para controlar a vida dos outros são absolutamente fúteis.

— Incluindo o governo? — perguntei.

— Especialmente o governo — respondeu. Parecia considerar sua carreira no serviço público um fracasso, apesar da condecoração OBE. — O sistema educacional deste país está em um estado muito pior agora do que quando entrei na secretaria — declarou.

— Não é culpa minha, mas fui incapaz de evitar. Quando penso em todas as horas que passei em comitês, forças-tarefas, redigindo relatórios, redigindo memorandos... tudo absolutamente inútil. Tenho inveja de você, Passmore. Queria ter sido escritor. Ou pelo menos um professor universitário. Poderia ter feito uma pós-graduação depois de obter meu diploma, mas prestei concurso para o serviço público em vez disso. Parecia uma aposta mais segura na época, e eu queria me casar, entende?

Sugeri que agora que estava aposentado teria tempo de sobra para escrever.

— Sim, sempre pensei que seria isso que faria na minha aposentadoria. Costumava escrever muito quando era jovem; poemas, ensaios...

— Peças — complementei.

— Isso mesmo — Bede se permitiu um sorriso invernal e retrospectivo. — Porém, as engrenagens criativas emperram se não se mantêm azeitadas. Tentei escrever algo outro dia, algo bastante pessoal sobre... perdas. Resultou em um papel em branco.

Ele me deixou a sós por alguns minutos enquanto foi preparar um café na cozinha, e andei pela sala em busca de pistas da existência de Maureen. Havia uma variedade de fotografias recentes da família expostas — formaturas, casamentos e uma de Bede e Maureen juntos em frente ao Palácio de Buckingham, com Bede em traje matinal formal — em que ela aparecia como uma mulher orgulhosa, sorridente e madura, com seus cabelos grisalhos e curtos, mas o mesmo rosto, doce e em formato de coração, de que me recordo. Fitei com avidez essas imagens, tentando reconstruir a partir delas os anos perdidos de sua vida (perdidos para mim, digo). Escorado na moldura da lareira estava um cartão postal de St. Jean Pied-de-Port nos Pireneus franceses. No verso, uma breve mensagem de Maureen para Bede: "Querido Bede: Estou descansando aqui por alguns dias antes de enfrentar as montanhas. Tudo certo, a não ser pelos calos. Com amor, Maureen". Teria reconhecido a letra redonda e de menina em qualquer lugar, mesmo com pontos em lugar dos círculos sobre os *is*. O carimbo era de três semanas atrás. Ao ouvir Bede no corredor, rapidamente reposicionei o cartão e voltei para meu lugar.

– Então, como vai Maureen? – perguntei, enquanto ele chegava com a bandeja. – O que ela vinha fazendo da vida enquanto você subia os degraus da secretaria de Educação?

– Era enfermeira certificada quando me casei com ela – disse, empurrando o filtro da cafeteira francesa para baixo com as duas mãos, como se estivesse detonando dinamite. – Aumentamos a família quase que em seguida, e ela abdicou do trabalho para cuidar das crianças. Voltou a trabalhar em enfermagem quando nosso mais novo entrou no primário e ficou responsável por uma ala, mas é um trabalho de uma dificuldade assombrosa, sabe? Abandonou quando não precisávamos mais do dinheiro. Faz muito serviço voluntário para a igreja e por aí vai.

– Vocês seguem frequentando a igreja, então? – perguntei.

– Sim – respondeu seco. – Leite? Açúcar?

O café era acinzentado e insípido, os biscoitos, digestivos, amolecidos com a umidade. Bede me fez algumas perguntas técnicas sobre escrever para a televisão. Depois de um tempo, puxei a conversa de volta para Maureen.

– Que peregrinação é essa então que ela está fazendo?

Remexeu-se impaciente na cadeira e olhou pela janela, onde batia um vento forte, balançando as árvores e soprando a floração no ar como se fosse flocos de neve.

– É para Santiago de Compostela – explicou, – no Noroeste da Espanha. É uma peregrinação muito antiga, vem desde a Idade Média. São Tiago, o apóstolo, supostamente está enterrado lá. "Santiago" é o nome de São Tiago em espanhol, claro. "St. Jacques" em francês. Maureen lera sobre a rota da peregrinação em algum lugar, um livro da biblioteca, acho. Decidiu que queria fazer.

– A pé – falei.
– Sim, a pé – Bede me olhou. – Como sabia?
Confessei ter lido o postal.
– É absurdo, claro – disse. – Uma mulher da idade dela. Bastante absurdo.
Tirou os óculos e massageou a testa como se tivesse uma dor de cabeça. Os olhos pareciam desnudos e vulneráveis sem as lentes.
– Qual é a distância? – perguntei.
– Depende de onde você começa – recolocou os óculos. – Há vários pontos diferentes de partida, todos na França. Maureen começou em Le Puy, na Auvérnia. Santiago fica a cerca de 1.600 quilômetros dali, acho eu.
Assobiei baixinho.
– Ela é uma caminhante experiente?
– De modo algum – Bede exclamou. – Um passeio por Wimbledon Common no domingo à tarde era a noção que tinha de uma caminhada longa. A ideia toda é uma loucura completa. Estou surpreso que tenha chegado até os Pireneus, para ser honesto, sem se machucar. Ou ser estuprada, ou assassinada.
Ele contou que, quando Maureen propôs pela primeira vez fazer a peregrinação, se ofereceu para acompanhá-la se fossem de carro, mas ela insistiu em fazer o percurso do modo mais difícil, a pé, como os peregrinos medievais. Ficou claro que tiveram uma briga e tanto sobre isso. No final, ela, com ar desafiador, partiu sozinha cerca de dois meses antes, com uma mochila nas costas e um saco de dormir, e ele recebeu apenas dois cartões dela desde então, o último era esse que eu acabara de ler. Bede está, obviamente, doente de preocupação e ao mesmo tempo furioso e se sentindo um pouco idiota, mas não há nada que possa fazer, exceto esperar sentado e torcer para que ela chegue a Santiago em segurança. Achei a história fascinante e, devo admitir, senti certo *Schadenfreude* com o sofrimento de Bede. Não obstante, parecia uma aventura surpreendentemente quixotesca para Maureen empreender. Comentei algo a respeito.
– É, bem, ela vem passando por muito estresse nos últimos tempos. Nós dois – afirmou Bede. – Perdemos nosso filho Damien em novembro passado, entenda.

Balbuciei algumas palavras de comiseração e perguntei a respeito das circunstâncias. Bede foi até a escrivaninha e apanhou um porta-retratos de uma das gavetas. Era uma foto colorida de um rapaz saudável e bonito, vestido com camiseta e bermuda, sorrindo para a câmera, escorado no para-lama dianteiro de uma Land Rover, com um céu azul e moitas marrons de fundo.

– Foi morto em Angola – disse Bede. – Talvez tenha lido nos jornais. Estava trabalhando lá para uma organização católica de auxílio, distribuindo mantimentos para os refugiados. Ninguém sabe exatamente o que aconteceu, mas parece que alguma unidade dissidente de soldados rebeldes parou o caminhão em que ele estava e exigiu que ele entregasse a comida e os remédios. Ele se recusou, e então puxaram a ele e ao motorista africano para fora do caminhão e atiraram nos dois. Damien tinha só 25 anos.

– Que horror – falei sem jeito.

– Não dá para entender muita coisa, dá? – disse Bede, virando o pescoço para mirar a janela de novo. – Ele amava a África, sabe, amava seu trabalho, era totalmente dedicado... Trouxemos o corpo de avião para cá. Teve uma missa de réquiem. Muita gente foi, gente que nós nem conhecíamos. Pessoas da organização de caridade. Amigos da universidade. Ele era bem popular. O padre que falou na cerimônia, algum tipo de capelão daquela organização, disse que Damien era um mártir moderno – parou, perdido em pensamentos, e eu não conseguia pensar em nada para dizer, então ficamos em silêncio por um instante.

– Você pensa que a fé vai servir de consolo numa hora dessas – retomou. – Mas, quando acontece, descobre que não. Nada serve. Nosso médico nos convenceu a falar com uma criatura com o título de conselheiro de luto. Uma mulher idiota, dizendo que não devíamos nos sentir culpados. Perguntei por que eu me sentiria culpado. Ela respondeu que porque eu estava vivo e ele não. Nunca ouvi tamanha besteira. Acho que Damien foi tolo. Devia ter dado a maldita comida àqueles brutamontes e se mandado embora, dirigindo sem parar até sair daquele continente amaldiçoado.

A papada dele ficou branca de raiva enquanto relembrava. Perguntei como Maureen havia ficado com a tragédia.

— Mal. Damien era seu favorito. Ficou devastada. Foi por isso que se mandou nessa peregrinação absurda.

— Está dizendo, como uma espécie de terapia? – falei.

— Essa palavra também serve, imagino – disse Bede.

Falei que precisava ir embora. Ele disse:

— Mas nem falamos muito sobre os velhos tempos em Hatchford.

Eu disse que talvez outra hora. Assentiu.

— Tudo bem. Telefone. Sabe – prosseguiu –, nunca gostei muito de você, Passmore. Achava que você não queria boa coisa com Maureen no grupo de jovens.

— Você tinha toda a razão – afirmei e obtive mais um sorriso tímido dele.

— Mas fico feliz que tenha vindo esta manhã – continuou. – Ando um pouco solitário, para dizer a verdade.

— Maureen alguma vez falou de mim? – perguntei.

— Não – respondeu. – Nunca – falou sem malícia ou satisfação, apenas como uma declaração factual.

Enquanto aguardávamos meu táxi, perguntou se eu tinha filhos. Respondi que dois, um casado e a outra morando com o parceiro.

— Ah, sim, agora estão fazendo isso, não é? – perguntou. – Até os nossos. Não veem nada de mais nisso. Bem diferente do nosso tempo, hein?

— Bem diferente mesmo – concordei.

— E sua esposa, o que ela faz?

— É professora em uma das novas universidades – respondi. – De educação. Na verdade, passa boa parte do tempo aconselhando professores que estão tendo colapsos nervosos por conta do Currículo Nacional.

— Não me surpreende – disse Bede. – O sistema está em frangalhos. Gostaria de conhecer sua mulher.

— Receio que ela recém tenha me deixado – falei.

— Deixou? Então somos dois – disse Bede em um esforço característico e desajeitado para fazer piada.

Nesse momento, tocou a campainha, e fui levado para a estação de Wimbledon por um motorista irritante de tão tagarela.

Não estava a fim de conversar sobre o tempo ou o futuro do tênis. Queria pensar sobre as fascinantes revelações daquela manhã. Um plano está se formando na minha cabeça, uma ideia tão ousada e excitante que nem ouso escrevê-la ainda.

....

Sexta-feira, 11 de junho. Bem, me decidi. Vou atrás de Maureen. Vou tentar rastreá-la no caminho de Santiago de Compostela. Passei os últimos três dias fazendo todos os arranjos necessários – reservando lugar na balsa, obtendo o seguro internacional, comprando guias de viagem, mapas, cheques de viagem etc. Abri os envelopes de correspondência atrasada e escutei as mensagens telefônicas e resolvi as mais urgentes. Havia uma sequência de Dennis Shorthouse avisando que Sally dera entrada judicial pedindo uma ordem de pensão para conseguir pagar os custos de manutenção da casa, e pedia por instruções em caráter de urgência. Telefonei para ele e disse que não desejava mais obstruir os procedimentos de divórcio e concordava com uma pensão apropriada e um acordo financeiro razoável. Ele me perguntou o que eu queria dizer por razoável. Disse para deixar que ela ficasse com a casa e eu com o apartamento, e que o restante dos bens a gente divide meio a meio. Ele disse: "Isso não é razoável, é generoso. A casa vale consideravelmente mais do que o apartamento". Falei que simplesmente não queria mais me incomodar com o assunto. Contei que estava indo para o exterior por algumas semanas. Não sei quanto tempo vou levar para rastrear Maureen, ou o que farei se encontrá-la. Só sei que preciso procurar. Não suporto a ideia de passar o verão enfiado neste apartamento atendendo chamadas de gente que estou tentando evitar só para o caso de ser ela.

Não contei meu plano para Bede, caso fosse me entender mal, embora o que seria me entender bem realmente não faço ideia. Digo, não sei de fato o que quero de Maureen. Não quero seu amor de volta, óbvio – tarde demais para uma Repetição. (Embora não consiga parar de repassar na minha cabeça todas as pistas de que o casamento com Bede esfriou – se é que um dia foi quente – como as camas separadas, a briga sobre a peregrinação, a saudação fria

"Querido Bede" no cartão-postal etc. etc.) Mas se não é o amor, então é o quê? Perdão, talvez. Absolvição. Quero saber se ela me perdoa por tê-la traído há tantos anos em frente do elenco da peça de Natal. Um ato trivial por si só, mas com enormes consequências. Pode-se dizer que isso determinou os moldes do resto da minha vida. Pode-se dizer que foi a fonte da minha angústia da meia--idade. Fiz uma escolha sem saber que era uma escolha. Ou, melhor dizendo (o que é pior), fingi que era uma escolha de Maureen, e não minha, o fato de terminarmos. Agora me parece que nunca me recuperei do efeito daquela má ação. Isso explica por que nunca consigo decidir nada sem me arrepender imediatamente.

Preciso falar disso com Alexandra na próxima vez que a vir, embora não tenha certeza de que ela vá ficar contente. Pareço ter abandonado a terapia cognitiva em favor do estilo analítico de antigamente, encontrando a origem dos meus problemas em uma memória há muito reprimida. Seria um consolo, enfim, dividir essa memória com Maureen, descobrir como ela se sente a respeito disso hoje. O fato de que esteja tratando um luto recente dela me deixa ainda mais ansioso para encontrá-la e fazer as pazes.

Também no meu congestionamento de correspondências havia um roteiro de Samantha destilando sua ideia de um episódio final para a temporada que seria uma espécie de mistura de *O pessoal da casa ao lado* com os filmes *Truly, Madly, Deeply* e *Ghost: do outro lado da vida*. Não era de todo mau, mas logo vi onde precisava mexer. Ela fazia com que o fantasma de Priscilla aparecesse para Edward depois do funeral. O que precisava acontecer é que Priscilla aparece para Edward imediatamente após seu acidente fatal, antes que alguém saiba do ocorrido. A princípio ele não acha que ela é um fantasma, porque ela tenta dar a notícia com jeito. Então ela passa por uma parede – a parede divisória – que dá para a casa dos Davis e depois volta, e ele compreende que ela morreu. É triste, mas não é trágico, porque Priscilla ainda está ali, de certo modo. Há até um pouco de comédia na cena. É um terreno arriscado, mas acho que poderia dar certo. Enfim, tentei reescrever rapidinho e mandei para Samantha com instruções de como apresentar isso para Ollie.

Então liguei para Jake e escutei, mansinho, dez minutos de amargas recriminações por não retornar suas ligações antes que eu pudesse contar sobre minha mexida no rascunho de roteiro de Samantha. "É tarde demais, Tubby", ele disse sem alterar a voz. "A cláusula catorze entrou em vigor semanas atrás." "Contrataram um novo roteirista então?", perguntei, me preparando para uma resposta positiva. "Devem ter contratado", ele disse. "Precisam de um script aprovado para o último episódio até o final do mês sem falta." Ouvi o rangido de sua cadeira giratória enquanto ele se balançava pensando. "Suponho que, se acabaram escolhendo essa história de fantasma, talvez tenhamos tempo", ele disse. "Onde você vai estar nas próximas duas semanas?"

Então precisei dar a notícia de que estava indo ao exterior no dia seguinte por tempo indeterminado e não podia fornecer um número de telefone ou fax onde pudesse me encontrar. Segurei o gancho longe do ouvido como eles fazem naqueles antigos filmes de comédia enquanto ele praguejava. "Por que tem que viajar de férias agora, mas que foda!", o ouvi exclamando. "Não são férias", expliquei, "é uma peregrinação", e desliguei rapidinho enquanto ele ainda estava estupefato.

É extraordinária a diferença que essa busca por Maureen causou no meu estado de espírito. Não pareço mais apresentar qualquer dificuldade em tomar decisões. Não me sinto mais como o mais infeliz dos homens. Talvez nunca tenha sido – dei uma relida naquele ensaio de novo outro dia e não acho que tenha entendido direito antes. Mas estou certamente presente para mim mesmo quando penso em Maureen ou torço para encontrá-la – mais presente impossível.

Acabei de digitar essa frase quando notei uma luz piscando regularmente refletida nas janelas – estava escuro, por volta das dez, mas não fechara as cortinas. Forçando os olhos, na rua vejo o teto de uma viatura da polícia estacionada bem na frente ao prédio com sua luz azul girando e piscando. Liguei o monitor de vídeo e lá estava Grahame, enrolando seu saco de dormir na entrada sob a vigilância de um par de policiais. Desci as escadas.

O mais velho dos policiais explicou que estavam mandando Grahame embora.

– Foi o senhor o cavalheiro que registrou a queixa? – ele perguntou, e falei que não. Grahame me olhou e pediu:

– Posso subir?

Falei:

– Tudo bem. Por alguns minutos.

Os guardas me olharam assombrados.

– Espero que saiba o que está fazendo, sir – disse o mais velho com ar desaprovador. – Não deixaria esse mendigo entrar na *minha* casa, isso eu lhe digo.

– Não sou mendigo – disse Grahame indignado.

O policial o examinou com intensidade.

– Não seja respondão, mendigo – silvou. – E não me deixe pegá-lo atravancando essa porta de novo. Entendido? – ele olhou para mim com frieza. – Poderia o autuar por obstrução de um oficial no desempenho de suas funções – afirmou –, mas vou deixar passar desta vez.

Levei Grahame para cima e lhe servi uma xícara de chá.

– Vai precisar encontrar outro lugar, Grahame – falei. – Não posso protegê-lo mais. Estou viajando para o exterior, provavelmente por algumas semanas.

Ele me olhou de soslaio debaixo da franja caída.

– Me deixa ficar aqui – pediu. – Cuido do lugar pra você enquanto estiver fora. Como um caseiro.

Ri com a audácia dele.

– Não preciso de um caseiro.

– Está enganado – disse. – Há todo tipo de bandidos por aqui. Pode ser roubado enquanto está ausente.

– Não fui roubado antes, quando o apartamento ficava vazio a maior parte do tempo.

– Não estou falando em *morar* aqui – Grahame disse. – Só dormir. No chão... não na sua cama. Manteria o lugar bem limpinho – ele olhou ao redor. – Bem, mais do que está agora.

– Imagino que sim, Grahame – falei. – Obrigado, mas não, obrigado.

Suspirou e meneou a cabeça.

– Só espero que não se arrependa – falou.

– Bem – falei –, se acontecer o pior, tenho seguro.

Acompanhei-o até a saída. Caía um leve chuvisco. Senti certa culpa quando ele levantou a gola e jogou o saco de dormir sobre o ombro – mas o que eu podia fazer? Seria louco em dar a chave do meu apartamento. Poderia voltar e ele ter transformado o lugar em um abrigo para andarilhos filosóficos como ele. Enfiei algumas notas em sua mão e disse para conseguir um quarto para passar a noite. "Tá", falou e saiu deslizando pela noite quente e molhada. Nunca conheci alguém que pudesse aceitar favores com tamanha indiferença. Tenho a sensação de que não vou voltar a vê-lo.

....

Quinta-feira, 17 de junho. Não viajei tão cedo como planejara. Shorthouse me telefonou para dizer que ficaria mais feliz se eu aguardasse uns dias enquanto ele resolvia os detalhes de um acordo com a outra parte. Então fiquei esperando, impacientemente, esta semana, ocupando meu tempo lendo tudo que podia encontrar nas livrarias de Charing Cross Road sobre a peregrinação para Santiago. Subi até Rummidge esta manhã para assinar os papéis e voltei no trem seguinte. Esta noite, estava fazendo a mala quando recebi uma chamada inesperada de Sally. Era a primeira vez que nos falávamos em semanas. "Eu só queria dizer", ela começou, com um tom de voz cuidadoso e neutro, "que acho que você foi muito generoso." "Tudo bem", falei. "Sinto muito que tenha sido uma história tão desagradável", ela falou, "receio que parte da culpa seja minha." "É, bem, essas coisas são sempre dolorosas", falei, "não traz à tona o melhor das pessoas, o divórcio." "Bem, só queria dizer muito obrigada", disse Sally e desligou. Eu me senti bastante desconfortável falando com ela. Conhecendo a mim mesmo tão bem quanto conheço, não precisaria de muito para me arrepender da minha decisão. Quero dar o fora daqui, ficar longe de tudo, pegar a estrada. Parto amanhã de manhã. Santiago, aqui vou eu.

QUATRO

VINTE E UM DE SETEMBRO. Cheguei à conclusão de que a diferença essencial entre escrever um livro e escrever um roteiro não é que este último seja majoritariamente de diálogos – é uma questão de tempo verbal. Um roteiro é inteiro no tempo presente. Não literalmente, mas ontologicamente. (Que tal essa, hein? Resultado de ler todos aqueles livros sobre Kierkegaard.) O que quero dizer é: na dramaturgia ou em um filme, tudo está acontecendo no *agora*. É por isso que as rubricas que orientam a ação dos atores são sempre no tempo presente. Mesmo quando um dos personagens está contando ao outro sobre algo que aconteceu no passado, esse *relato* está acontecendo no presente, no que diz respeito à plateia. Ao passo que, quando você escreve algo em um livro, tudo pertence ao passado; mesmo enquanto você escreve: "*Estou escrevendo, estou escrevendo*", repetindo sem parar, o ato de escrever está concluído, fora do campo de visão na hora em que alguém está lendo o resultado.

Um diário é um meio do caminho entre as duas formas. É como conversar em silêncio consigo. É uma mistura de monólogo e autobiografia. Você pode escrever um bocado de coisas no tempo presente, como: "*Os plátanos do lado de fora da minha janela estão com folhas*", mas na verdade essa é apenas uma maneira mais chique de dizer: "*Estou escrevendo, estou escrevendo...*". Não leva você a lugar algum, não está contando uma história. Assim que se começa a contar uma história por escrito, seja uma história fictícia ou a história da sua vida, é natural que se use o tempo passado, porque está descrevendo coisas que já aconteceram. O que é especial em um diário é que o autor não sabe para onde a história vai, não sabe como termina; então parece existir em uma espécie de presente contínuo, mesmo que os incidentes individuais possam ser descritos no tempo passado. Romances são escritos após o ocorrido, ou fingem ser. O romancista pode não ter sabido o fim da história quando começou, mas sempre *parece* ao leitor como se ele soubesse. O passado da frase de abertura sugere que a história que está prestes a ser contada já aconteceu. Sei que há romances escritos inteiramente no tempo presente, mas há algo de esquisito neles, são experimentais, o tempo presente não parece natural ao meio. A gente lê como se fosse um roteiro. Uma autobiografia escrita no presente seria ainda mais esquisita. As autobiografias são sempre escritas depois. É um formato de tempo passado. Como minhas memórias de Maureen. Como esse relato que acabo de concluir.

Eu mantive algo parecido com um diário nas minhas viagens, mas meu laptop pifou nas montanhas de León, e não tive tempo ou oportunidade de consertar, então comecei um escrito à mão. Imprimi o que tinha nos disquetes e me dei o trabalho de digitar o que estava no diário, mas tudo junto resultou em um relato muito acidentado e desconexo do que me aconteceu. As condições em geral não eram ideais para escrever e por vezes, ao final do dia, estava cansado demais ou havia bebido *vino* demais para registrar mais do que algumas poucas notas alusivas. Então redigi uma narrativa mais coerente e coesa, sabendo, por assim dizer, como a história termina. Pois sinto ter chegado ao final de alguma coisa. E, assim espero, a um novo começo.

....

Viajei de carro de Londres a St. Jean Pied-de-Port em dois dias. Sem sofrimento. O único problema era manter o ricomóvel abaixo do limite de velocidade na autoestrada. O piloto automático foi bem útil. E também o ar-condicionado – a estrada reluzia no calor dos pântanos planos ao sul de Bordeaux. Quando subi o pé dos montes dos Pireneus, o clima ficou mais fresco, e chovia quando cheguei a St. Jean Pied-de-Port (São João ao Pé da Passagem da Montanha). É uma cidadezinha agradável, uma mistura de centro comercial com resort de férias com telhados vermelhos de duas águas e córregos apressados, aninhada em uma rugosa colcha de retalhos de campos de variados tons de verde. Há um hotel com restaurante que tem duas estrelas Michelin onde tive a sorte de conseguir um quarto. Falaram que, se fosse um pouco mais adiantado na temporada, eu não teria a mínima chance sem fazer uma reserva antecipada. Já havia montes de caminhantes riponga na cidade, vagando inconsoláveis em suas parcas molhadas ou relaxando nos cafés enquanto esperavam por uma melhora no tempo. Dava para dizer quais eram os peregrinos a caminho de Santiago porque tinham conchas amarradas às mochilas.

A concha da vieira, ou *coquille* (daí, *coquilles St. Jacques*, que eles preparavam extremamente bem no meu hotel), é o símbolo tradicional da peregrinação a Santiago, por motivos que, como a maioria das coisas associadas a esse santo, permanecem obscuros. Uma lenda diz que um homem salvo do afogamento por ajuda de São Tiago foi arrastado do mar coberto com essas conchas. É mais provável que tenha sido apenas um exemplo brilhante de marketing medieval: os peregrinos que retornavam de Santiago queriam levar lembranças, e conchas de vieira eram abundantes na costa da Galícia. Era uma bela fonte de renda para a cidade, ainda mais quando o arcebispo de Santiago recebeu poderes de excomungar qualquer um que vendesse as conchas para peregrinos fora dali. Hoje em dia, porém, os peregrinos usam a *coquille* tanto a caminho de Santiago quando no retorno para casa.

Fiquei surpreso com o número que havia, mesmo em St. Jean Pied-de-Port. Imaginara Maureen como uma excêntrica solitária refazendo uma trilha ancestral esquecida pelo mundo moderno. Nada disso. A peregrinação vem desfrutando de um grande ressurgimento ultimamente, encorajada por um poderoso consórcio de interesses: a Igreja Católica, o Departamento de Turismo da Espanha e o Conselho Europeu, que adotou o Caminho de Santiago como uma Trilha de Patrimônio Europeu alguns anos atrás. Dezenas de milhares pegam a estrada todos os verões, seguindo os sinais azuis e amarelos da *coquille*, instalados pelo Conselho Europeu. Conheci um casal de alemães em um bar uma noite que percorrera todo o caminho desde Arles, o ponto mais ao sul das quatro rotas tradicionais. Conseguiram uma espécie de passaporte que era emitido por alguma sociedade de São Tiago, o qual eles vinham carimbando em vários pontos de parada ao longo da rota. Quando chegassem a Santiago, me contaram, apresentariam os passaportes na Catedral e receberiam suas "*compostelas*", os certificados de conclusão, tal qual os antigos peregrinos costumavam receber. Eu fiquei imaginando se Maureen obtivera um passaporte desses. E, caso positivo, talvez pudesse me ajudar a rastreá-la. Os alemães me informaram sobre a carimbadora local de passaportes, me aconselhando a não chegar à casa dela de carro. Os peregrinos genuínos devem caminhar ou viajar de bicicleta ou a cavalo.

Subi a pé o morro estreito de paralelepípedo até a casa dela, mas não fingi ser um peregrino. Em vez disso, fingi (em uma mistura de inglês macarrônico, um francês capenga e linguagem de sinais) ser Bede Harrington, tentando encontrar a esposa que estava sendo chamada com urgência de volta à Inglaterra. Uma senhora que era sósia de Mary Whitehouse abriu a porta, franzindo o rosto, como se disposta a matar mais um peregrino que batesse em sua porta tarde da noite, mas, quando contei minha história, ela se demonstrou interessada e cooperativa. Para meu deleite, ela havia carimbado o passaporte de Maureen e lembrava-se bem dela: "*une femme très gentille*", mas sofrendo com muitas bolhas nos pés. Perguntei onde ela achava que Maureen pudesse estar por agora, e ela franziu a testa e deu de ombros: "*Ça dépend...*". Dependia obviamente de quantos quilômetros Maureen pudesse andar por dia. São cerca de oitocentos quilômetros de St. Jean Pied-de-Port até Santiago. Um caminhante jovem e em forma pode percorrer uma média de trinta por dia, mas Maureen teria sorte em andar metade disso. Peguei o mapa no meu quarto de hotel e calculei que ela poderia estar em qualquer ponto entre Logroño e Villafranca, uma distância de trezentos quilômetros, e isso era um tiro no escuro. Pode ter parado para descansar em algum lugar por uma semana para curar as bolhas nos pés e ter atrasado o cronograma. Pode ter utilizado transporte público em parte do caminho, nesse caso já poderia ter chegado a Santiago – embora, conhecendo Maureen, duvido que quebrasse as regras. Imaginei-a cerrando os dentes e tocando adiante rompendo a barreira da dor.

No dia seguinte, cruzei os Pireneus. Pus o câmbio automático no lento para evitar trocas excessivas de marcha na estrada tortuosa e cheguei sem esforço algum até o topo do passo de Val Carlos, ultrapassando vários peregrinos que se arrastavam na subida do morro, curvados sob o peso de suas mochilas. O tempo estava aberto e o cenário era espetacular: montanhas verdes até os picos, vales sorrindo ao brilho do sol, vacas com cor de caramelo e sinos balançando no pescoço, um rebanho de carneiros de montanha, urubus planando ao nível dos olhos. Val Carlos, segundo me informou meu guia de viagens, quer dizer vale de Carlos ou de Carlos Magno, e no lado Espanhol da montanha fica Roncesvales, onde houve a famosa batalha entre o exército de Carlos Magno e os sarracenos, conforme registrado na *Canção de Roncesvales*. Só que não eram sarracenos na verdade, mas bascos de Pamplona, contrariados porque os meninos de Carlos Magno haviam bagunçado a cidade deles. Nada associado ao Caminho é aquilo que proclama ser. O santuário do próprio Santiago parece ser uma fraude total, sendo que não há evidência de que o apóstolo esteja de fato enterrado ali. A história diz que, depois da morte de Jesus, Tiago foi para a Espanha converter os nativos. Não parecia ter tido muito sucesso, pois retornou à Palestina com apenas dois discípulos e logo teve sua cabeça cortada por Herodes (não sei qual deles). Os dois discípulos receberam uma mensagem em sonho para levar os restos mortais do santo de volta à Espanha, o que fizeram em um barco de pedra (sim, de pedra), que seguiu flutuando de forma milagrosa pelo Mediterrâneo e pelo Estreito de Gibraltar até a costa oeste da Península Ibérica e encostou nas praias da Galícia. Alguns séculos mais tarde, um ermitão local viu uma estela brilhando sobre um montículo que, quando escavado, revelou os restos mortais do santo e de seus discípulos – ou pelo menos foi o que disseram. Poderiam ser os ossos de qualquer pessoa, claro. Mas a Espanha cristã precisava desesperadamente de algumas relíquias e um santuário para dar impulso à campanha de expulsão dos mouros. Foi assim que São Tiago se tornou o santo patrono da Espanha e "*Santiago!*", o grito de guerra do país. De acordo com outra lenda, ele apareceu em pessoa na batalha mais crucial de Clavijo, em 834, para estimular o exército cristão esmorecido, e pessoalmente exterminou 70 mil mouros. A arquidiocese de Santiago teve a cara de pau de impor um imposto especial ao restante da Espanha como um agradecimento a São Tiago, embora de fato não haja provas de que a batalha de Clavijo um dia aconteceu, com ou sem sua intervenção. Nas igrejas ao longo do Caminho, você vê estátuas de "*Santiago Matamoros*", São Tiago, o Matador de Mouros, retratado como um guerreiro montado a cavalo, empunhando a espada e esmagando os cadáveres dos infiéis escuros e beiçudos. Eles podem se tornar um constrangimento se o conceito do politicamente correto um dia chegar à Espanha.

Achei difícil compreender por que milhões de pessoas haviam atravessado meia Europa a pé no passado, muitas vezes em condições de assustador desconforto e perigo, para visitar o santuário duvidoso desse santo duvidoso, e mais ainda entender por que continuavam fazendo isso, mesmo que em menor número. Obtive uma pista para essa última pergunta na abadia agostiniana de Roncesvales, que oferece hospitalidade aos peregrinos desde a Idade Média. Parece fantástica à distância, um agrupamento de construções de pedra cinzenta amontoadas em uma dobra dos morros verdejantes, com o sol refletindo em seu telhado – apenas quando se chega perto é que se vê que o telhado é feito de zinco ondulado, e as construções são na maioria bem comuns. Um homem de calças pretas e um cardigã vermelho me viu sair do carro e, observando a placa da Grã-Bretanha, me cumprimentou em inglês. Era um monge de plantão para ajudar os peregrinos. Contei minha história me fazendo passar por Bede Harrington, e ele me pediu para acompanhá-lo até um pequeno escritório. Não se lembrava de Maureen, mas disse que, se havia apresentado seu passaporte no monastério, teriam pedido que respondesse a um questionário. E lá estava, em um arquivo, preenchido na caligrafia grande e redonda de Maureen quatro semanas antes. "*Nome*: Maureen Harrington. *Idade: 57. Nacionalidade*: britânica. *Religião*: católica. *Motivo da viagem (marque um ou mais)*: 1. *Religioso* 2. *Espiritual* 3. *Recreativo*

4. *Cultural* 5. *Esportivo*". Percebi com interesse que Maureen havia marcado apenas um: "Espiritual".

O monge, que se apresentou como Don Andreas, me mostrou o monastério. Desculpou-se dizendo que eu não poderia ficar no *refugio* porque estava viajando de carro, mas, quando vi o dormitório pelado, de tijolos de concreto, com seus bicos de lâmpada pendurados e beliches duros de madeira com lastro de mola, me pareceu que eu poderia sobreviver àquela privação. Estava vazio: a cota diária de peregrinos ainda não chegara. Encontrei um hotelzinho em uma vila ali perto com assoalho rangendo e paredes finas que nem papel, mas era suficientemente limpo e confortável. Voltei ao monastério porque Don Andreas me havia convidado a participar da missa dos peregrinos que eles rezavam às seis horas da tarde todos os dias. Pareceu-me uma grosseria declinar e, de todo modo, gostava da ideia de fazer algo que Maureen teria com certeza feito algumas semanas antes. Pensei que poderia me ajudar a entender sua cabeça e rastreá-la por algum tipo de radar telepático.

Eu não frequentava uma missa católica desde que terminamos o namoro, e a missa dos peregrinos não lembrava em quase nada o que eu recordava do repertório da Imaculada Conceição nos velhos tempos. Havia vários padres rezando a missa ao mesmo tempo e todos ficavam em um semicírculo atrás de um altar que parecia uma mesa simples (como a que vi recentemente na igreja de Hatchford), de frente para a congregação, em uma ilha de luz em meio à escuridão geral da imensa capela, então dava para ver toda a função com as taças banhadas a ouro e os pratos de forma bem nítida. A congregação era um grupo heterogêneo de todas as idades, formas e tamanhos, vestidos com roupas informais, suéteres, bermudas, sandálias e tênis. Era óbvio que a maioria não era de católicos e entendia menos ainda o que estava se passando. Talvez tenham pensado que precisavam participar da missa, já que estavam recebendo uma cama grátis para passar a noite, como um sem-teto em algum dos abrigos do Exército da Salvação; ou talvez tivessem algum prazer espiritual genuíno em escutar os resmungos da liturgia ecoando nos pilares e abóbadas da antiga igreja, como acontecia há séculos. Apenas uma meia dúzia foi tomar a comunhão, mas ao final todos foram convidados a se aproximar do altar para receber uma bênção, pronunciada em três línguas – espanhol, francês e inglês. Para minha surpresa, todos que estavam nos bancos foram até a frente, e eu, meio sem jeito, me juntei a eles. Até fiz o sinal da cruz durante a bênção, uma ação há muito esquecida que eu copiava de Maureen na Bênção anos atrás. Fiz uma prece silenciosa "a quem interessar possa", pedindo para que eu a encontrasse.

Passei as duas semanas seguintes indo de um lado a outro nas estradas no Norte da Espanha, encarando cada um dos peregrinos no caminho que pudesse aparentar qualquer semelhança, ainda que remota, com Maureen, por vezes desviando perigosamente para o meio da estrada enquanto virava o pescoço para trás para esquadrinhar o rosto de alguma caminhante com traseiro de aspecto promissor. Os peregrinos eram sempre fáceis de identificar – eles invariavelmente exibiam a *coquille* e em geral carregavam um longo bastão ou cajado. Mas, quanto mais eu avançava, mais aumentava o número de peregrinos nas estradas, e não tinha muito em que me basear em termos de traços distinguíveis. Madame Whitehouse lembrava que Maureen levava uma mochila com seu colchonete de poliestireno no topo, mas não conseguia se lembrar das cores de nenhum dos itens. O tempo todo eu me atormentava com a ideia de que poderia estar ultrapassando Maureen sem saber – enquanto ela descansava os pés em alguma igreja ou café ou seguia pelos trechos do Caminho que desviam do sistema moderno de estradas e se tornam uma faixa ou atalho impenetrável para o trânsito de veículos de quatro rodas (certamente para meu luxuoso veículo de suspensão baixa). Eu parava em todas as igrejas que avistava – e havia um bocado delas nessas partes da Espanha, um legado da peregrinação medieval. Conferia cada *refugio* que encontrava – os albergues que oferecem alojamento muito básico e grátis para os peregrinos ao longo do percurso. A maioria deles era tão simples – virtualmente estábulos com piso de pedra – que não podia imaginar que Maureen houvesse pernoitado neles; mas pensei que poderia encontrar dessa forma alguém que houvesse conhecido Maureen pela estrada.

    Conheci todo tipo de peregrinos. Os mais numerosos eram jovens espanhóis para quem a peregrinação era uma desculpa impecável para sair da casa parental e conhecer outros jovens espanhóis do sexo oposto. Os *refugios* não são divididos. Não estou insinuando que aconteça alguma sem-vergonhice (de todo modo, não há privacidade suficiente), mas às vezes parecia captar neles um sopro daqueles flertes juvenis que me faziam lembrar o grupo de jovens da Imaculada Conceição. E então havia os jovens mochileiros mais sofisticados, de outros países, bronzeados e musculosos, atraídos pelos rumores no cenário internacional de que Santiago era uma viagem superbacana, com um cenário incrível, vinho barato e espaço de graça para jogar seu colchonete. Havia os clubes de ciclistas da França e dos Países Baixos com camisetas personalizadas e shorts de lycra apertando as bolas – um grupo muito desprezado, que causava ressentimento em todas as outras pessoas porque eles tinham caminhões de back-up para transportar sua bagagem de ponto a ponto – e ciclistas em jornada solo pedalando mountain bikes ornadas de cestos a 78 r.p.m. Havia casais e parcerias de amigos que compartilhavam do interesse por caminhadas, pela história espanhola ou pela arquitetura romanesca, que estavam fazendo o Caminho em pequenas parcelas, ano a ano. Para todos esses grupos, me parecia, a peregrinação era primariamente um estilo de férias alternativas e venturosas.

    E então havia os peregrinos com motivos mais particulares e pessoais: um jovem ciclista patrocinado levantando dinheiro para um hospital de câncer; um artista holandês tentando chegar a Santiago para marcar seu aniversário de quarenta anos; um belga sexagenário que fazia a peregrinação como a primeira atitude após sua aposentadoria; um operário de fábrica de Nancy contemplando seu futuro. Pessoas vivendo algum ponto de virada – procurando paz, iluminação ou ao menos um escape da engrenagem diária. Os peregrinos nessa categoria eram os que haviam viajado as maiores distâncias, muitas vezes caminhando todo o trajeto a partir de suas casas no Norte da Europa, acampando no caminho. Alguns estavam na estrada havia meses. Seus rostos estavam queimados de sol, as roupas, manchadas pelo tempo, e tinham um ar de certa reserva ou discrição, como se houvessem adquirido o hábito da solitude pelos longos e solitários quilômetros e descoberto que não apreciavam a muitas vezes barulhenta e animada companhia dos outros peregrinos. Seus olhos tinham um ar distante, como se focados em Santiago. Alguns poucos eram católicos, mas a maioria não tinha crenças religiosas específicas. Alguns começaram a peregrinação com um astral leve e experimental e se tornaram profundamente obcecados. Outros é provável que estivessem um pouco ressentidos quando começaram. Por mais que fossem heterogêneos, era esse grupo de peregrinos que mais me interessava, porque pensei que era o mais provável de ter conhecido Maureen no caminho.

Eu a descrevia da melhor forma possível, mas não dava em nada, isso até chegar em Cebrero, uma vilazinha no alto das montanhas de León, a apenas 150 quilômetros de Santiago. É um lugar curioso, uma mistura de aldeia folclórica e santuário. As habitações são de arquitetura antiga, cabanas circulares com paredes de pedra e telhados cônicos de palha, e os camponeses ainda moram ali, provavelmente subsidiados pelo governo espanhol. A igreja contém relíquias de algum milagre medieval grotesco, quando o pão da comunhão e o vinho se transformaram em carne e sangue de verdade, e o lugar também é conhecido por estar associado à lenda do Cálice Sagrado. Era com certeza um estágio crucial na minha própria busca. No bar que fazia as vezes de café ao lado da igreja, um lugar simples com paredes despidas e mesas de refeitório, comecei a conversar com um ciclista idoso holandês que alegava ter conhecido uma peregrina inglesa chamada Maureen em um refúgio próximo de León uma semana antes. Ela estava com problema em uma das pernas e havia lhe dito que descansaria em León por alguns dias antes de seguir viagem. Eu estivera em León recentemente, mas pulei no ricomóvel e voltei para lá, com a intenção de verificar todos os hotéis da cidade.

Estava dirigindo para o leste pela N120 entre Astorga e Orbigo, uma via arterial bem movimentada, quando a vi, caminhando na minha direção na beira da estrada – uma mulher rechonchuda solitária, usando calças largas de algodão e um chapéu de palha de aba larga. Foi apenas de relance, e eu estava a cem por hora naquele instante. Sentei o pé no freio, provocando um berro enraivecido de um imenso caminhão-tanque na minha traseira. Com trânsito pesado em ambas as direções da estrada de apenas duas faixas, foi impossível parar antes de um ou dois quilômetros, quando cheguei a um café drive-in com um estacionamento de chão batido. Fiz um retorno rápido em uma nuvem de poeira e corri de volta pela estrada, pensando se fora alucinação a figura de Maureen. Mas não, lá estava ela, caminhando penosamente adiante do outro lado da estrada – ou havia alguém, bastante escondido por uma mochila, um colchonete enrolado e o chapéu de palha. Desacelerei, provocando mais gritos indignados dos carros atrás de mim, e me virei para olhar para o rosto da mulher ao passar por ela. Era Maureen, sim. Ao escutar o ruído das buzinas, lançou um olhar casual na minha direção, mas eu estava oculto pelos vidros escurecidos do ricomóvel e não podia parar. Algumas centenas de metros adiante, saí da estrada onde o acostamento era largo o suficiente para deixar o carro, desci e cruzei o asfalto. Havia um declive nesse ponto, e Maureen estava descendo o morro na minha direção. Andava devagar, mancando, agarrada a um cajado que cravava no chão a cada dois passos. Mesmo assim, seu jeito de andar era inconfundível, mesmo à distância. Era como se quarenta anos tivessem sido suprimidos da minha existência e eu estivesse de volta em Hatchford, em frente à floricultura no entroncamento de Five Ways, observando-a descer Beecher's Road em seu uniforme escolar.

Se eu houvesse roteirizado o encontro, teria escolhido um cenário mais romântico – o interior de alguma antiga igreja escura e fria talvez, ou uma estrada rural margeada de flores campestres soprando com a brisa, onde o ruído mais alto eram os balidos das ovelhas. Haveria com certeza música de fundo (quem sabe um arranjo instrumental de "Too Young"). Do jeito que foi, nos encontramos na beira de uma estrada principal feia em um dos pontos menos atraentes de Castilha, ensurdecidos pelo ruído de pneus e motores, sufocados pela exaustão dos veículos e açoitados por rajadas saibrosas de ar deslocado pelas jamantas que passavam. Conforme ela vinha se aproximando, comecei a caminhar em sua direção, e ela reparou em mim pela primeira vez. Desacelerou, hesitou e parou como se temesse minhas intenções. Eu ri, sorri e abri os braços, no que deveria parecer um gesto reconfortante. Ela ficou alarmada, nitidamente pensando que eu fosse algum tipo de maníaco homicida ou estuprador, e recuou, erguendo o cajado, como que preparada para usá-lo em autodefesa. Eu parei e disse:

– Maureen! Está tudo bem, sou eu, Laurence.

Ela tomou um susto.

– Como? – perguntou. – Que Laurence?

– Laurence Passmore. Não está me reconhecendo?

Fiquei desapontado porque ela obviamente não me reconhecera – não parecia nem mesmo se lembrar do meu nome. Mas, como ela explicou depois, não havia pensado em mim por uma carrada de anos, ao passo que eu quase não pensava em outra coisa havia semanas. Enquanto eu estava vasculhando o Noroeste espanhol, esperando encontrá-la a cada curva do caminho, minha aparição súbita na N120 foi para ela tão surpreendente e bizarra como se eu houvesse caído de paraquedas ou surgisse de um buraco do chão.

Gritei por cima dos uivos e lamúrias do trânsito:

– A gente namorou, há muitos anos. Em Hatchford.

A expressão de Maureen se transformou, e o medo desapareceu de seus olhos. Apertou os olhos para me ver, como se fosse míope ou estivesse ofuscada pelo sol, e deu um passo à frente.

– É você mesmo: *Laurence Passmore*? Que raios está fazendo aqui?

– Procurando você.

– Por quê? – perguntou, e uma expressão de ansiedade retornou ao seu rosto. – Não aconteceu nada sério em casa, aconteceu?

– Não, não aconteceu nada – tranquilizei-a. – Bede está preocupado com você, mas ele está bem.

– Bede? Quando se encontrou com Bede?

– Outro dia. Estava tentando rastrear você.

– Para quê? – indagou. Agora estávamos cara a cara.

– É uma longa história – falei. – Entre no carro e vou contar – fiz um gesto para meu bichinho de estimação lustroso e prateado, parado do lado oposto.

Ela olhou de relance e meneou a cabeça.

– Estou fazendo uma peregrinação – ela disse.

– Eu sei.

– Não entro em carros.

– Abra uma exceção hoje – falei. – Você parece estar precisando de uma carona.

Na verdade, ela parecia demolida. Enquanto falávamos, eu estava mentalmente aceitando o triste fato de que Maureen não era mais a Maureen das minhas memórias e fantasias. Chegara àquele ponto na vida de uma mulher em que a beleza começa a abandoná-la de forma irreparável. Sally ainda não chegara lá, e Amy ainda tinha vários anos a favor dela. Ambas, enfim, estão resistindo ao processo do envelhecimento com tudo que é possível fora cirurgia plástica, mas Maureen parecia ter se rendido sem muita resistência. Havia pés de galinha nos cantos dos olhos e bolsas embaixo deles. As bochechas, um dia tão gordinhas e macias, eram papadas caídas; o pescoço estava marcado como uma roupa velha; e a silhueta ficara mole e disforme, sem uma cintura perceptível entre os morros acolchoados de seu peito e a ampla viga dos quadris. O aspecto geral não fora melhorado pelas semanas e meses que passara na estrada: o nariz estava queimado de sol e descascando, os cabelos estavam escorridos e desalinhados, os nós dos dedos, encardidos, e as unhas, quebradas. As roupas estavam empoeiradas e manchadas de suor. Devo admitir que sua aparência foi um choque para o qual as fotografias retocadas para as quais ela posou na sala de estar de Bede não haviam me preparado. Diria que os anos foram ainda mais cruéis comigo, mas Maureen não andava nutrindo nenhuma ilusão.

Quando hesitou, inclinando-se para a frente em seus tênis gastos para equilibrar o peso da mochila, reparei que ela pusera alguns retalhos de esponja de borracha embaixo das tiras para proteger os ombros de alguma assadura. Por algum motivo, isso me pareceu o detalhe mais patético de todos em sua aparência geral. Senti um impulso irresistível de ternura em relação a ela, um desejo de cuidar dela e resgatá-la daquele calvário maluco e autotorturante.

– Só até o próximo vilarejo – falei. – Algum lugar onde possamos tomar algo gelado – o sol estava fritando minha careca e dava para sentir o suor escorrendo pelo meu torso dentro da camisa. Acrescentei persuasivo: – O carro tem ar-condicionado.

Maureen riu, repuxando o nariz queimado de sol do mesmo jeitinho que eu lembrava tão bem.

– É melhor que tenha – falou. – Tenho certeza de que estou fedendo de uma forma inacreditável.

Suspirou e se esticou à vontade no banco dianteiro do ricomóvel enquanto deslizávamos na autoestrada com a velocidade silenciosa de um trem elétrico. "Bem, isso é muito fino", ela disse, examinando o interior do carro. "De que marca é?" Eu disse de qual era. "Temos um Volvo em casa", ela prosseguiu. "Bede diz que são muito seguros."

– A segurança não é tudo – eu disse.

– Não, não é – ela falou com uma risadinha.

– Isso é um sonho que se realizou, sabe – fui falando. – Há meses que fantasio levar você neste carro.

– Ah, é? – ela me deu um sorriso tímido e perplexo. Não contei que nas minhas fantasias ela ainda era adolescente.

Alguns quilômetros adiante, encontramos um bar com cadeiras e mesas do lado de fora à sombra de um antigo carvalho, longe da tagarelice da televisão e dos silvos da máquina de café. Tomando uma cerveja e um *citron pressé*, tivemos a primeira de muitas conversas que aos poucos preencheram a lacuna de 35 anos de informações. A primeira coisa que Maureen queria saber, o que era bastante natural, era o motivo de eu a ter procurado. Fiz um relato resumido do que eu já escrevera nessas páginas: que minha vida estava uma bagunça, tanto em termos pessoais quanto profissionais, que de repente nosso relacionamento me voltou à memória e lembrei o quanto eu a tratara mal no final, e fora consumido por um desejo de vê-la de novo. "Para conseguir uma absolvição", falei.

Maureen corou por baixo da queimadura de sol.

– Minha nossa, Laurence, não precisa pedir uma coisa dessas. Faz quase quarenta anos. Éramos praticamente crianças.

– Mas deve ter doído na época.

– Ah, sim, claro. Chorei na cama por um bom tempo...

– Então você vê.

– Mas as mocinhas sempre fazem isso. Você foi o primeiro menino por quem eu chorei, mas não o último – ela riu. – Ficou surpreso?

– Está falando de Bede? – perguntei.

– Ah, não, não *Bede* – ela espremeu o rosto em uma careta engraçada. – Consegue imaginar alguém chorando por Bede? Não, houve outros antes dele. Um arquivista lindo demais por quem me apaixonei desesperadamente, como todas as outras enfermeiras estagiárias do hospital. Duvido que ele sequer soubesse meu nome. E, depois de receber minha qualificação, houve um residente com quem tive um caso.

– Está dizendo... no sentido completo da palavra? – fitei-a incrédulo.

– Dormi com ele, se é isso que está perguntando. Não sei por que estou contando todos esses detalhes íntimos, mas de alguma forma, quanto mais velho a gente fica, menos se preocupa com o que as pessoas sabem, não acha? É o mesmo com o corpo. Nos hospitais são sempre os pacientes jovens que ficam mais constrangidos em serem lavados e auxiliados com a comadre ou o urinol e por aí vai. Os mais velhos não estão nem aí.

– Mas e sua religião? Quando teve o caso?

— Ah, sabia que estava cometendo um pecado mortal. Mas fiz assim mesmo, porque o amava. Achei que fosse se casar comigo, sabe? Disse que se casaria. Mas mudou de ideia, ou quem sabe estivesse mentindo. Então, depois de superar tudo, me casei com Bede.

— Dormiu com ele primeiro? — a pergunta soou rude quando a formulei, mas a curiosidade se sobrepôs às boas maneiras.

Maureen balançou de tanto rir.

— Minha nossa, não! Bede teria ficado chocado só em pensar nisso.

Ponderei essas revelações surpreendentes em silêncio por alguns momentos.

— Então não está guardando rancor em relação a mim por todo esse tempo? — falei afinal.

— É claro que não! Sério. Nem cheguei a pensar em você por... nem sei por quantos anos.

Acho que estava tentando me tranquilizar, mas fiquei magoado, preciso admitir.

— Não acompanhou minha carreira, então? — perguntei.

— Deveria? Você é extremamente famoso?

— Não sou exatamente famoso. Mas tive certo sucesso como roteirista de televisão. Alguma vez assistiu a *O pessoal da casa ao lado*?

— É um programa de comédia, daquele tipo em que a gente escuta um monte de gente rindo, mas não dá para ver a cara deles?

— É uma sitcom, isso mesmo.

— A gente tenta evitar esses, receio. Mas agora que sei que você escreve para ele...

— Escrevo tudo. Foi ideia minha. Sou conhecido como Tubby Passmore — falei, desesperado em despertar alguma fagulha de reconhecimento.

— É mesmo? — Maureen riu e franziu o nariz. — Tubby!

— Mas prefiro que você me chame de Laurence — falei, me arrependendo da revelação. — Lembra os velhos tempos.

Mas dali em diante ela me chamou de Tubby. Parecia estar adorando o nome e disse que não conseguia tirá-lo da cabeça.

– Tento dizer "Laurence", mas "Tubby" é o que sai da minha boca – confessou.

No dia em que nos encontramos, Maureen estava tentando chegar a Astorga. Recusou-se a me deixar levá-la além do café, mas, admitindo que sua perna doesse, concordou em me permitir levar sua mochila adiante. Ela estava planejando passar a noite no refúgio local, descrito de forma nada convidativa no guia de viagem dos peregrinos como um "ginásio mal equipado". Maureen fez uma careta. "Isso significa que não tem chuveiro." Falei que ficaria amargamente desapontado se não aceitasse ser minha convidada para jantar nesse dia tão memorável, e que ela podia tomar banho no meu quarto de hotel. Ela aceitou a oferta de bom grado, e combinamos de nos encontrar na entrada da catedral. Dirigi até Astorga e fiz o check-in no hotel, reservando um quarto extra para Maureen na esperança de convencê-la a aceitar. (Ela aceitou.) Enquanto aguardava, fiz um passeio turístico em Astorga. Tem uma catedral que é gótica por dentro e barroca por fora (eu já estava conseguindo notar alguma diferença a essa altura) e o Palácio do Bispo, parecido com um castelo de contos de fada construído por Gaudí, que projetou aquela igreja do tamanho de uma catedral, estranha e não concluída em Barcelona, com pináculos que parecem buchas enormes. Astorga também se vanglória de montes de relíquias, incluindo um fragmento da Cruz Verdadeira e um pedaço do estandarte da mítica batalha de Clavijo.

Maureen apareceu na catedral cerca de três horas depois de nos despedirmos, sorrindo e dizendo que, sem o peso da mochila, a caminhada fora como um passeio de domingo à tarde. Pedi para examinar sua perna e não gostei muito do que vi embaixo do curativo empoeirado. A panturrilha estava com hematomas, desbotada e a junta do tornozelo inchada. "Acho que deveria mostrar isso para um médico", falei. Maureen disse que vira um médico em León, ele diagnosticou distensão nos ligamentos, recomendou repouso e receitou uma pomada que ajudou um pouco. Ela descansara a perna por quatro dias, mas seguia incomodando-a.

– Você precisa é de quatro meses – falei. – Conheço um pouco esse tipo de lesão. Não vai passar a menos que cancele a peregrinação.
– Não vou desistir agora – ela disse. – Não depois de chegar até aqui.
Eu a conhecia bem para não gastar saliva tentando persuadi-la a abrir mão e voltar para casa. Em vez disso, inventei um plano para ajudá-la a chegar a Santiago da forma mais confortável e honrosa possível. Todos os dias eu dirigiria com a mochila dela até um ponto de encontro combinado e reservaria alguma estalagem modesta ou pousada. Maureen não tinha qualquer objeção por princípios sobre tais acomodações. Em certas ocasiões, se mimoseara assim, e os refúgios estavam, ela contou, se tornando cada vez mais cheios e desagradáveis à medida que se aproximava de Santiago. Mas suas economias estavam acabando, e não queria telefonar e pedir que Bede mandasse mais dinheiro. Concordou em me deixar pagar por nossos quartos com a condição de que me devolveria sua parte quando voltássemos à Inglaterra, e mantinha anotações escrupulosas de nossos gastos.
Fomos nos acercando de Santiago bem aos poucos. Mesmo sem a mochila, Maureen não conseguia caminhar mais de dez a doze quilômetros por dia sem desconforto, e podia levar até quatro horas para cobrir mesmo essa modesta distância. Em geral, depois de garantir as acomodações, eu caminhava de volta pelo Caminho, para o leste, a fim de encontrá-la e fazer companhia no último estirão. Fiquei contente por meu joelho ter aguentado bem o exercício, mesmo quando o trajeto era íngreme e irregular. Na verdade, percebi que não havia sentido uma única pontada desde que chegara a St. Jean Pied-de-Port. "É São Tiago", Maureen explicou, quando comentei isso. "É um fenômeno bem conhecido. Ele ajuda a gente. Eu nunca teria chegado tão longe sem ele. Lembro quando estava subindo o passo pelos Pireneus, encharcada até o caroço e completamente exausta, sentindo que não podia dar mais um passo e acabaria rolando para dentro de uma vala e morrer, senti uma força, como se fosse uma mão na

lombar me empurrando para cima, e, antes que me desse conta de onde estava, cheguei ao topo."

Não sabia dizer o quanto ela estava falando sério. Quando perguntei se ela acreditava que São Tiago estava de fato enterrado em Santiago, deu de ombros e disse: "Não sei. Nunca vamos saber com certeza, não importa o que façam". Indaguei: "Não a incomoda que milhões de pessoas possam estar vindo para cá há séculos, tudo por conta de um erro de grafia?". Estava exibindo um pouco do conhecimento adquirido de um dos meus guias de viagem: aparentemente a associação de São Tiago com a Espanha tem origem em um escriba que assinalou por engano que o caminho do apóstolo era "Hispaniam" em vez de "Hierusalem" (leia-se Jerusalém). "Não", ela respondeu. "Acho que ele está por aqui em algum lugar. Com tantas pessoas caminhando por Santiago para lhe render homenagens, seria difícil ele ficar longe, não é?" Mas seu olhar brilhava quando falava dessas coisas, como se fosse uma piada particular, ou uma provocação, com a ideia de escandalizar céticos protestantes como eu.

Não havia nada frívolo sobre o compromisso dela com a peregrinação. "*É absurdo, muito absurdo*", lembrei do comentário de Bede, mas a palavra tinha uma ressonância kierkegaardiana para mim que ele não intencionara. Na aldeia medieval de Villafranca, há uma igreja dedicada a São Tiago com um avarandado chamado de *Puerta del Perdón*, a porta do perdão, e, segundo a tradição, se um peregrino estivesse doente e chegasse até essa porta, poderia dar meia-volta e ir para casa com todas as graças e bênçãos de uma peregrinação completada por inteiro. Assinalei essa brecha no contrato para Maureen quando chegamos a Villafranca e pressionei para que aproveitasse a oportunidade. Ela riu, a princípio, mas ficou bastante irritada quando insisti. Depois disso, nunca mais tentei dissuadi-la de tentar chegar a Santiago.

Para dizer a verdade, teria ficado quase tão desapontado quanto a própria Maureen se ela não conseguisse chegar lá. A peregrinação, mesmo no formato bastardo e motorizado que eu estava fazendo, começara a me enfeitiçar. Sentia, mesmo que apenas de modo fragmentário, o que Maureen experimentara mais profunda e intensamente no percurso de sua longa marcha saindo de Le Puy. "Você parece sair fora do tempo. Não presta atenção às notícias. As imagens que vê na tevê, nos bares e cafés, dos políticos e carros-bomba e corridas de bicicleta não prendem sua atenção por mais de poucos segundos. Tudo que importa são as coisas básicas: se alimentar, não ficar desidratado, sarar as bolhas, chegar ao próximo ponto de parada antes que fique quente demais ou frio demais, ou molhado demais. Sobreviver. Em um primeiro momento, pensa que vai enlouquecer com a solidão e a fadiga, mas depois de um tempo ressente a presença de outras pessoas, preferia estar caminhando sozinho, estar sozinho com seus pensamentos e a dor nos pés."

– Preferia que eu não estivesse aqui, então? – perguntei.

– Oh, não, minha corda estava quase arrebentando quando você apareceu, Tubby. Jamais teria chegado até aqui sem você.

Franzi a testa, como Ryan Giggs quando acertava o gol com seu cruzamento perfeito. Mas Maureen limpou o franzido da minha cara quando acrescentou: "Foi como um milagre. Coisa de São Tiago".

No devido tempo, falou sobre a morte de Damien e de como isso a levara a fazer a peregrinação.

– É algo terrível quando um filho morre antes dos pais. Parece antinatural. É impossível não pensar em todas as coisas que ele nunca vai vivenciar, como o casamento, ter filhos, netos. Felizmente acho que Damien conheceu o amor. Isso é um consolo. Tinha uma namorada na África, ela trabalhava para a mesma organização. Parecia muito bonita nas fotos. Escreveu uma linda carta para nós depois da morte dele. Espero que eles tenham transado. Acho que devem ter transado, não acha?

Falei que sim, sem dúvida.

– Quando era estudante em Cambridge, trouxe uma moça para casa uma vez, não a mesma, e perguntou se podiam dormir juntos no quarto dele. Falei que não, não na minha casa. Mas teria deixado se soubesse como a vida dele seria curta.

Falei que não deve se culpar por atitudes que eram perfeitamente sensatas naquele determinado momento.

– Ah, não me culpo – afirmou. – É Bede quem faz isso, embora negue. Acha que deveria ter se esforçado mais em convencer Damien a não fazer do auxílio humanitário uma carreira. Damien fez trabalho voluntário no exterior, entende, depois de se formar. Estava planejando voltar a Cambridge depois e fazer um ph.D. Mas decidiu ficar na África. Amava o povo. Amava o trabalho. Teve uma vida plena, uma vida muito intensa, embora curta. E fez muita coisa boa. Fico repetindo isso para mim mesma depois do assassinato. Isso não ajudou Bede. Ele caiu em uma depressão terrível. Quando se aposentou, ficava se arrastando pela casa o dia inteiro, olhando para o vazio. Não consegui suportar aquilo. Decidi que precisava fugir para algum lugar, sozinha. Li um artigo sobre a peregrinação em uma revista e me pareceu ser bem do que eu precisava. Algo bastante desafiador e com uma definição clara, algo que ocuparia a pessoa por completo, de corpo e alma por dois ou três meses. Li um livro sobre a história e fiquei fascinada. Literalmente milhões de peregrinos passaram por esta estrada, quando a única forma de percorrer o trajeto era a pé ou a cavalo. Devem ter tirado algo tremendo da experiência, pensei comigo, ou as pessoas não seguiriam fazendo a mesma coisa. Comprei um guia do percurso por meio da Confraria de São Tiago, uma mochila, um saco de dormir e o resto do equipamento comprei na loja de acampamento que fica na High Street de Wimbledon. A família achou que eu havia enlouquecido, claro, e tentou me dissuadir. As outras pessoas presumiram que eu estava fazendo como uma caminhada patrocinada por caridade. Falei que não, fiz coisas pelos outros a vida inteira, isso é para mim. Fui enfermeira, sou da organização samaritana, sou...

– É mesmo? – exclamei. – Você é uma voluntária samaritana? Bede não mencionou.

– Bede nunca aprovou de fato – Maureen explicou. – Pensava que todo aquele desespero vazaria pelo telefone e acabaria me infectando.

– Aposto que você é boa nisso – falei.

— Bem, perdi apenas um cliente em seis anos – ela disse. – Digo, só um realmente se matou. Um histórico nada ruim. Mas, veja, descobri que fiquei menos compassiva depois de Damien ser assassinado. Não tinha mais a mesma paciência com algumas das pessoas que telefonavam, os problemas deles pareciam tão mais triviais que os meus. Sabe qual é o dia de maior movimento para nós?
— O dia de Natal?
— Não, o Natal é o segundo. O número um é o Dia dos Namorados. Faz a gente pensar, não?

Em nossa lenta e volteada morosidade ao longo do Caminho, com frequência éramos ultrapassados por andarilhos mais jovens, mais em forma ou mais revigorados. Quanto mais perto chegávamos de Santiago, mais eles aumentavam em número. O clímax anual da peregrinação, a festa de São Tiago no dia 25 de julho, seria em poucas semanas, e todos estavam ansiosos para chegar lá a tempo. Às vezes, de um ponto alto da estrada, era possível observar o Caminho serpenteando por quilômetros à frente, com os peregrinos andando sozinhos, em pares ou em grupos maiores, espaçados ao longo do trajeto como as contas de um colar, até onde a vista alcançava, bem como deve ter sido na Idade Média.

Em Cebrero, encontramos uma equipe da TV Britânica fazendo um documentário sobre a peregrinação. Estavam abordando os peregrinos do lado de fora de uma igrejinha e perguntando sobre seus motivos. Maureen se recusou terminantemente a participar. O diretor, um camarada grandalhão e loiro vestindo bermuda e camiseta, tentou convencê-la a mudar de ideia. "Precisamos desesperadamente de uma mulher mais velha que fale inglês", ele disse. "Não aguentamos mais os jovenzinhos espanhóis e os ciclistas belgas. Você seria perfeita." "Não, obrigada", Maureen respondeu. "Não quero aparecer na televisão." O diretor pareceu ter ficado magoado: as pessoas da mídia nunca entendem que o restante do mundo não tem as mesmas prioridades que eles. Ele se voltou para mim como uma segunda opção. "Não sou um peregrino de verdade", falei.

— Ah! E quem é um peregrino de verdade? – falou com os olhos se iluminando.

— Alguém para quem isso é um ato existencial de autodefinição – saí dizendo. – Um salto no absurdo, no sentido do que falava Kierkegaard. Digo, o que poderia ser...

— Pare! – gritou o diretor. – Não diga mais nada. Quero filmar isso. Vá chamar David, Linda – acrescentou para uma moça sardenta de cabelos cor de areia agarrada a uma prancheta. Tudo indicava que David era o roteirista e apresentador do programa, mas não conseguiram encontrá-lo. – Está provavelmente de mau humor porque precisou *caminhar* de verdade um pouco hoje de manhã – resmungou o diretor, que também se chamava David, o que era confuso. – Eu mesmo vou ter de fazer a entrevista.

Então posicionaram a câmera e, depois do atraso habitual enquanto o diretor decidia o enquadramento da gravação, e o cinegrafista e seu operador de foco fuçavam em lentes, filtros e refletores, e o homem do som estava satisfeito com o nível do ruído de fundo, e a assistente de produção havia impedido as pessoas de entrarem e saírem de quadro atrás de mim, destilei minha interpretação existencialista da peregrinação para a câmera. (Maureen àquela altura havia se entediado e saíra para dar uma olhada na igreja.) Descrevi os três estágios do desenvolvimento pessoal segundo Kierkegaard – o estético, o ético e o religioso – e sugeri que havia três tipos correspondentes de peregrinos. (Andara refletindo sobre isso na estrada.) O tipo estético estava primordialmente preocupado em se divertir, curtindo os prazeres pitorescos e culturais do Caminho. O tipo ético via a peregrinação como, essencialmente, um teste de vigor e autodisciplina. Ele (ou ela) tinha uma noção rigorosa do que era o comportamento correto de um peregrino (não podendo se hospedar em hotéis, por exemplo) e era muito competitivo(a) com outros no percurso. O verdadeiro peregrino era o religioso, religioso no sentido kierkegaardiano. Para Kierkegaard, o cristianismo era "absurdo": se fosse inteiramente racional, não haveria mérito em acreditar em nada. O ponto em questão é que a pessoa escolhe acreditar sem compulsão racional – você dá um salto no vazio e, no decorrer do processo, escolhe a si próprio. Caminhar mais de mil quilômetros até o santuário de Santiago sem saber se há alguém de fato enterrado lá era um salto desses. O peregrino estético não finge ser um peregrino verdadeiro. O peregrino ético está sempre se preocupando em saber se *é* um peregrino verdadeiro. O verdadeiro peregrino apenas peregrina.

– Corta! Ótimo. Muito obrigado – disse o diretor. – Pegue a assinatura dele na autorização de uso de imagem, Linda.

Linda sorriu para mim, com a caneta em riste sobre a prancheta.

– Vai receber 25 libras se usarmos – ela falou. – Como é seu nome, por favor?

– Laurence Passmore – respondi.

O cara do som, que ajeitava o equipamento, levantou o rosto de repente. "Não o Tubby Passmore?" Assenti, e ele bateu na coxa. "Sabia que conhecia você de algum lugar. Foi no refeitório da Heartland uns anos atrás. Ei, David!", chamou o diretor, que estava indo em busca de uma próxima vítima, "Adivinha quem é esse cara – Tubby Passmore, o roteirista. *O pessoal da casa ao lado*". Ele se virou para mim: "O programa é ótimo, nunca perco quando estou em casa".

O diretor se virou devagar.

– Ah, não – falou e fez uma mímica de quem se dá um tiro na cabeça com o indicador. – Então era tudo gozação? – ele riu magoado. – Caímos direitinho.

– Não estava de gozação – falei. Mas não acho que ele tenha acreditado em mim.

Os dias passavam em um ritmo lento e regular. Acordávamos cedo, para que Maureen pudesse partir aproveitando o frescor matinal. Em geral ela chegava ao nosso ponto de encontro por volta do meio-dia. Depois de um longo e aprazível almoço espanhol, nos retirávamos para uma sesta e dormíamos até passar o calor da tarde, voltando à vida de novo à noitinha, quando confraternizávamos com os nativos, comendo petiscos em bares de *tapas* e experimentando o *vino* local. Não sei descrever o quanto me sentia à vontade na companhia de Maureen, como foi rápido para retomarmos nossa antiga familiaridade. Embora conversássemos muito, em geral estávamos felizes em dividir um silêncio compartilhado, como se estivéssemos apreciando a fase final de uma longa vida felizes juntos. As outras pessoas com certeza pressupunham que fôssemos casados, ou pelo menos um casal; e o pessoal do hotel sempre ficava um pouco surpreso que estivéssemos ocupando quartos separados.

Uma noite, depois de falar por um bom tempo sobre Damien, aparentemente de bem com a vida, até mesmo rindo ao lembrar algum contratempo infantil que ele tivera, escutei-a chorando no quarto ao lado, através da fina divisória do hotel sem estrelas onde estávamos ficando. Bati à porta e, ao descobrir que não estava trancada, entrei. A luz de um poste do lado de fora da janela entrava pelas cortinas e iluminava um pouco o quarto. Maureen era uma silhueta encolhida que se remexeu e se ajeitou na cama contra a parede.

– É você, Tubby? – perguntou.

– Pensei ter ouvido você chorando – expliquei. Tateei pelo quarto, tropecei em uma cadeira ao lado da cama e me sentei ali. – Está tudo bem?

– Eu estava falando de Damien – ela disse. – Sigo pensando que já superei, e então descubro que não.

Ela voltou a chorar. Apalpei até encontrar sua mão e a segurei. Ela apertou a minha, aliviada.

– Eu poderia abraçá-la se fosse ajudar em alguma coisa – ofereci.

– Não, estou bem – falou.

– Eu gostaria. Gostaria muito – insisti.

– Não acho que seja uma boa ideia, Tubby.

– Não estou sugerindo que a gente faça nada além disso – falei. – Só um aconchego. Vai ajudar você a dormir.

Deitei ao lado dela na cama, do lado de fora do cobertor e do lençol, e pus o braço em torno de sua cintura. Ela se virou de lado, de costas para mim, e me enrosquei em torno de sua bunda ampla e macia. Ela parou de chorar, e a respiração se regularizou. Nós dois pegamos no sono.

Acordei não sei quantas horas mais tarde. O ar da noite esfriara e meus pés estavam gelados. Sentei e comecei a esfregá-los. Maureen se mexeu. "O que foi?", perguntou.

– Nada. Só estou passando um pouco de frio. Posso entrar embaixo das cobertas?

Ela não disse que não, então levantei o lençol e o cobertor e me aconcheguei nela. Ela vestia uma camisola de algodão fina e sem mangas. Um aroma agradável e quente, como o cheiro de pão saindo do forno, emanou de seu corpo. Não era de admirar que eu tivesse uma ereção.

– Acho que talvez fosse melhor você voltar para sua cama – Maureen disse.

– Por quê?

– Pode levar um choque e tanto se ficar aqui – disse.

– Do que está falando?

Ela estava deitada de costas, eu massageava sua barriga, com muita suavidade, por cima da camisola com as pontas dos dedos – era algo que Sally gostava que eu fizesse quando estava grávida. Minha cabeça estava apoiada em um dos seios grandes e redondos de Maureen. Muito devagarinho, prendendo a respiração, subi minha mão para tomar o outro, do mesmo jeito que fizera tantos anos antes, na parte baixa, escura e úmida do jardim da casa dela no número 94 em Treglowan Road.

Mas ele não estava lá.

– Eu bem que avisei – Maureen disse.

Foi um choque, claro, como subir escadas no escuro e descobrir que tem um degrau a menos do que se espera. Puxei a mão, por reflexo, mas pus de volta quase que imediatamente no platô de pele e osso. Pude acompanhar a linha irregular de uma cicatriz, como o diagrama de uma constelação, por baixo do tecido fino da camisola.

– Não me importo – falei.

– Se importa, sim – afirmou.

— Não, não me importo — repeti e desabotoei a frente da camisola e beijei a carne franzida onde seu seio estivera.

— Oh, Tubby — ela disse. — Essa foi a melhor coisa que alguém já fez comigo.

— Quer fazer amor? — perguntei.

— Não.

— Bede nunca vai saber — eu parecia escutar o eco de outra conversa do passado.

— Não seria certo — explicou. — Não em uma peregrinação.

Falei que entendia, beijei-a e saí da cama. Ela se sentou, pôs os braços ao meu redor e me beijou de novo, com muito afeto, nos lábios:

— Obrigada, Tubby, você é um amor — ela disse.

Voltei para meu quarto e fiquei acordado na cama por um tempo. Não vou dizer que os problemas e desapontamentos da minha vida pareciam banais comparados aos de Maureen, mas certamente pareciam menores. Ela não só perdera um filho querido — perdera um seio, uma parte do corpo da mulher que define sua identidade sexual talvez de maneira mais óbvia que qualquer outra. E, embora a própria Maureen tivesse com certeza dito que a primeira perda era maior, foi esta última a que me afetou mais, talvez porque eu nunca chegara a conhecer Damien, mas conhecera aquele seio, conhecera e amara — e escrevera sobre ele. Minhas memórias tornaram-se uma elegia.

Caminhei o último trecho inteiro da peregrinação com Maureen. Pus algumas coisas para passar a noite na mochila dela, e dividimos o fardo de carregá-la. Deixei o carro em Labacolla, um lugarejo a uns doze quilômetros de Santiago, perto do aeroporto, onde os peregrinos de antigamente costumavam se lavar em preparação à sua chegada ao santuário. O nome literalmente quer dizer "lava bunda", e as bundas dos peregrinos medievais provavelmente precisavam de uma boa esfregada quando eles enfim chegavam ali.

Era uma manhã quente e ensolarada. A primeira parte do trajeto foi por dentro de um bosque e depois atravessando plantações com um campo aberto muito agradável à nossa esquerda e o ronco do tráfego da estrada principal à nossa direita. Então chegamos a um vilarejo em cuja ponta fica o Monte del Gozo, o "Monte da Alegria", de onde os peregrinos avistavam Santiago pela primeira vez. Nos tempos antigos, costumava haver uma corrida até o topo entre cada grupo, para conseguir ser o primeiro a avistar o objetivo tão desejado. É quase um anticlímax hoje em dia, porque o morro foi quase todo coberto por um imenso anfiteatro, e daquela distância Santiago se parece com qualquer outra cidade moderna, cercada de autoestradas, parques industriais e blocos de construções. Com esforço, ou uma vista muito boa, pode se entrever as torres da catedral.

Mesmo assim, estava muito feliz ao entrar em Santiago. Consegui compartilhar um pouco da excitação e júbilo de Maureen ao alcançar a linha de chegada de sua maratona; até senti um fiapo de excitação e júbilo eu mesmo. A gente percebe muito mais a pé do que de carro, e a vagarosidade do caminhar gera uma espécie de tensão dramática, atrasando a consumação da jornada. Marchar pelos modernos arredores da cidade só enfatiza o prazer e o alívio de chegar a seu lindíssimo centro antigo, com suas ruas tortuosas e sombreadas, ângulos estranhos e telhados irregulares. Você vira uma esquina e ali, de repente, está na imensa Plaza del Obradoiro, olhando para os espigões gêmeos das torres da antiga catedral.

Chegamos no dia 24 de julho, e Santiago estava transbordando de gente. A *fiesta* de quatro dias já havia começado, com bandas marciais, imensas efígies andando sobre pernas de pau e músicos itinerantes vagueando pelas ruas e praças. Os peregrinos genuínos como Maureen eram afogados por centenas e milhares de visitantes, tanto turistas laicos quanto católicos devotos que chegaram de avião, trem, ônibus ou carro. Foi dito que a multidão estava especialmente numerosa porque era um ano sagrado, quando a festa de São Tiago cai em um domingo, e as bênçãos e indulgências ligadas ao santuário têm um poder especial. Sugeri a Maureen que deveríamos tratar de arrumar hospedagem sem demora, mas ela estava impaciente para visitar a Catedral. Concedi. Parecia de todo modo improvável que fôssemos arrumar algum lugar para ficar na cidade antiga, e estava resignado a voltar para Labacolla para passar a noite.

A Catedral parecia uma barafunda em termos arquitetônicos, mas, como se diz em televisão, ela funciona. A fachada com decoração rebuscada é em barroco do século XVIII, com uma grande escadaria entre as duas torres e espigões. Atrás dela fica o pórtico da antiga construção romanesca, o Portico de la Gloria, talhado por um gênio medieval chamado Maestro Matteo. Retrata em detalhes impressionantes e por vezes bem-humorados umas duzentas figuras, incluindo Jesus, Adão e Eva, Mateus, Marcos, Lucas e João, 24 velhotes com instrumentos musicais saídos do Livro do Apocalipse e uma seleção entre salvos e condenados do Juízo Final. São Tiago tem o lugar de honra, sentado sobre um pilar logo abaixo dos pés de Jesus. É costume dos visitantes da catedral se ajoelharem aos pés da pilastra e posicionarem os dedos nos espaços ocos, como os buracos de uma manopla, gastos no mármore pelos séculos de adoração. Havia uma longa fila de pessoas, muitas delas dali mesmo, a julgar por suas roupas e tipo físico, esperando para fazer o ritual. Percebendo Maureen, com seu cajado, mochila e roupas desbotadas, uma peregrina genuína, as pessoas da frente da fila abriram espaço, respeitosamente, e gesticularam para que ela se adiantasse. As bochechas bronzeadas enrubesceram, e ela meneou a cabeça. "Vai lá", incitei. "Este é seu grande momento. Vá em frente." Então ela deu um passo adiante e caiu de joelhos e, com uma palma pressionada contra o pilar, encaixou os dedos da outra mão nos buracos, rezando por um instante de olhos fechados.

Do outro lado do pilar, na base, Maestro Matteo esculpiu um busto de si mesmo, e é costume encostar a cabeça na dele para adquirir um pouco de sua sabedoria. Isso era mais o meu estilo de invencionice, e fui lá devidamente bater minha testa contra a de mármore. Observei certa confusão entre os dois rituais. De vez em quando, alguém batia a cabeça contra o pilar embaixo da estátua de São Tiago ao posicionar os dedos nos buracos, e então todo mundo na fila atrás da pessoa imitava. Fiquei tentado a dar uma palmada no meu traseiro, como um dançarino folclórico da Bavária, ao fazer a homenagem, só para ver se pegava, mas não tive coragem.

Entramos em outra fila de pessoas esperando a vez de abraçar a estátua de São Tiago no altar principal. O fundo da Catedral era um cenário fantástico exagerado em mármore e ouro folheado e madeira pintada e esculpida. São Tiago Mata-Mouros, vestido e montado como um oficial da cavalaria renascentista, ataca com sua espada desembainhada acima do dossel, que é apoiado por quatro anjos gigantescos tocando trombetas. O apóstolo São Tiago, recoberto de prata e ouro folheados incrustados de pedras, preside sobre o altar, parecendo mais um ídolo pagão do que um santo cristão, especialmente quando, visto da nave principal da igreja, ele parece ter criado um par extra de braços. Estes pertencem às pessoas que, de pé sobre a pequena plataforma atrás do altar, o abraçam e, se forem peregrinos, rezam por aqueles que os ajudaram no caminho – o tradicional "abraço do santo". Embaixo do altar fica a cripta com o pequeno caixão de prata contendo os restos mortais do santo – ou não, conforme for.

– Não foi maravilhoso? – Maureen disse, ao sairmos da Catedral para o brilho do sol na praça com suas multidões em movimento.

Concordei que era; mas não conseguia evitar de reparar no contraste da pompa e circunstância do santuário com a pequena sala de mobiliário austero do Museu de Copenhague, com sua meia dúzia de armarinhos contendo alguns poucos objetos simplórios, livros e fotos, e o monumento modesto no cemitério da igreja. Fiquei imaginando se Kierkegaard fosse católico, se teriam feito dele um santo e construído uma basílica em cima de sua tumba. Ele teria sido um ótimo patrono dos neuróticos.

– Agora precisamos mesmo procurar um lugar para ficar – falei.

– Não se preocupe com isso – Maureen disse. – Primeiro preciso conseguir minha *compostela*.

Fomos orientados para um pequeno escritório perto de uma praça nos fundos da Catedral. Do lado de fora, um grupo de jovens alemães bronzeados, com ar jubilante, vestindo *lederhosen* e botas, estavam tirando fotos uns dos outros, triunfantemente abanando seus pedaços de papel para a câmera. Maureen fez fila lá dentro e entregou seu passaporte amassado e manchado para um jovem padre de terno preto sentado atrás de uma escrivaninha. Ele admirou o número de carimbos que ela colecionara e apertou sua mão ao entregar o certificado.

– *Agora* podemos procurar um hotel? – perguntei, ao deixarmos o escritório.

– Bom, na verdade – Maureen disse com uma risada um pouco constrangida –, reservei um quarto no Reyes Catolicos. Fiz isso antes de sair da Inglaterra.

O Hostal de los Reyes Catolicos é um prédio renascentista magnífico que margeia a Plaza del Obradoiro do lado esquerdo de quem está de frente para a Catedral. Originalmente o *refugio* para completar todos os *refugios*, fundado pelo rei Ferdinando e a rainha Isabela para receber e cuidar dos peregrinos, é agora um *parador* cinco estrelas, um dos mais luxuosos hotéis da Espanha, ou, na verdade, de qualquer lugar.

– Fantástico! Por que não me avisou? – exclamei.

– Bem, temos um probleminha. É apenas um quarto, e fiz a reserva no nome de Sr. e Sra. Harrington. Pensei que Bede fosse viajar para cá e se juntar a mim. Mas ele foi tão grosseiro com a peregrinação que nunca contei para ele.

– Bem, então – falei – só preciso me fazer passar por Bede. Não será a primeira vez.

– Você não se importa em dividir?

– Nem um pouco.

– Pedi por duas camas de solteiro, de qualquer forma – disse Maureen. – Bede prefere assim.

– Que pena – falei e me diverti com o enrubescimento dela.

Ao nos aproximarmos do hotel, uma limusine vistosa chegou de mansinho sobre os paralelepípedos para apanhar um casal idoso muito bem vestido parado em frente à entrada. O porteiro, de libré e luvas brancas, embolsou a gorjeta, fechou a porta do carro e acenou para o motorista partir. Ele nos olhou com desaprovação.

– Minha *compostela* me dá direito a uma refeição gratuita aqui – Maureen murmurou. – Mas me contaram que servem uma comida bem nojenta e fazem as pessoas comerem em uma saleta encardida ao lado da cozinha.

O porteiro evidentemente pensou que era esse o nosso motivo para nos aproximarmos do hotel, pois disse algo bastante desdenhoso em espanhol e gesticulou em direção aos fundos do prédio. Era uma presunção compreensível, suponho, dada nossa aparência um tanto desalinhada, mas derivamos certa satisfação em colocá-lo no seu devido lugar. "Temos reserva", disse Maureen, passando com ar majestoso pelo homem e empurrando as portas oscilantes. Um carregador correu atrás de nós no saguão. Eu lhe entreguei a mochila para segurar, enquanto fui até a recepção. "Sr. e Sra. Harrington", falei todo audacioso. O funcionário era educado e cortês. Foi engraçado, mas ele se parecia muito com Bede, alto, curvo e com ar acadêmico, com cabelos brancos e óculos fundo de garrafa. Verificou no computador e me entregou o cartão de reserva para preencher. Maureen havia reservado por três noites e pagado um depósito substancial.

– Como podia ter certeza de que chegaria aqui na hora certa? – falei assombrado, enquanto seguíamos o carregador que tentava com alguma dificuldade carregar a mochila como se fosse uma mala até o quarto.

– Eu tive fé – respondeu simplesmente.

O Hostal é disposto em quatro quadrados sofisticados, com claustros, canteiros de flores e chafarizes, cada um deles dedicado a um dos evangelistas. Nosso quarto ficava no Mateus. Era grande e luxuoso, as camas de solteiro tinham o tamanho de meio-casal. Samantha teria adorado. Havia dezesseis toalhas brancas e fofas de diferentes tamanhos no banheiro revestido de mármore e nenhuma bobagem sobre receber um cartão vermelho se você quisesse trocá-las. Maureen gemeu de alegria com a variedade de torneiras, bocais, espelhos ajustáveis e o secador de cabelos embutido e anunciou sua intenção de tomar um banho de banheira e lavar os cabelos imediatamente. No fundo da mochila, bem dobrado como um paraquedas dentro de um plástico, estava um vestido limpo de algodão que ela reservara para esse momento.

Entregou-o à camareira para que fosse passado, e tomei um táxi de volta a Labacolla para apanhar meu carro, que continha o terno de linho que eu não usara antes na viagem.

Assim, não desgraçamos o salão de jantar elegante do hotel naquela noite. A comida era tremendamente cara, mas muito boa. Depois, fomos até a praça e nos espremos entre a vasta multidão que aguardava para ver os fogos. Aquele devia ser o evento mais popular da *fiesta*. Os espanhóis adoram barulho, e com aquela demonstração pareciam determinados a compensar sua exclusão da Segunda Guerra Mundial. O clímax da apresentação se assemelhava a um ataque aéreo à Catedral, com a estrutura inteira aparentemente pegando fogo, as estátuas e a cantaria destacadas contra as chamas e estrondos de foguetes explodindo acima de nossas cabeças de forma ensurdecedora. Não conseguia entender que relação isso tinha com São Tiago, mas a multidão adorou. Houve um grande suspiro coletivo quando o imenso palco se extinguiu e voltou a ficar preto e uma explosão de gritos e palmas quando as luzes da cidade se acenderam. A multidão começou a se dispersar. Voltamos ao Reyes Catolicos. O porteiro nos saudou com um sorriso.

– Boa noite *señor, señora* – disse, ao abrir a porta.

Nós nos revezamos para usar o banheiro. Quando saí, Maureen já estava na cama. Inclinei-me para dar um beijo de boa noite. Ela pôs os braços ao redor do meu pescoço e me puxou para perto dela.

– Que dia – exclamou.

– É uma pena que sexo não seja permitido nas peregrinações – falei.

– Não estou mais peregrinando – ela disse. – Já cheguei.

Fizemos amor na posição papai e mamãe. Eu gozei – sem problemas. Nenhum problema com o joelho também.

– Nunca mais vou bater em São Tiago – falei depois.

– Do que está falando? – Maureen murmurou lânguida. Ela parecia ter se divertido também.

– Deixa pra lá – falei.

Quando acordei na manhã seguinte, Maureen não estava. Deixara um bilhete avisando que fora cedo até a Catedral, para reservar um lugar para a grande Missa de São Tiago; mas voltou enquanto eu estava tomando café para dizer que a igreja já estava lotada, então assistimos à missa pela televisão. É uma cerimônia pomposa, transmitida ao vivo em rede nacional. Não creio que Maureen tenha perdido muita coisa não estando lá. A maior parte da congregação parecia entorpecida pelo calor e pelo tédio da espera. O ponto alto da celebração é o balançar do *botafumeiro*, um incensário gigante, quase do tamanho de um sputnik, que é balançado do teto da catedral, largando nuvens de fumaça santa, por um time de seis homens corpulentos puxando uma maçaroca complicada de cordas e roldanas. Se um dia isso se desprendesse durante a missa, poderia eliminar a família real espanhola e um grande número dos cardeais e bispos do país.

Demos uma volta na cidade antiga, almoçamos e voltamos para o quarto para uma sesta. Fizemos amor antes de tirar a soneca e de novo à noite. Maureen estava tão ansiosa quanto eu.

– É como parar de comer doces durante a quaresma – comparou. – Quando chega a Páscoa, você vira um glutão.

No caso dela, a quaresma durara cinco anos, desde sua mastectomia. Ela disse que Bede não fora capaz de se adaptar.

– Ele não teve a intenção de ser grosseiro. Foi maravilhoso em seu apoio quando o tumor foi diagnosticado e enquanto eu estava no hospital, mas, quando voltei para casa, cometi o erro de mostrar para ele a cicatriz. Nunca vou esquecer a expressão em seu rosto. Receio que não conseguia tirar a imagem da cabeça. Tentei usar meu sutiã protético na cama, mas não fez diferença. Uns seis meses depois, sugeriu que trocássemos nossa cama de casal por duas de solteiro. Fingiu que era porque precisava de um colchão especial para sua coluna, mas eu sabia que isso significava que nossa vida sexual havia acabado.

– Mas isso é terrível! – falei. – Por que não larga dele e se casa comigo?

– Não seja ridículo – ela disse.

– Estou falando sério – afirmei. E estava.

Essa conversa se deu na beira de um penhasco com vista para o oceano Atlântico. Era nossa terceira noite desde a chegada a Santiago e nossa última juntos na Espanha. No dia seguinte, Maureen voaria de volta a Londres, com um bilhete comprado havia meses; depois de levá-la ao aeroporto, eu iria de ricomóvel até Santander para pegar a balsa até a Inglaterra.

Saímos de Santiago naquela tarde, depois de uma sesta especialmente apaixonada, em busca de um pouco de paz e calmaria – até Maureen já se enchera das multidões e do clamor das ruas. Descobrimos uma estrada indicando Finisterre e seguimos por ali. Devo ter escutado o nome mil vezes no rádio, em previsões marítimas e advertências de vendavais, sem saber que ficava na Espanha ou sacar que queria dizer "fim do mundo" em latim. Era bem longe – mais do que parecia pelo mapa. As colinas verdejantes da área ao redor de Santiago deram lugar a um terreno mais acidentado, de charnecas e capim soprado pelo vento entrecortado por grandes lajes de rocha cinzenta e alguma árvore ocasional teimosa e torta. Ao nos aproximarmos da ponta da península, a terra parecia curvar-se para cima como uma rampa, além da qual não avistávamos nada a não ser céu. Sentíamos de fato como se estivéssemos chegando ao fim do mundo; o fim de algo, de todo modo. Estacionamos o carro ao lado do farol, seguimos um caminho dando a volta para o outro lado da construção, e lá estava o mar aberto abaixo de nós, calmo e azul, num dégradé quase imperceptível até se unir com o céu no horizonte brumoso. Sentamo-nos sobre uma rocha quente e chata, em meio ao capim alto e flores silvestres, e assistimos ao sol, como uma grande hóstia de comunhão por detrás de um leve véu de nuvens, devagar, descer em direção à superfície rugosa do mar.

– Não – disse Maureen –, não poderia abandonar o pobre velho Bede. Como ele vai viver sem mim? Vai se despedaçar por completo.

– Mas você tem direito à felicidade – falei. – Sem dizer que eu também.

– Você vai ficar bem, Tubby – ela sorriu.

– Gosto da sua confiança. Sou um neurótico notório.

– Você me parece são.
– É por estar de novo com você.
– Tem sido maravilhoso – ela declarou. – Mas é como a peregrinação inteira, uma espécie de distorção no tempo, quando as regras normais não valem. Quando eu voltar para casa, volto a ser casada com Bede.
– Um casamento sem amor!
– Sem sexo, talvez, mas não sem amor – ela disse. – E, afinal, me casei com ele, na alegria e na tristeza.
– Nunca pensou em deixá-lo?
– Não, nunca. É o jeito como fui criada, acho. O divórcio não era cogitado por católicos. Sei que causou muita miséria para muita gente, mas funcionou para mim. Simplifica as coisas.
– Uma decisão a menos a tomar.
– Exato.
Ficamos quietos por um tempo. Maureen arrancou e mordeu uma folha de grama.
– Já pensou em tentar voltar para sua esposa? – sugeriu.
– Não faz sentido. Ela está decidida.
Eu havia, claro, contado a Maureen tudo sobre meu rompimento com Sally no decorrer de nossas conversas ao longo das últimas semanas, e ela escutara com um interesse perspicaz e compreensivo, mas sem emitir qualquer julgamento.
– Quando foi a última vez que a viu? – Maureen perguntou. Fiz o cálculo: devia fazer três meses. – Você pode ter mudado nesse período, mais do que imagina – Maureen disse. – Você mesmo me disse que estava um pouco fora de si na primavera – eu admiti que era verdade. – E Sally pode ter mudado também – Maureen disse.
– Ela pode estar esperando por uma aproximação de sua parte.
– Não era esse o teor das cartas de seu advogado – falei.
– Não pode se basear nelas – ela afirmou. – Os advogados são pagos para ameaçar.
– Verdade – concedi. Lembrei do telefonema bastante surpreendente de Sally logo antes de eu deixar Londres. Se eu não estivesse com tanta pressa em partir, poderia ter interpretado o tom como conciliatório.

Sentamo-nos e conversamos até o sol se pôr, e então jantamos em um restaurante na praia que parecia ter sido construído de madeira achada no mar, onde escolhemos em um tanque de água salgada nosso peixe, que eles grelharam para nós no carvão. Nada do que provamos no Reyes Catolicos chegava aos pés. Voltamos para casa no escuro, e, em algum lugar no meio das charnecas, eu parei o carro, apaguei as luzes e saímos para olhar as estrelas. Não havia uma única luz artificial por quilômetros e quase nenhuma poluição no ar. A Via Láctea se abria no céu de leste a oeste como um pálio de luz. Eu nunca a vira tão nitidamente.

– Nossa! – Maureen exalou. – Que maravilhoso. Imagino que enxergassem assim de qualquer lugar nos tempos antigos.

– Os gregos antigos pensavam que era o caminho até o paraíso – falei.

– Não me surpreende.

– Alguns pesquisadores pensam que havia uma espécie de peregrinação aqui muito antes do cristianismo: as pessoas seguiam a Via Láctea até onde podiam ir.

– Que coisa, como sabe tudo isso, Tubby?

– Eu pesquiso. É uma mania minha.

Voltamos para o carro e dirigimos mais rápido até Santiago, falando pouco, nos concentrando na estrada que se revelava com os faróis. De volta ao Reyes Catolicos, caímos logo no sono, nos braços um do outro, cansados demais ou tristes demais para fazer amor.

Tive tempo de sobra na balsa para ponderar o conselho de Maureen, e, na hora em que aportou em Portsmouth, havia me determinado a tentar. Telefonei para Sally só para conferir se estaria em casa e dirigi direto para Hollywell sem parar. O barulho dos meus pneus no cascalho da entrada trouxe Sally até a porta. Ela ofereceu o rosto para eu beijar.

– Parece bem – ela disse.

– Estava na Espanha – falei. – Caminhando.

– Caminhando! E o joelho?

– Parece ter melhorado, enfim – falei.

– Que maravilha. Entre e me conte tudo. Vou fazer um chá.

Era bom estar em casa – ainda pensava na casa como minha. Olhei em volta da cozinha com orgulho e prazer nas suas linhas limpas e o esquema de cores elegante. Sally parecia estar bem também. Estava usando um vestido de linho vermelho com uma longa fenda que deixava entrever um vislumbre ocasional da perna bronzeada quando se movimentava pela cozinha.

– Você também parece bem – comentei.

– Obrigada, estou. Veio buscar algumas das suas coisas?

– Não – confessei, com a garganta seca, de repente. Pigarreei para limpá-la. – Vim conversar, na verdade. Estive pensando, Sal, talvez devêssemos tentar voltar a ficar juntos. O que acha?

Sally pareceu desanimada. É a única palavra para descrever sua expressão: desanimada.

– Não, Tubby – respondeu.

– Não digo assim de cara. Podemos seguir com esse esquema de vidas separadas na casa por um tempo. Quartos separados, pelo menos. Ver como a coisa vai.

– Temo que seja impossível, Tubby.

– Por quê? – perguntei, embora soubesse a resposta antes que ela dissesse.

– Existe outra pessoa.

– Você disse que não havia.

– Bem, não havia então. Mas agora há.

– Quem é ele?

– Alguém do trabalho. Você não conhece.

– Então vocês se conhecem há um tempo?

– Sim... Mas nunca... não estávamos...

Sally, pela primeira vez, parecia sem palavras.

– Não éramos amantes até, até bem recentemente – falou por fim. – Antes era só uma amizade.

– Nunca me contou sobre isso – falei.

– Você não me falou de Amy – ela disse.

– Como soube de Amy? – perguntei. Minha cabeça estava rodando.

– Oh, Tubby, todo mundo sabe sobre você e Amy!

– Era platônico – falei. – Pelo menos até você ir embora.
– Eu sei – afirmou. – Quando a conheci, sabia que devia ser.
– Esse camarada do trabalho – comecei. – É casado?
– Divorciado.
– Entendo.
– É provável que a gente se case. Imagino que vá fazer diferença no acordo de divórcio. Você provavelmente não vai precisar me dar tanto dinheiro – ela deu um sorriso sem graça.
– Ah, foda-se o dinheiro – falei e saí da casa para sempre.

Foi um choque fortíssimo, claro – ter minha cuidadosamente preparada oferta de reconciliação recusada, dada como dispensável, despedaçada e enfiada de volta garganta abaixo quase que antes de eu enunciar as palavras. Mas voltando de carro pela M1, pelas florestas anãs de coníferas, comecei a ver o lado positivo do revés. Era óbvio que Sally começara a se encantar por esse outro sujeito anos atrás, qualquer que fosse a natureza exata do relacionamento deles. Ela, como eu havia pensado desde que Brett Sutton se revelara inocente, não me deixara apenas porque preferia estar só a estar casada comigo. Achei isso curiosamente consolador. Restaurou minha autoestima.

Os choques do dia não estavam terminados. Quando voltei a Londres e entrei no apartamento, encontrei o imóvel completamente vazio. Fora desocupado por inteiro. Não havia mais nada que pudesse ser removido, nem mesmo as lâmpadas e os varões de cortina. As cadeiras, mesas, camas, tapetes, panelas e talheres, roupas e roupas de cama – tudo roubado. A única coisa que fora deixada, muito bem posicionada no meio do piso nu de concreto, era meu computador. Foi um toque de delicadeza por parte de Grahame: um dia lhe expliquei o quanto os conteúdos do meu disco rígido eram preciosos, e ele não sabia que eu depositara uma caixa de arquivos de backup no cofre do banco antes de viajar para a Espanha. Não sei como ele e seus amigos entraram, porque não haviam danificado a porta e tiveram o cuidado de trancá-la ao sair. Talvez Grahame tivesse feito uma cópia das minhas chaves um dia quando foi deixado a sós no apartamento e eu estava no banheiro – eu costumava manter um conjunto extra de chaves pendurado na cozinha. Ou talvez tenha pegado emprestado sem eu perceber. Aparentemente, chegaram um dia de manhã em um caminhão de mudanças e tiveram a petulância de pedir uma permissão especial para a polícia para estacionar em frente ao prédio enquanto transportavam o conteúdo do meu apartamento para algum novo endereço espúrio.

Quando entrei no apartamento e olhei ao redor, depois de meio minuto de assombro boquiaberto, eu ri. Eu ri até as lágrimas rolarem pelas minhas bochechas, precisei me apoiar na parede e por fim sentei-me no chão. A risada tinha um toque de histeria, sem dúvida, mas era genuína.

Se isso fosse um roteiro de televisão, eu teria provavelmente encerrado ali, com os créditos finais rolando por cima da imagem do apartamento vazio, com este que vos fala esparramado no canto, com as costas apoiadas na parede, chorando de tanto rir. Mas isso aconteceu há várias semanas, e quero atualizar a história, até o momento presente em que escrevo, assim posso prosseguir com meu diário. Ando muito ocupado trabalhando em *O pessoal da casa ao lado*. Ollie e Hal realmente adoraram minha mexida no script de Samantha para o episódio final da última temporada. Foi muito bem com a plateia do estúdio também, ao que tudo indica. (Eu não estava lá, foi gravado no dia 25 de julho, na festa de São Tiago.) E Debbie ficou tão entusiasmada em interpretar o fantasma de Priscilla que mudou de ideia e assinou para uma nova temporada inteira baseada na ideia. Estou escrevendo os roteiros, mas Samantha vai receber um crédito em destaque, o que é justo. Ela se tornou a cirurgiã número um de roteiros da Heartland em muito pouco tempo. Fiz uma aposta com Jake no almoço hoje de que em menos de dois anos ela vai ficar com o trabalho de Ollie.

Jake não foi muito compreensivo com o roubo. Disse que eu era louco de ter um dia confiado em Grahame e assinalou que, se eu houvesse permitido que ele usasse o apartamento como seu ninho de amor enquanto eu estivesse ausente, Grahame e seus comparsas não teriam se atrevido a saqueá-lo. Mas consegui remobiliar tudo com muita rapidez – a companhia de seguros foi bastante justa – e eu nunca gostara muito do mobiliário original. Sally havia escolhido. Era como se estivesse começando uma nova vida do zero, substituindo tudo no apartamento. Mas é pequeno demais para fazer dali uma residência permanente. Estou pensando em me mudar para os arredores, Wimbledon, para ser bem mais exato. Tenho me encontrado muito com Maureen e Bede nos últimos tempos. Seria bom ficar perto deles, e pensei que poderia tentar me associar ao clube de tênis local – sempre sonhei em usar aquele blazer verde-escuro. Fui até Hollywell outro dia para esvaziar meu armário no antigo clube. Uma ocasião um pouco melancólica, melhorada pela circunstância de que trombei com Joe Wellington e o desafiei para um jogo valendo dez contos. Ganhei disparado dele, 6-0, 6-0, correndo até a rede depois de cada saque e voltando correndo até a linha de fundo quando ele tentava jogar por cima. "O que aconteceu com seu joelho?", arfou ele depois da partida. "Não seja um mau perdedor, Joe", falei. "Oh, não vamos discutir joelhidades!" Não creio que ele tenha reconhecido a alusão a Rei Lear.

    Estou de olho em uma casinha bonita no alto do morro do All England Club. Porém, não vou me desfazer do apartamento. É útil para os negócios ter uma base no West End; e, de vez em quando, Maureen e eu tiramos uma sesta lá. Não pergunto como ela se resolve com sua consciência – não sou bobo. Minha própria consciência está bem tranquila. Nós três somos excelentes amigos. Vamos viajar juntos para umas férias curtas de outono, na verdade. Para Copenhague. Foi ideia minha. Pode-se dizer que é uma peregrinação.

IMPRESSÃO:

Pallotti
GRÁFICA EDITORA
IMAGEM DE QUALIDADE

Santa Maria - RS - Fone/Fax: (55) 3220.4500
www.pallotti.com.br